# 移民大国アメリカの言語サービス

## 多言語と〈やさしい英語〉をめぐる運動と政策

角(すみ) 知行(ともゆき)

明石書店

# はしがき

先日NHK・BSテレビをみていると、アメリカ・ワシントンのフードトラックを紹介していた。フードトラックとは、車内のキッチンで調理した料理を公園や道端で販売するワゴン型の移動販売車（キッチン・カー）のこと。ワシントンのオフィス街の一角には、昼頃になるとフードトラックがならぶ。ビジネス・パーソンや近くの住民が料理をテイクアウトして、オフィスや自宅でランチにするのである。

なかでも目立つのは、各国のエスニック料理を販売するフードトラックである。その数は40か国におよぶという。イラン、エチオピア、セルビア、ベネズエラなどの料理が紹介されていたが、実においしそうであった（私もかつてロサンゼルスのフードトラックでたべたタコスの味が、いまだにわすれられない）。シェフの大半は移民としてアメリカにやってきた人たちで、その来歴もかたられていた。苦労も多かったはずだが、明るさが印象的である。

アメリカは食文化が多彩である。地域にもよるが、各地のエスニック料理を簡単に口にできる。音楽、映画、スポーツなどの分野でも移民が活躍し、内容を豊かにしている。もちろん社会問題も発生するが、彼らがアメリカ文化に活力や多様性という魅力を提供しているのはまちがいない。

移民が多くなれば、当然、出身国の言語も多くなる。アメリカでは英語だけが使用されている印象がある。しかし、この国で話されている言語は350をこえる。おもなものは、スペイン語、中国語、タガログ語、ベトナム語、アラビア語など。国勢調査によれば、約2割の人が家庭で英語以外の言語を話している。なかでもスペイン語の話者は4,000万人をこえる。

移民はすぐに英語を話せるようになるわけではない。移民第1世代を中心に、アメリカ人の約1割は、英語がうまく話せない。その間、英語学習を支援するとともに、少数言語によるサービスの提供が必要になる。南部や西部の州を中心に、英語と少数言語で授業をおこなう双方向バイリンガル教育がひろがりをみせている。病院にいけば、バイリンガルのスタッフや通訳が待機していたり、電話やテレビ電話による多言語サービスが提供されたりする。投票の際には、少数言語による翻訳や通訳がつく。政府に明確な言語政策があるわけではないが、アメリカには多言語サービスが幅ひろく展開されている。

また、多くの行政や企業は、文書をできるだけ〈やさしい英語(plain English)〉にするサービスを実施している。英語能力が十分でなくても、文書があつかえればなんとか社会生活をこなしていける。連邦政府の各省庁は、毎年、平易な英語文書を書くための研修会を開催し、その成果を行政文書やウェブサイトの作文に活用している。英語能力が十分でない人にとって、これらのとりくみは役だっているにちがいない。

この本は、現代アメリカにおけるこうした言語サービスをとりあげ、その運動と政策をのべる。全体は、第Ⅰ部「多言語サービス」、第Ⅱ部「〈やさしい英語〉サービス」という2部構成になっている。なぜ2部になっているのか、それは筆者の研究の曲折と関係がある。

私は2012年に『識字神話をよみとく──「識字率99%」の国・日本というイデオロギー』を明石書店から出版した。日本に非識字者や低識字者はいないと信じられてきたが、それはつくられた神話であることを「日本人の読み書き能力調査」の分析などからあきらかにした。文字を学習する識字教育とともに、識字能力がひくくても情報にアクセスできる情報保障が課題になる。

この問題意識をもってしらべるうちに、イギリスでは、英語を平易にする〈やさしい英語〉運動があり、政府が文書改革を実施するなどの成果をおさめていることを知った。アメリカにも、よく似た運動があることがわかった。これらをしらべて、論文にまとめた。

しかし、ここで壁にぶつかった。これ以上の文献や資料がみつからないのである。アメリカでは州の自治権が大きく、州独自の言語政策がみられる。先進的とされるカリフォルニア州をしらべても、〈やさしい英語〉に関連する文書はほとんどない。むしろ、大量に目にするのは、多言語サービスに関する文献や資料であった。

移民国家アメリカでは、移民が英語の非識字者・低識字者の圧倒的多数を占める。非・英語圏出身者に対応するには、彼らの母語による多言語サービスが要求され、政策課題としても優先される。〈やさしい英語〉が占める役割は、小さなものにすぎなかった。

そこで私は、非識字者・低識字者から限定的英語能力者に、〈やさしい英語〉サービスから多言語サービスに視点を拡大し転換することにした。対象地域も豊富な事例をもつアメリカにさだめた。投票、医療、行政など、生活の各分野で多言語サービスを要求するエスニック団体や支援団体の活動は活発である。これに反対し、英語唯一をとなえる運動団体もある。対立や葛藤のなかで、多言語サービスが実現される経緯は興味ぶかいものがあった。草の根運動とよぶべき運動のつよさ、しなやかさを随所に感じた（文中でその一端をつたえられたら、と思う）。そうした面白さにもうごかされて、いくつか論文をかさねてきた。

本書は、言語サービスという観点から、これらの発表論文を加筆修正してまとめたものである。各章の順番は、論文の発表順とだいたい逆になっている。分野は多岐にわたるので、あらたに概論を書きおろした。序章は言語サービス全体、第1章は多言語サービス、第6章は〈やさしい英語〉サービスの、それぞれ概論である。終章では、総括とともに日本の言語サービスの考察をおこなった。全体を読んでいただきたいが、時間がない読者には、これらの概論と結論をつなげるだけでも全体の大筋をつかむことはできる。関心のある章を、＋α として追加してもらえばよい。この本の読書スタイルは、2通りある。

通常コース：序章→第1章→……→第9章→終章
時短コース：序章→第1章→第6章→終章→＋α

第9章は付章としてイギリスをあつかうが、これをのぞいて、全体はアメリカ合衆国を対象とする。なぜアメリカかと問われれば、上でのべたように、「研究上のいきさつで」としかこたえようがない。多数の移民をかかえるアメリカは、言語サービスについて事例が豊富である。日本の在留外国人は、2019年末に290万人をこえた。今後もふえていくであろう。移民をうけいれてきた国々の経験は、良きにつけ悪しきにつけ、言語政策や言語サービスの研究素材になるはずである。それらの国のひとつにすぎないが、アメリカの例も参考になればと思う。

私はアメリカの地域研究を専攻するわけではなく、記述のなかに初歩的なミスや誤解があることをおそれる。もしあれば、筆者までご指摘いただきたい。ただ、この本にとりえがあるとすれば、それは従来とりあげられなかった対象をあつかっており、類書がないということであろう。アメリカの多言語サービスについては、医療関係の論文が多少みられるが、どの分野も日本語による先行研究はきわめて少ない。〈やさしい英語〉についても、ガイドラインの紹介はあっても、運動論的背景にまでふみこんだものはない。研究をすすめるなかで、私は未踏の雪原をゆくような困難と心地よさを感じてきた。言語サービスに関心をもつ読者、研究者、関係者に、何かあたらしい知見がつたえられたら幸いである。

本書がなるにあたっては、論文審査をいただいた各紀要の査読委員、発表機会を提供してもらった情報保障研究会や日本のローマ字社のメンバー、一部の原稿を読んでくださった山倉明弘氏（天理大学）から、それぞれ貴重なコメントを頂戴した。コロナ禍のなか、出版、編集に際しては、明石書店の石井昭男氏、大江道雅氏、森富士夫氏にお世話になった。あわせて感謝したい。

2020年5月

著者しるす

# 初 出 一 覧

（掲載にあたっては加筆修正をした）

序章　書きおろし

第Ⅰ部

第1章　書きおろし

第2章　「米国の投票権法（1975年修正）について―なぜバイリンガル投票制度が実現したのか」『アメリカス研究』（第23号、2018年）

第3章　「アメリカにおける多言語サービスと言語アクセス法―クリントンの大統領令13166をめぐって」『社会言語学』（第17号、2017年）

第4章　書きおろし

第5章　「NPOと言語アクセス条例―米国・サンフランシスコの事例から」『社会言語学』（第18号、2018年）

第Ⅱ部

第6章　書きおろし

第7章　「読みやすい消費者文書表記に関する研究―アメリカにおける事例を題材にして」『国民生活研究』（第57巻第1号、2017年）

第8章　「アメリカにおける〈やさしい言語（Plain Language）〉運動―連邦政府のとりくみを中心に」『社会言語学』（第16号、2016年）

第9章　「イギリスにおける『やさしい英語（Plain English）』運動―その発展の経緯と要因」『天理大学・人権問題研究室紀要』（第19号、2016年）

終章　書きおろし

# 移民大国アメリカの言語サービス
―多言語と〈やさしい英語〉をめぐる運動と政策―

## 目　次

# 図表・資料一覧

## 凡　例

・基本的に常用漢字表にある漢字を使用した。同表にないものには、読みをふるようにした。
・外国人名のカタカナ表記については『新・アルファベットから引く外国人名よみ方辞典』(日外アソシエーツ)、Google 翻訳などを参照した。
・本文および参考文献の人名は、姓・名の順で記してある(例:クリントン・ビル:Clinton, Bill)。
・引用文献には、著者名、出版年、翻訳年、該当ページを記した(例:クリントン・ビルほか 1992=1993: 46)。書誌情報は、巻末の参考文献/参考サイトにある。
・ウェブサイト資料の取得日は、年月日の表示のあるもの以外は、2020年5月10日である。

## 頭字語(acronyms)

・ACA: Patient Protection and Affordable Care Act=患者保護および医療費負担適正化法(オバマケア)
・CAA: Chinese for Affirmative Action=積極的差別撤廃措置をもとめる中国人協会
・CHIP: Children's Health Insurance Program=子ども健康保険プログラム
・CLAS: Culturally and Linguistically Appropriate Services=文化的・言語的に適切なサービス
・FEMA: Federal Emergency Management Agency=連邦緊急事態管理庁
・FTC: Federal Trade Commission=連邦取引委員会
・LEP: Limited English Proficiency=限定的英語能力(者)
・LULAC: League of United Latin American Citizens=統一ラテンアメリカ市民連盟
・MALDEF: Mexican American Legal Defense and Education Fund=メキシコ系アメリカ人・法的弁護および教育基金
・NAACP: National Association for the Advancement of Colored People=全米黒人地位向上協会
・NAACP LDF: National Association for the Advancement of Colored People Legal Defense and Education Fund=全米黒人地位向上協会・法的弁護および教育基金
・NAIC: National Association of Insurance Commissioners=全米保険監督官協会
・NHeLP: National Health Law Program=全米保健法プログラム
・NPO: Nonprofit Organizations=非営利団体
・OCEIA: Office of Civic Engagement and Immigrant Affairs=オセイア(サンフランシスコ市民参加・移民問題局)
・OECD: Organization for Economic Co-operation and Development=経済協力開発機構
・PRLDEF: Puerto Rican Legal Defense and Education Fund=プエルトリコ出身者・法的弁護および教育基金
・SEC: Securities and Exchange Commission=証券取引委員会

# 序章
# 言語サービスとは何か

## 1. オバマケアにおける言語サービス条項

日本でも話題になったが、2010年いわゆる「オバマケア（患者保護および医療費負担適正化法）」が成立した。国民皆保険制度がないアメリカで、これは保険加入を義務化する画期的な保険制度改革であった。その子細を論じるのは本書の目的ではない。注目したいのは、LEPに対する言語サービス条項が、もりこまれたことである。LEPとは「Limited English Proficiency」の略で、英語が得意ではなく、英語能力に限界がある人（限定的英語能力者）をさす。移民や義務教育中退者などの一部がふくまれる。言語サービスとはLEPの人たちの話す少数言語や〈やさしい英語（言語）= plain English（language）〉で、行政や企業が情報を提供するサービスをいう[1]。

オバマケアは、低所得者の保険加入条件を緩和すると同時に、LEPに対する言語サービスの改善をはかった。同法第92条は、保険プログラムや活動のサービスにおいてLEPに意味あるアクセスを提供しなければならないとし、バイリンガル・スタッフ、通訳・翻訳者などの必要性に言及している。また第1331条には、医療情報等の提供はLEPをふくむ受け手がすぐに理解できる〈やさしい言語〉でなければならない、とある。

アメリカには日本のように一元的な保険制度はなく、多数の人は健康保険の種類をえらばなければならない。英語能力に問題をかかえるLEPにとって、専門用語や難解な文章にみちた保険説明書はやっかいである。これを忌避して無保険者になったり、条件のわるい保険加入を余儀なくされたりする場合も多い。行政や保険会社が、LEPの理解する少数言語や〈やさしい英語〉で情報を提供してくれれば、保険に加入しやすくなるとともに、よりよい条件の保険を選択することができる。

言語サービス条項がもりこまれたのは、オバマが公文書の平易化、多言語化に理解のある大統領だったからである。彼は2010年、公文書の平易化をさだめた「やさしい作文法（Plain Writing Act of 2010）」に署名した。翌2011年には、多言語サービスの提供を各省庁にうながして2000年に発令されたクリントンの大統領令13166を再認し、その強化策を発表している。

ただし、これはオバマだけの功績ではない。背景には、数十年にわたる言語サービスをもとめる運動とその成果がある。さまざまな運動団体が行政、司法、医療、投票、消費などの分野で、言語サービスを要求してきた。裁判所は判例で、議会は立法で、政府は政策でこれにこたえた。州政府（アメリカでは州の行政機関も政府という）のなかには、連邦政府以上のサービスを提供している所もある。多言語や〈やさしい英語〉による情報提供の実績が各地でかさねられ、これがオバマケアの言語サービス条項に実をむすんだのである。

オバマケアは一例にすぎない。現在アメリカでは行政や企業が、多方面で多言語や〈やさしい英語〉による言語サービスを実施している。本書は、1960年代以降の言語サービスをめぐる運動と政策をあつかう。それはとおいアメリカの出来事であるが、今後、在留外国人（移民）の増加が予想される日本にも、示唆をあたえてくれるであろう。まず本章では、言語サービスに関する基本的な概念を整理し、分析の枠組みをあきらかにしておきたい。

## 2. LEP（限定的英語能力者）とはだれか

### LEPの属性

オバマケアの条項にも登場したが、英語能力に限界のある人たちを指示する用語として、現代アメリカでもっともよく使用されるのは、「LEP: Limited English Proficiency= 限定的英語能力（者）」である。アメリカの国勢調査には言語に関する設問がある。それは「家庭で英語以外の言語を話しますか」「それは何語ですか」「英語はどの程度話せますか」という3問である。最後の設問に対して「英語がまったく話せない（not at all）」、もしくは「それほどうまく話せない（not well)」と回答した者がLEPに該当する。したがってLEPは、自己申告による英語の会話能力ということになる。

英語能力に限界のある人口はどのくらいいるのか。2016年度の国勢調査の結果をみると、5歳以上で、家庭で英語以外の言語を使用している者は21%、英語が「まったく」もしくは「それほどうまく」話せないと回答した者は、あわせて9%。つまりアメリカでは移民が多いため、国民の約2割が家庭で英語以外の言語を使用し、約1割が限定的な英語能力しかもっていないということになる[(2)]。

2015年の国勢調査により、アメリカの家庭で話されている少数言語の人口とそれぞれにおけるLEPの割合を、上位についてみると、次のようになっている。①スペイン語／スペイン・クレオール語（4,000万人、41%）、②中国語（333万人、56%）、③タガログ語（174万人、32%）、④ベトナム語（147万人、59%）、⑤フランス語（127万人、20%）、⑥アラビア語（116万人、37%）。以下、韓国・朝鮮語、ドイツ語、ロシア語、フランス・クレオール語とつづく。圧倒的に多いのはスペイン語である。それぞれの少数言語において、LEPの占める割合はかなり差がある[(3)]。

移民の増加とともにLEPの人口も増加した。移住政策研究所（MPI: Migration Policy Institute）の資料によれば、1980年には1,000万人にすぎなかったLEP人口は、2015年には2,590万人に、つまり2.5倍にふえた。当時の人口比で、9%にあたる。カリフォルニア州（19%）、テキサス州（14%）、ニューヨーク州（14%）など移民の多い州では、数字はさらにたかい[(4)]。

言語の障壁から生じる格差は、厳然として存在する。同資料によれば、25歳以上のLEPの約半数は高校卒業の学位をもっていない。貧困ライン以下で生活する割合は23%と、全体の2倍におよぶ。LEPはエスニック集団ではないが、それに準ずるものとして位置づけられ、特別な政策の対象になっている。

## 国際成人力調査（PIACC）にみる低識字者

もうひとつ別の調査結果をみてみよう。OECD（経済協力開発機構）は、2011年から2012年にかけて、24か国（加盟22か国と非加盟2か国）の16歳から65歳を対象にして、成人スキル調査を実施した。これは15歳児のスキルに関する「学習到達度調査（PISA）」の成人版であり、「国際成人力調査（PIAAC: Programme for the International Assessment of Adult Competencies)」と称される。

調査では「数的思考力」「ITを活用した問題解決能力」とならんで、「読解力」が測定された。その結果は500点満点で採点され、レベル1からレベル5の5段階に区分されている(OECD 2013=2014)。図表0-1は、アメリカの結果を表示したものである。参考までに日本の結果もそえた。

**図表0-1　読解力のレベル別分布** (%)

| | レベル | レベル1 | レベル2 | レベル3 | レベル4 | レベル5 | 欠損 |
|---|---|---|---|---|---|---|---|
| | 点数 | 0～225 | 226～275 | 276～325 | 326～375 | 376～500 | |
| アメリカ | | 17.5 | 32.6 | 34.2 | 10.9 | 0.6 | 4.2 |
| 日本 | | 4.9 | 22.8 | 48.6 | 21.4 | 1.2 | 1.2 |

(出典) OECD 2013=2014: 146

識字研究においては、現代の先進国において「非識字者」にくわえて、読み書きに限界のある層が存在することが指摘され、「低識字者(low literate)」とか「機能的非識字者(functionally illiterate)」などと命名されてきた(以下では、「低識字者」とよぶ)。そのラインは相対的であるが、多くの先進諸国において、すくなくとも10%以上の人口がここに属するといわれる。『非識字社会アメリカ』の著者コゾル・ジョナサンは、商品説明書、地名表示、テレビ字幕などを読めない人口が、1984年頃のアメリカに当時の全人口の四分の一にあたる約6,000万人がいたと推定している(コゾル・ジョナサン1985=1997: 31)。これらの調査結果は識字能力であり、会話能力に関するさきの国勢調査の結果と同一視できない。しかし、識字能力に限界のある者は、会話能力に限界のある者よりも、さらに多数のはずである。

## 「LEP」の意義と限界

「LEP」という概念(以下では、その概念をあらわす場合には「　」をつける)がいかにして形成されたのか、資料はなく、正確なことはわからない。1975年に投票権法が改正され、一定の人口比率をもつ言語少数者に対して投票用紙などを少数言語で提供するバイリンガル投票制度が確立した。条文には「言語少数者(language minority)」というカテゴリーが明記された。国勢調査にも言語に関する質問項目が挿入されるようになった。おそらく、これらを契機として「LEP」の使用がはじまったのであろう。投票権法では、1992年の修正で「LEP」という用語が登場している。「言語少数者のメンバーで、かつLEPである場合に」というように「言語少数者」と「LEP」が並列的にもちいられた。2000年に発令されたクリントンの大統領令13166では、「言語少数者」がきえて「LEP」だけになっている。

LEPは、出身国や言語少数者と密接につながりがある。しかし、外国出身者や言語少数者であっても、英語が主たる言語である者やバイリンガルの者もおり、彼らの英語能力は多様である。アメリカは移民国家といわれるほど、移民は多数にのぼる。英語能力を正確に把握するうえで、「LEP」は有効な概念である。

LEPはエスニック集団に準ずる集団として、政策的措置の対象になっている。国勢調査局が発表するLEPの地域別の詳細なデータを利用して、各地で政策の実施が決定される。たとえば投票権法の「ある選挙区で有権者の5%以上が何らかの言語少数者で、かつLEPである場合に、その少数言語で投票紙や関連資料を配布する」といった規定を参照するデータになっている。「LEP」は単なる操作的概念ではなく、実体的概念である。

「LEP」は言語サービスの基礎データとなる重要な概念だが、問題点もある。ひとつは、これが「英語はどの程度話せますか」という設問にたいする回答であるため、会話能力にかぎられることである。実際の社会生活においては、文書の読解や作文も必要になる。図表0-1でみたように、識字能力に限界のある非識字者や低識字者も存在し、その数はLEPよりもさらにたかいと推測できる。LEPと英語の識字能力との相関をしらべた研究は、管見のかぎりみつからない。LEPの数字が、はたして社会的に不利な立場にある限定的英語能力者の数を正確に反映しているのか、疑問がのこる。

もうひとつ、LEPと障害者との関連も不明である。アメリカ手話による〈ろう者〉や聴覚障害者、わかりやすい英語を必要とする知的障害者などは、国勢調査の言語設問にどう回答するであろうか。彼らはLEPにふくまれるといえるであろうか。LEPは、もっぱら移民や先住民を想定して論じられており、境界はあいまいなままである。その改善のためには、国勢調査の設問と回答様式が再検討されなければならないであろう。

ただし近年は行政文書のなかに、言語少数者として「障害者」あるいは「多様なコミュニケーション・ニーズをもつ人」という表現がLEPに追加されることもふえてきた[5]。木村護郎クリストフ（2020）は、日本の研究状況に注目して、「多言語主義的言語権」から「障害学的言語権」へと言語権の拡大をあとづけている。アメリカでも、同様のうごきがみられる。

本書ではこれらの限界も意識しつつ、「LEP」を使用することにしたい。以下では「LEP」が創出される母体になり、その最大の構成者である移民を対象にする。アメリカにおける移民と言語の状況を次にみてみよう。

## 3. 移民と言語

### アメリカにおける移民

2017年度の統計によると、アメリカ合衆国の人口は3億2,570万人。そのうち4,450万人が「外国籍うまれ（foreign born）」である（数字はゾン・ジェほか2019による。以下も同様）。「外国籍うまれ」は、「出生時にアメリカ市民ではなかった者」のことである（この対概念が「自国籍うまれ（native born）」。ここにはアメリカ国籍をもつ両親のもと海外でうまれた者もふくまれる）。アメリカの国内統計では「外国籍うまれ（foreign born）」と「移民（immigrants）」が互換的にもちいられる。この範疇（はんちゅう）に属するのは、「帰化者」「永住権（グリーンカード）所有者」「難民等」「一時的ビザによる滞在者」「非正規滞在者」である[6]。

移民をどのように定義するか、国際的な合意があるわけではない。帰化して国籍を取得した者を移民にふくまないことも多い。アメリカの帰化市民は2,200万人であるので、これをさしひいた狭義の移民人口は、2,250万人ということになる。いずれにしても世界最大である。出身国別にみると、メキシコ（23%）、中国（6%）、インド（6%）、フィリピン（5%）が上位を占める。以下、エルサルバドル、ベトナム、キューバの順になっている。

帰化市民が2,200万もいることからわかるように、アメリカに特徴的なことは、帰化（国籍取得）にいたるルートがひろく確立しており、毎年おおぜいの移民が帰化していることである。雇用ビザ等で永住権を取得し、最低5年間それを保持すれば、帰化申請の資格がえられる。2017年度に永住権を取得したのは110万人、帰化したのは71万人であった（永住権取得から帰化にいたる平均年数は8年である）。日本には2018年度264万人の在留外国人がいるものの、法務省統計によると帰化者はわずか9,074人。「移民政策をとらない」日本と対照的に、移民を歓迎し受容する移民国家アメリカのちがいが、ここにはあらわれている。

## 世代別にみたラティーノの英語移行

移民の言語状況はどうなっているのか。一例として、最大の移民集団であるラティーノ（ヒスパニック）をみてみよう[(7)]。ルンバウト・ルーベン（2009）は、移民のラティーノを対象にした世代別言語移行の調査結果を紹介している（図表0-2）。

これによると、移民第1世代では「スペイン語優勢」が72%を占めるものの、第2世代で7%に、第3世代ではわずか1%に急激に減少していく。第2世代では「英語優勢」と「バイリンガル」が拮抗（きっこう）し、第3世代では、「英語優勢」が78%と圧倒的になる。移民の現地語への移行は3代で完了するといわれるが、数字はこれを裏づけている。英語の力が圧倒的なアメリカは、現地語（英語）への移行スピードがはやい。それは同時に、多くの少数言語が早期に消滅することを意味する。アメリカは「言語の墓場」ともいわれる。

図表で注目したいのは、第1世代72%、第2世代7%、第3世代1%の「スペイン語優勢」人口である。彼らは「バイリンガル」ともよべないほど、英語

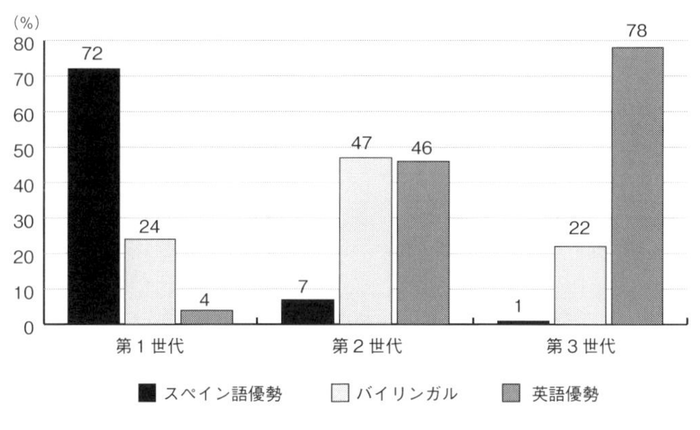


**図表0-2　ラティーノの世代別言語移行**
（出典）ルンバウト・ルーベン：Rumbaut, Rubén 2009:46

能力に限界がある。第2、第3世代のバイリンガルのなかには、割合は少ないが、両言語に限界のある「ダブル・リミテッド」もいるであろう。第1世代を中心に、英語能力を獲得できていないラティーノがかなり存在することは、この調査からもあきらかである。

バイリンガルにいたらないスペイン語話者が多数のこる背景には、中高年齢層が多い第1世代にとって、あたらしい言語を獲得するには時間的、能力的な限界があるという事情がある。仕事におわれるなかで、英語学習に時間をさくのは困難である。フロリダ州、カリフォルニア州といったラティーノの人口比率がたかい地域では、英語なしでくらしていける環境もある。すでに1988年には「今やマイアミに限らず、アメリカの主要都市では、生まれてから死ぬまでスペイン語だけで生活することができる」といわれていたのである（ワイヤー・トーマス1988=1993: 25）。

## 4. 言語アクセスと言語サービス

### 現地語習得の困難さ

LEPにとって、英語によるコミュニケーションの限界は、日常生活のうえで重大な支障をきたす。たとえば、病気、ケガなどで病院にかかる必要が生じても、ことばができないため、病院にいかないケースも多い。望月優大は、日本にくらす外国人が病院に対してもつ恐怖感を記している（望月優大2019: 213）。ただでさえ日本語が不自由な者にとって、専門用語がとびかう現場にでむく緊張や不安は察するにあまりある。それは日本でもアメリカでもおなじであろう。アメリカでは、コミュニケーションの誤解から生じた医療事故さえ、いくつも報告されている。

そのほか、災害、福祉、保険等に関する行政情報の取得、司法の場における陳述など、生活や生命にかかわる事例は多い。市民権を取得した帰化者は、帰化テストで検査される最低限の英語能力はもっているにしても、諸権利の行使には、より高度な英語能力がもとめられる。

これへの対策としてまず想起されるのは、英語能力の習得である。とくに年少者にとって、その意味は大きい。LEPの関連語として、「ELL: English Language

Learners= 英語学習者」という用語がある。英語学習の意義を否定すべき理由はない。

ただし、移民1世など、とくに時間に制限がある中高年にとって、仕事しながら学習の時間を確保することは、大変である。アメリカでも日本でも、在留外国人に「なぜ現地語（英語／日本語）の学習をしないのか」という質問をした調査結果をみると、圧倒的に多いのは「勉強する時間がないから」である。

たとえば、日本ではたらくアジア系女性の事例調査がある。調査対象となった女性は、日本語を話せるものの、ひらがな、ローマ字がおもな日本語の表記手段であり、漢字かなまじりはつかえない。子どもがかよう学校の教師とのやりとりはローマ字で、婚約者とのメールのやりとりはひらがなでおこなっている。漢字かなまじりによる公的文書からは疎外されたままである。かなや漢字の習得はのぞましいが、膨大な時間がかかる。こうした生活状況について調査者は「日本語の読み書きが要らない仕事は低賃金長時間であることが多く、生活環境の面からも日本語を学習するゆとりはない」としている（富谷玲子ほか2009: 123-132）。アメリカでも事情はおなじである。現地語の語学・識字学習という主体的努力だけに問題の解決をゆだねることはできない。

## 言語権（言語アクセス権）

近年、言語少数者が自分たちの母語（第一言語）で社会生活をいとなむ権利が主張されるようになってきた。これは「言語権」といわれ、国際的にもひろく承認されている。1976年に発効し、日本も1979年に批准した国際人権規約の自由権規約第27条には、「言語少数者は自己の言語を使用する権利を否定されてはならない」という一文がある。

言語権は、少数言語の使用をみとめたり保護したりする権利だけをいうのではない。実際に自分たちが使用する言語をつかって、さまざまな情報にアクセスする権利をもいう。この側面を強調した用語として「言語アクセス（権）」がある。アメリカでは「言語アクセス（language access）」ということばは、法律の名称や条文に、ひろく使用されている。

投票、医療、消費、市民生活などで、各人は有権者、患者、消費者、市民としての権利を有している。これらは投票権、患者の権利、消費者の権利、行政サービスをうける権利などといわれる。それぞれにおいて、言語やコミュニケーションは重要な役割をはたす。言語権（言語アクセス権）は、これらの諸権利に付随する権利だということもできる。

アメリカで、言語権を明確に規定した法律はない。そのかわり、1964年に制定された公民権法の第6編が、言語差別を禁止し、少数言語の権利を擁護する条項であるとされている。第6編には「連邦政府の財政援助をうけているプログラムや活動に関連して、人種、肌の色、出身国にもとづく差別はおこなってはならない」とある。ここでいう「出身国」に準じるものとして「言語」が位置づけられている。

この解釈をうちだしたのは、「ラウ対ニコラス」とよばれる裁判である。1974年、ラウを代表とするサンフランシスコの中国系の生徒たちは、教育委員会に対して中国語による適切な補習の実施をもとめる訴訟をおこした。連邦最高裁判所は公民権法第6編を根拠として、この訴えをみとめた。以後、実施に関する「ラウ規則」がつくられ、バイリンガル教育が普及する契機になった。これはまた、言語アクセスを保障する政府のバイリンガル政策の根拠にもなった。バイリンガリズムを研究するクロフォード・ジェームズは、この判決は言語アクセス権に関するもっとも重要な判決だとしている（クロフォード・ジェームズ 1992a=1994: 286-287）。

### 行政や企業による言語サービス

言語少数者の言語アクセス権をみとめるならば、連邦／州／地方政府や企業は、それを保障する義務を負い、具体的な施策を実施しなければならなくなる。こうした施策は「言語サービス」あるいは「言語援助サービス」といわれる。サービスといえば、日本語では「奉仕」「オマケ」といったニュアンスがあるが、ここでいうサービスとは行政や企業による本来的業務をさす。

LEPに対する言語サービスには、ふたつの方向がある。ひとつは、言語少数者の使用している言語で、サービスを提供すること、もうひとつは、サービスを供する英語を平易にわかりやすくすることである。前者を「多言語サービス」、後者を「〈やさしい英語〉サービス」とよぶことにする。

多言語サービスは、とくに二言語に注目して「バイリンガル・サービス」といわれたり、省略して「言語サービス」とされたりすることもある。〈やさしい英語〉サービスは、言語サービスのひとつとして位置づけられることは一般的とはいえない。しかし、第Ⅱ部でみるように、これは行政／企業サービスの改善の一環として展開してきた歴史がある。冒頭で紹介したオバマケアの条項もそうだが、近年はいろいろな分野で、多言語サービスと関係づけてとりあげられる。本書では、〈やさしい英語〉サービスも言語サービスのひとつとみなすことにする。

## 5. 多言語サービスと〈やさしい英語〉サービス

### 多言語サービス

多言語サービスの意義をよく体現しているのは、多言語教育（バイリンガル教育）であろう。学齢期の移民児童は、あらたに入学した学校で、英語の壁にぶつかる。日常語にくわえて、抽象的な学習言語の学習が必要になる。そのためには、母語と英語の学習言語を対照し補充する支援が有効である。バイリンガル教師による指導は、教科学習のキャッチアップに大きな意味をもつ。母語は学校だけでなく、親とのコミュニケーション、家族関係の維持、アイデンティティの確立など、家庭においても重要な役割をはたす。

移民、とくに年少者に対する多言語教育と同様に、移民第1世代に多いLEPにとって、多言語サービスは重要な意味をもつ。基本的な生活の保障や公民権の行使に、多言語サービスは欠かせない。医療における言語アクセスを研究するトラン・ヘレンらは、LEPの消費者が健康保険市場や健康維持プログラムに適切にアクセスできることは、LEPの生徒が公教育に適切にアクセスできるのと同等の重要性をもつはずだとのべている（トラン・ヘレンほか2014: 17）。

学習言語という専門用語が登場する学校でバイリンガル教師が必要になるのとおなじように、医療や法律の専門用語が頻出する医療や司法の分野では、医療通訳士や司法通訳者という専門家が必要になる。当然、これには費用が発生する。アメリカには、先住民の言語をふくめて350をこえる少数言語が話されているといわれる。とくに話者数の少ない少数言語の翻訳通訳の費用は高額になる。こうした事情から、多言語サービスは、費用対効果を考慮しつつ人口や人口比を参照しながら実施せざるをえない。費用問題は、多言語サービスを制約する条件のひとつである。

もうひとつ、多言語サービスを制約するのは、英語への同化をもとめ英語習得を唯一の目標とする「英語唯一主義」である。こうした運動は「イングリッシュ・オンリー運動」とよばれる。現在も英語の公用語化をもとめる団体がある。もっとも有名なのは、1983年に設立された「U.S. イングリッシュ」であろう。これらの団体は、連邦や州の議会において英語公用語化法案のロビー活動に力をいれ、連邦では実現していないものの、32をこえる州で英語公用語の法案化や宣言化を達成した。同時に、自動車免許証、投票などの多言語サービスに反対し、その廃止をもとめている。これらは政府の財政を圧迫するとともに、国民の一体感を喪失させ国家の分裂につながるというのが、反対の理由である。

### 〈やさしい英語〉サービス

もう一方の〈やさしい英語〉サービスとは、言語サービスに関連する英語の文書や会話を平易にすることである。法律／行政文書の平易化が出発点のひとつになった。日本語もそうだが、法律や行政の文書は、長文で、難解な専門用語にあふれている。アメリカでは、法律／行政文書の改良が実際に進行している。その際に、利用されるのが〈やさしい英語〉という作文法である。オーストリアからアメリカに帰化したフレッシュ・ルドルフは、第二次世界大戦後、これをタイトルに冠する本を出版した。フレッシュの著作は人気を博し、ガイドラインとして行政や企業に採用された。

大西洋をへだてたイギリスでも、ガワーズ・アーネストという行政官僚が〈やさしい英語〉を提唱した。おなじく多数の読者を獲得し、改良指針になった。法律／行政文書の平易化が、両国でほぼおなじ時期におなじ標語のもとで展開したことは興味ぶかい。

言語サービスのひとつとしては位置づけられる〈やさしい英語〉サービスについては、3点ほど留意すべき事項がある。

第1に、当初は多数言語である〈やさしい英語（plain English)〉という名称がもちいられた。しかし最近は、〈やさしい言語（plain language)〉の使用がふえてきた。多言語化がすすむアメリカで、英語だけではなく、スペイン語などの少数言語の平易化が話題になることもある。また、英語圏をこえて、カナダ、ドイツ、イタリアなどで、フランス語、ドイツ語、イタリア語などによる平易化の運動がみられる。〈やさしい日本語〉は、いまのところ運動論的関係はないが、内容的には共通する特徴が多くある。本書では、歴史的な経緯をふまえて、〈やさしい英語〉という用語を使用する（法律等の名称にある場合は〈やさしい言語〉をつかうが、実質的にはそれは〈やさしい英語〉のことである）。

第2に、〈やさしい英語〉は、しばしば言語の多数派から非難の対象になってきた。イギリスでは法律の平易化は「幼稚化、愚劣化、女性化」をまねくとされた。これらは言語の既得権者からするクレームであり、しばしばブレーキ役をはたす。イギリスでこれを打破したのは、低識字者による運動であった。多言語サービスの抑止イデオロギーが英語唯一主義だとすれば、〈やさしい英語〉のそれは英語の規範意識である。「英語を守れ」という点で両者は一致する。

第3に、多言語サービスと〈やさしい英語〉サービスはどのような位置関係にあるのかが問題になる。実態において中心的役割をはたしているのはどちらか、LEPにとって本質的なのはどちらか。これは両者の存在理由をかんがえるうえで、重要な問いになる。それぞれの運動と政策をみたあと、終章で結論をだすことにしたい。

## 6. 言語サービスをめぐる運動と政策

### 草の根運動団体

連邦、州、地方で言語サービスがひろがってきたのは、1960年代の公民権運動以降である。言語サービスの政策化の経緯をしらべると、その前段階に何らかの運動が確認できる。それは全国的とはかぎらず、地域やエスニシティにわかれた多様な運動もある。近年は「NPOと行政の協働」といった、あたらしい形が確認できる。こうした運動のもとで、言語サービスは徐々に発展してきた。これらは、ありふれた用語ではあるが「草の根運動」と総括するしかない。本書に登場する草の根運動の個人や団体には、次のようなものがある。

①　少数言語や平易な英語による情報提供をもとめる訴訟の原告／弁護士

② 言語アクセスの改善をもとめる法律家集団／NPO
③ エスニック団体／NPO
④ 法律家をおもな構成員とするエスニック団体／NPO
⑤ 行政内部のNPO
⑥ エスニック団体／NPOが構成する連合体
⑦ その他（消費者団体など）

## 政府の役割

言語サービス政策を採用するにあたっては、政府の役割も考慮しなければならない。裁判所による判例、議会による立法の結果、政府が具体的な言語サービス政策を執行することがある。あるいは、大統領令などの行政命令を発令したり、行政機関規則を制定したりして、自発的に言語サービスを実施することもある。それらは、運動や訴訟への対応という消極的な場合もあれば、有権者対策や行政改革などの目的をもった積極的な場合もある。

## 法律の多元性

アメリカの連邦法には、カナダやオーストラリアのように、公用語や国語をさだめた条項はなく、明確な言語政策はない。ただし、言語サービスに関しては、大統領令や大統領覚書がある。「やさしい作文法」や「投票権法」のように、個別分野で言語サービスを規定した法律もある。医療においては、ガイダンスや基準といった形で、保健福祉省のさだめた行政機関規則がみられる。また「ラウ対ニコラス」のように、判例法がある。つまり「アメリカでは、言語政策は立法、行政、司法の複合からなるものとして記述される」のである（バルデス・グァダルーペ2001: 160）。言語サービス政策の総体をみるためには、諸次元の法律をみなければならない。

またアメリカの州政府や地方政府は自立性がたかく、具体的な言語サービスは州や地方が先行しているとさえいわれる。医療に関する言語サービスを例にとると、カリフォルニア州は152本の法律をもち、連邦政府よりもはるかに具体的で広範なサービスを提供している（パーキンス・ジェーン／ユーデルマン・マラ2008）。言語サービスの考察対象は、州や地方にまでひろげなければならない。

本書では第４章でカリフォルニア州とニューヨーク州、第５章でカリフォルニア州サンフランシスコとワシントンD.C.の例をとりあげる。

### 分析の枠組み

以上の３つ、つまり言語サービスに関連する運動、政府、法律が基本的な分析と記述の概念になる。いかなる運動団体が言語サービスをもとめたのか、連邦／州／地方政府がこれを採用した経緯や動機は何なのか、制定された法律はどのような内容と運用実績をもつのか、ということである。以下では、これを分析の枠組みとして、論述をすすめる。

### 「つぎはぎ」の評価

本章の冒頭でオバマケアをとりあげた。それは中途半端で「つぎはぎ」的な改革でしかないと評されることがある。なぜならオバマケアは、低所得者や高齢者むけの公的医療保険制度と雇用主による民間保険制度との接合にとどまったからである。民主党リベラル派が主張するように、公的機関が一元的に国民皆保険制度を運営するシングル・ペイヤー・システム（単一支払制度）の構築にはいたらなかった。さらには、その後に生じた保険料の高騰や手続きの煩雑さなどをとりあげ、欠陥だらけの法案だったと断罪する議論もある（堤未果2015など）。

言語サービスについても、クリントンやオバマによる政策は、決して包括的とはいえず、多様な法律を「つぎはぎ」したにとどまる。財政支援も不十分であり、政策は「理念的」との誹り（そしり）をまぬがれない。中途半端な性質は、オバマケアと共通している。

しかし、不十分とはいえオバマケアによって、保険加入率が上昇し、無保険者が減少したのも事実である。また、クリントンやオバマが、言語サービスに一定の進展をもたらしたことは否定できない。「つぎはぎ」であることは決して卑下すべきものではない。スマートではないが、それは政治的力関係のなかでうまれた現実の一形態であり、さらなる改革の拠点といえる。オバマは大統領の就任演説において、アメリカの多文化・多民族主義の伝統を「パッチワーク」という比喩で表現した。そして「パッチワークというこの国の伝統は、強みであって弱みではありません」と、のべていたのである（三浦俊章編訳 2010: 100）。

もちろん、実現した諸政策は断片的であり、いろいろな限界もある。それらをみのがしてはならない。以下では、アメリカの言語サービスをただ賞賛したり批判したりするのではなく、成果と限界の両面からみていきたい。独特な言語サービスの特徴と意義を理解するうえで、こうした方法が有効だと思うからである。

**注**

（1）本書では「plain English」を、「やさしい英語」と訳す。「plain」の日本語訳としては、「プレイン」「平易な」「わかりやすい」などがある。日本では「やさしい日本語」による研究や実践が、近年さかんである。共通する特徴も多い。それは国際的な潮流にひらかれているべきである。こうした理由から、上記の訳を採用する。最近では「やさしい日本語」の英訳として「plain Japanese」を採用する例もみられる（移住者と連帯する全国ネットワーク 2019: 28）。

（2）https://factfinder.census.gov/faces/tableservices/jsf/pages/productview.xhtml?pid=ACS_16_5YR_S0501&prodType=table.（アクセス：2019.8.20）

（3）https://www.immigrationresearch.org/report/migration-policy-institute/language-diversity-and-english-proficiency-united-states

（4）http://www.migrationpolicy.org/article/language-diversity-and-english-proficiency-united-states

（5）一例をあげれば、連邦緊急事態管理庁（FEMA）の「災害対応と復旧において保護人口（protected population）と実効性のあるコミュニケーションをとるための手引」には、「人種、肌の色、出身国にくわえて、限定的英語能力や障害にもとづく差別をゆるさないため」という一文がある。そして具体的に、災害時における障害者への対応をのべている（第4章注6、終章第1節も参照）。
https://www.dhs.gov/sites/default/files/publications/tips-effective-communication-sandy-11-03-12_0.pdf

（6）「不法」に入国したとされる滞在者は、「illegal immigrants」とよばれて、日本語では「不法移民」、「非合法移民」などと訳されてきた。しかし近年、その背景を理解し彼らを擁護する観点から、アメリカではこれにかえて「undocumented immigrants（未登録移民）」とか「unauthorized immigrants（未公認移民）」といいかえることがふえてきた。日本語文献でも「非正規移民／非正規滞在者」という用語が使用される。本書もこれにならう。

（7）本書は「ラティーノ」を主にするが、歴史的文脈や文献引用においては「ヒスパニック」をもちいることもある。

# 第Ⅰ部

# 多言語サービスについて

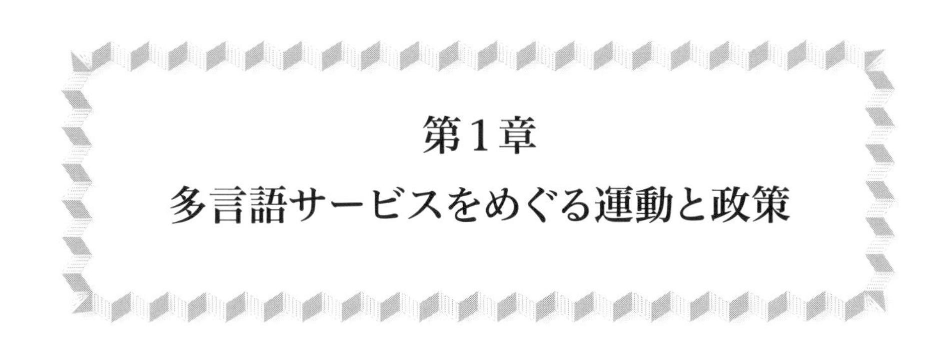

# 第1章
# 多言語サービスをめぐる運動と政策

## 1.「アメリカ化」という運動

### 同化の手段としての英語

第Ⅰ部は多言語サービスをテーマにする。はじめに、20世紀以降のアメリカにおける言語政策の変遷を、図式的になるが、4つの時期に区分して概観しておきたい。それは①アメリカ化運動期、②多言語サービス法成立期、③英語公用語化運動期、④クリントンの大統領令以降である。

20世紀前半の言語政策の主流は、移民のために英語の浸透をはかる思想であった。基調をつくったのは、19世紀末から1920年代にかけての「アメリカ化(Americanization)」運動である。現在、アメリカ化というと生活スタイルをアメリカ風にすることを意味するが、歴史的な文脈では別の意味でもちいられる。これは、1980年代に勃興する英語公用語化運動の祖型をつくった。

図表1-1は、移住政策研究所(Migration Policy Institute)の資料にもとづいて、アメリカでくらす移民(出生時にアメリカ市民でなかった者)の人口を20年ごとにみたものである。

移民数は19世紀の後半から急激にふえ、1930年には1850年の7倍ちかくになっている。従来のようにアングロサクソン系ばかりでなく、出身国は中欧、南欧、アジアに多様化した。プロテスタント以外の宗派もめだつようになった。これらはアメリカ社会に反発や摩擦をひきおこした。それへの反応として生じたのがアメリカ化運動である。

移民の多様化につれて、英語以外の言語を使用し、英語を理解しない移民もふえてきた。これに危機感をもってうまれたアメリカ化運動は、移民に英語や

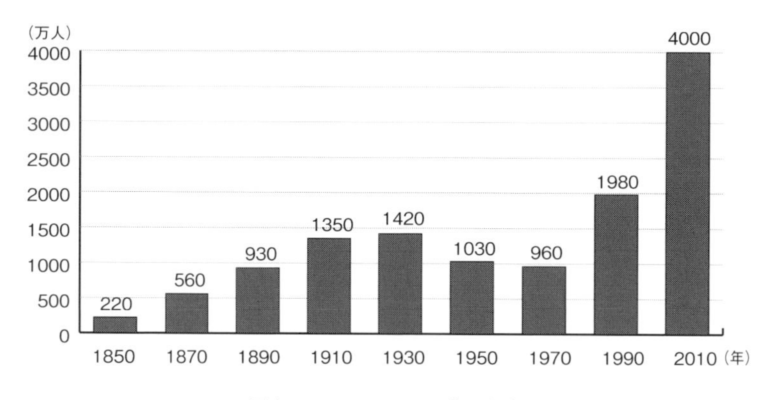


**図表1-1　アメリカの移民総数**

(出典) 移住政策研究所 = Migration Policy Institute(1)

文化をおしえ、共通の言語的、文化的背景をもたせることを重視した。公立学校のほかに、軍隊、YMCA、民間企業などの諸機関が、アメリカの歴史、生活、英語などをおしえた。当時「人種のるつぼ」というキャッチフレーズがつかわれたが、これは実質的には、英語をふくむアングロサクソン文化への同化要求にほかならなかったのである。

## 排除の手段としての英語

同化の裏面は、排除である。この運動は、英語教育を推進するだけでなく、移民制限の手段として英語を利用した。「移民制限同盟（Immigration Restriction League）」は、国籍取得の際の英語要件の法制化を提案し、1906年に連邦議会はこれを通過させた。同法は、連邦政府が制定した、言語に関する最初の法律であるとされる（クロフォード・ジェームズ1999: 26）。1917年には、移民に対して英語もしくは当人の言語で識字テストをおこない、文字の読み書きができない非識字者の入国を禁止する法律も成立している。

第一次世界大戦期には在米ドイツ人への反感が高揚し、アメリカ化運動はさらに活発化した。アメリカでは投票の前に有権者登録がある。1921年、ニューヨーク州は有権者登録時に英語による識字テストを実施した。帰化した移民の英語能力を確認し、その習得を促進するためである。多くの州がこれにつづき、1940年代までにほぼすべての州で同様のテストが実施されるようになった。

識字テストは、のちに南部諸州において黒人（アフリカ系アメリカ人）を排斥するために利用されることになる[2]。

1921年には、ネブラスカ州が英語を州の公用語とする法律を制定した。同法は、9学年になるまでの外国語教育を禁止し、公的な集会で英語使用を義務化する。1923年までに34州が英語以外の言語での教育を禁止する法律をもつにいたった。1924年には移民法が改正された。同法は移民の出身国が多様化する以前の1890年の国勢調査を基準として移民の各国割当数を決定したもので、差別的といわざるをえない内容のものである。ここにアメリカ化運動のひとつの帰結をみることができる。

1924年の移民法改正以降、移民数は減少していく（図表1-1参照）。言語をめぐる論争もしばらく休止することになった。「（その後）約50年間、言語問題は国家の議題からきえた」のである（シトリン・ジャック1990: 537）。これが変化するのは、1965年の移民法改正である。

## 2. 移民の増加と多言語サービス法の成立

### 移民の増加

1965年の移民法改正は、移民政策を大きく変更した。差別的な出身国別割当制度を廃止し、東半球（ヨーロッパ、アジア、アフリカ）から17万人、西半球（南北アメリカ）から12万人という大枠をさだめた。さらに1990年の改正では、家族よびよせ、雇用、多様化プログラムという3カテゴリーがもうけられ、年間移民枠の総数は67万5千人になった。図表1-1をみればわかるように、アメリカの移民総数は1970年から1990年に約2倍になり、以後も急カーブでふえることになる。出身国も中南米、アジアの国々が増加した。

これらの移民は、自分たちの権利を積極的に主張しはじめた。そのモデルになったのが、公民権運動である。南部を中心に人種隔離法の支配するアメリカで、黒人は差別撤廃のための行動をおこし、公民権法（1964年）や投票権法（1965年）などを実現していった。移民も、個人的な訴訟やエスニック団体による支援を通じて、教育、政治参加、裁判、医療などにおける権利を主張した。それは公民権運動第2幕というべき運動である。

やがて連邦議会で、少数言語の権利擁護をふくむ法律（多言語サービス法／バイリンガル・サービス法）が制定された。それらは、英語唯一主義が支配的なアメリカにおいて、言語政策の潮流を確実にかえるものであった。

## 多言語サービス法の成立

当時成立した多言語サービス法を教育、政治、司法の分野から３点、簡単にみておこう。

### ① バイリンガル教育法（1968年）

南西部の州にすむメキシコ系アメリカ人の児童は、教室でスペイン語を話せば罰をうけたり、授業からドロップアウトする生徒もおおかったりと、ひどい教育状況におかれていた。テキサス州選出の民主党上院議員のヤーボロウ・ラルフはこれに危機感をもち、1967年「バイリンガル教育法（Bilingual Education Act）」を連邦議会に提案した（翌1968年に成立）。その内容は、年間所得が3,000ドル以下の家庭出身で限定的な英語能力しかもたない生徒に対して、特別の予算を計上するというものである（ヤーボロウ・ラルフ1992）。

この法律は、名前に反してバイリンガル教育の実施をもとめているわけではない。その後、南部のメキシコ系アメリカ人の団体ラ・ラサ・ウニダ党は、テキサス州の学校で授業ボイコットをおこない、幼稚園から小学校３年生までのバイリンガル教育の導入をもとめた。中国人児童へのバイリンガル教育を要請した「ラウ対ニコラス」の判例がでたのは、1974年のことである。こうした運動や訴訟によって、バイリンガル教育法の実質化がすすんでいくことになる。

バイリンガル教育法はその後、レーガン政権時に財政援助が削減されるなど、次第に形骸化していった。2002年には少数言語よりも英語の習得をより重視する「おちこぼれ防止（NCLB: No Children Left Behind）法」が成立し、実質的に役目をおえることになる。

### ② 投票権法（1975年修正）

投票権法（Voting Rights Act）は1965年に制定された法律である。有権者登録における識字テストの廃止や選挙区改正の事前審査制の実施などによって、黒人の政治参加の促進を目的とする。1975年に延長・修正をするにあたり、メキシコ系アメリカ人やプエルトリコ出身者の団体は、バイリンガル投票の実施をもとめてロビー活動を展開した。彼らの投票率はひくいまま推移し、政治参加がすすまなかったからである。

1975年に圧倒的多数で成立した修正・投票権法は、投票の案内、投票用紙などを少数言語で準備すること、投票所に投票援助者をおくことなどを明記した。審議の過程で、ラティーノのほかに、アジア系アメリカ人、ネイティブ・アメリカン、アラスカ先住民にも対象が拡大された。同法は、言語少数者の投票率の向上、政治参加の促進に大きな貢献をはたした。直近の改正は2007年におこなわれ、2032年まで25年間の延長を決定している。

投票権法（1975年修正）は、連邦レベルで多言語サービスをはじめて導入した。また、国勢調査との関連において、言語少数者を特定した。これは多言語サービスの先駆となる画期的な法律であったといえる（くわしくは第2章を参照）。

③ 司法通訳者法（1978年）

アメリカで司法通訳者の利用はすでに1808年からはじまっていたが、これに関する法律はなく、通訳者の質もうたがわしいものであった（ゴンザレス・ロザン・デュエニャスほか2012: 4）。移民の増加とともに裁判例もふえてきた1970年、第二上訴裁判所は「ネグロン対ニューヨーク」の判例において、刑事訴訟において被告が通訳をうける権利をもつことを憲法が保障すると判示した。こうしたなか、1978年に制定されたのが、「司法通訳者法（Court Interpreter Act）」である。

同法は、被告や証人が英語以外の言語しか話せない場合に、資格のある通訳者をつけることを命じる。通訳は資格のある通訳者でなければならないとし、客観的なテストによる通訳者の認定をもとめる。その調整には、連邦裁判所管理局長官があたるとする。この法律は、連邦裁判所の裁判に限定されたものであるが、その後、各州でも同様の法律がつくられ、司法通訳者制度が一般化する契機になった。これは適正な法の手続きを言語少数者にもひろげた重要な法律である。

同時期に、いくつかの州でも多言語サービス法の成立がみられる。カリフォルニア州では、1973年に「ダイマリー・アラトーレ・バイリンガル・サービス法（Dymally-Alatorre Bilingual Service Act）」が制定された。同法はサービスをうける非英語話者の割合が5%をこえたとき、州の各機関は住民と接触のある部局に二言語を話す職員を配置しなければならないとする。これはバイリンガルによる行政サービスをさだめるなど先駆的であったが、実効性をともなわず、のちに再法律化のうごきがあらわれる（くわしくは第5章第3節を参照）。

## 3. 英語公用語化運動

### 英語公用語法の提起

移民の増加は両義的である。言語少数者の運動によって多言語サービス法が成立する一方、1980年代以降には、彼らに対する反発も顕在化した。多文化主義や多言語主義をさらにすすめようとする「差異の政治」派と、アメリカの伝統を擁護しようとする保守派のこの時期のせめぎあいは、文化戦争にたとえられる。

文化的保守主義の立場からシュレジンガー・アーサーは、多文化主義がアメリカ社会に分裂をもたらすとして、『アメリカ社会の分裂』（1991年）を発表した。ハンチントン・サミュエルは、ヒスパニックとアングロの境界線が人種の境界線にとってかわるだろうと警告し、『分断されるアメリカ』（2004年）をあらわした。言語についても、外国語の増加に危機感をもち、英語唯一（イングリッシュ・オンリー）を主張する言語多数者の運動が生じた。それが、「英語公用語化運動（Official English Movement）」である。

1983年、カリフォルニア州選出の共和党上院議員ハヤカワ・サミュエルとミシガン州の眼科医タントン・ジョンが中心となって、「U.S.イングリッシュ」を結成した。この団体の目的はふたつ。英語を公用語とすること、そしてすべてのアメリカ人に英語習得の機会をあたえること、である。前者の目的を遂行するため、U.S.イングリッシュは、連邦憲法および州憲法に公用語としての英語を記した修正追加条項の制定をはたらきかけた。同様の団体として、1986年に「イングリッシュ・ファースト」、1994年に「プロイングリッシュ」が設立されている。

ハヤカワは1981年、第97連邦議会に英語公用語法案を提出した。その後も提案をつづけたが、修正条項を憲法に追加するにはたかいハードルがあり、可決にいたらなかった。1989年以降は、連邦政府の使用する公用語を英語とする、限定的な「英語公用語法」を提出するようになった。1996年は、その法案が実現に最もちかづいた年であった。共和党のエマーソン議員は英語を連邦政府の公用語とし、投票権法におけるバイリンガル条項の廃止を内容とする「英語権限付与法（English Language Empowerment Act）」を下院に提案し、それが259対169で通過したからである。しかし上院では審議にかからず、成立にいたらなかった。

連邦レベルでは、英語公用語化法案はまだ実現していないが、州レベルでは着々と成果をおさめている。前述のプロイングリッシュによれば、州憲法の修正、もしくは新規の立法措置によって、1980年以前に英語を州の公用語としているのはわずか3州であったが、2019年現在は32州である。アメリカは50州であるので、6割以上がこうした宣言や法律をもっていることになる[(3)]。

## カリフォルニア州の住民投票

英語公用語化運動は、いくつかの州や地方で、英語を優先したり移民の権利を制限したりする法律をうみだすことになった。移民の多いカリフォルニア州を例にとると、1980年代、1990年代に、次のような議案の住民提案が成立している（賀川真理2011: 247-251の年表を参考にした）。

- 1984年：州知事が投票に関連する資料を配布する際には英語でのみ通知されるべきという住民提案84号を可決。ただし連邦法と抵触するため無効に。
- 1986年：州憲法を改正する住民提案63号を可決。英語を同州の公用語とする。
- 1994年：州内の非正規移民への公共サービスの停止をもとめた住民提案187号を可決。
- 1996年：州および公共団体による積極的差別撤廃措置（Affirmative Action）の廃止をもとめた住民提案208号を可決。

・1998年：バイリンガル教育を廃止し、1年間の英語集中教育を実施する住民提案227号を可決。

## 英語公用語化運動の本質

U.S.イングリッシュは、公用語としての英語を主張するものの、外国語の習得やバイリンガリズムのもつ価値を否定せず、英語習得の促進こそが移民の差別を解消する道であるとした。これは一見、平等主義的なスタンスにみえる。公民権運動を経験したあとでは、もはや表だって差別的な主張をすることはできなかったからであろう。こうした穏健な方向性が、移民や外国語の増加に不安をおぼえる人々の支持をうけた。ゴンザレス・ロザン・デュエニャスは「英語公用語化運動がひきつけたのは、合衆国における非・白人人口の劇的な増加によっておびやかされていると感じつつも、明確な人種差別の表明には躊躇（ちゅうちょ）する人々である」とのべている（ゴンザレス・ロザン・デゥエニャス 2000: xxxi）。

英語公用語化運動は、たくみに住民の支持をひろげていったが、根底では移民排斥思想とむすびついていた。U.S.イングリッシュの共同設立者のひとりタントンは、ヒスパニック等の移民の増加を懸念し、移民政策の転換を訴える「アメリカ移民改革連合」の創設者でもある。彼は、ヒスパニックに多いカトリックが大勢をしめれば、教会と国家の分離がとまってしまうという思想のもちぬしであった（川口博久 2000: 402-403）。

あるヒスパニックの運動家は「ヒスパニックにとってU.S.イングリッシュは黒人にとってのKKK（クー・クラックス・クラン）と同じものです」とのべていたそうである（クロフォード・ジェームズ 1992a=1994: 226）。KKKは、黒人に数々の暴力的な排斥行動をとった白人至上主義の団体である。これほどの暴力性はなかったであろうが、U.S.イングリッシュが移民にとって大きな脅威と感じられていたことがわかる。

## 多言語サービスのひろがり

英語公用語化運動は州のレベルでは法案成立という成果をおさめた。しかし、それらは宣言的な内容のものが多く、実際に大きな影響はもたらさなかった。

一方、投票権法は1982年、1992年に、司法通訳者法は1988年に改定がなされ、対象となる言語少数者が拡大された。1990年には先住民や障害者の言語権を一部にふくむ「アメリカ先住民言語法」、「障害をもつアメリカ人法」が制定されている。多言語サービスをもとめる訴訟や運動は草の根レベルでつづいていた。つまり成果の一部が剥奪されたこの時期にも、多言語サービスの地盤は確実にひろがっていたのである。

## 4. クリントンの大統領令

### 大統領令13166

アメリカに多言語サービスをさだめた包括的な法律はないが、もっともこれにちかいとされるのが、クリントンが2000年に発令した「大統領令（executive order）13166」である。大統領令とは大統領が議会からあたえられた裁量の範囲で具体的政策を指示し、その執行を行政機関につたえるものである。各政権を貫徹した通し番号がふられる。

大統領令13166は「LEPへの諸サービスの改善にむけて」と題されている。具体的には、各省庁に多言語サービス実施のための「LEPガイダンス」を作成すること、財政援助をしている機関（病院、福祉機関、警察署など）に独自のガイダンス作成をうながすことなどを要請する。その後「司法省LEPガイダンス」が発表され、各省庁はこれにならってガイダンスの作成をおこなった。

この大統領令は、強制力がなく財政的バックアップをともなわなかったため、実際の効果は一部にとどまる。しかし、後続するブッシュ、オバマ政権にも再認され、長期にわたって継続することになった。一部の省庁や現場では、行政サービスの多言語化がすすんだ。これは、その後の多言語サービス展開の典拠になり要（かなめ）になった法律である（くわしくは第3章を参照）。

### 医療における通訳翻訳サービス

大統領令13166が具体化された好例は、医療である。保健福祉省は、大統領令をうけ、2000年に「LEPに影響をあたえる出身国差別を禁止する政策ガイダンス」を作成した。このガイダンスは病院、療養所などに対して、LEPが一定の人口比率をこえている場合に、診断申込書や同意書などの文書翻訳や医療通訳者の提供を要求する。同年、病院の義務をより明確にした「医療における文化的、言語的に適切なサービスのための国家基準」も発表した。「医療機関はLEP患者に対して無料で言語援助サービスを提供しなければならない」などといった14項目の基準があげられている。

こうしたガイダンスや基準は、保健福祉省が規範として提示しただけのものである。実際の実施状況をしらべてみると、大病院などでは通訳翻訳サービスの導入がすすんだものの、中小病院あるいはLEPの少ない病院ではそれほどの実績はない。公的援助がほとんどないことが、多言語サービスに格差がのこる原因である（くわしくは第4章を参照）。

## 州や地方都市への影響

もうひとつ、クリントンの大統領令は、州や地方都市における多言語サービスの拡充にも刺激になった。アメリカでは現在、確固とした移民政策があるわけではなく、実際の問題は州や自治体に丸なげされている（日本も同様であるが）。移民排斥にうごく都市がある一方、移民擁護に積極的な都市もある。そのひとつカリフォルニア州のサンフランシスコは、言語アクセス条例の先例になった。

サンフランシスコには、CAA（Chinese for Affirmative Action: 積極的差別撤廃措置をもとめる中国人協会）というNPOがある。これは序章でのべた「ラウ対ニコルス」裁判を機にうまれ、中国系アメリカ人を中心に移民支援を目的とする団体である。CAAは、移民が行政情報の利用に苦労している現実から、他のNPOと「言語アクセスネットワーク」という連合組織をつくり、言語アクセスの改善をもとめる運動をおこした。

議会へのロビー活動などにより、2001年「諸サービスへの平等なアクセス条例」の成立にこぎつけた。実質的に、これは全米ではじめての言語アクセス条例である。条例は、公的な資料や案内の翻訳、会議録の翻訳、窓口でのバイリンガル職員の配置といった業務をさだめている。同様の条例をもつ自治体は、その後、3州8都市にひろがった。まだ少数であるが、今後の展開が注目される（くわしくは第5章を参照）。

## 5. 多言語主義の主流化

### 多言語教育、多言語サービスの普及

第2節で、教育においてはバイリンガル教育が次第に形骸化していった経緯をのべた。しかし一方、「双方向バイリンガル教育」という形で、継続し発展していった一面もある。双方向バイリンガル教育とは、英語の母語話者とスペイン語など少数言語の母語話者が、両言語（90対10、もしくは50対50）で授業をうけるものである。フロリダ、ニューメキシコ、カリフォルニア、アリゾナといった南部、西部の諸州を中心に次第に実践例がふえ、その教育効果が認識されるようになった。カレイラ松崎順子（2015）によると、双方向バイリンガル教育をおこなっているプログラムは、全米で400をこえる。カリフォルニア州ではバイリンガル教育の復活をめざす住民提案58号が、2016年に議会で可決された。クロフォード・ジェームズは「逆説的だが、バイリンガル教育がイングリッシュ・オンリーの議会によって解体され教育委員会によってすてられたとき、双方向バイリンガル・プログラムは、アメリカですくすくと成長をはじめたのである」とのべている（クロフォード・ジェームズ2008: 98）。

医療や福祉の分野では、大統領令13166の発令以後、多言語サービスの普及が加速した。2000年に保健福祉省が発表し、医療通訳士やバイリンガル・スタッフの配置を明記した基準は、いまでは病院の認証にあたる医療認証機関が採用するスタンダードになっている。1970年代に制定された投票権法や司法通訳者法は、いまも有効である。連邦／州／地方政府においても、行政文書の多言語化がすすんでいる。就労や住宅取得のほかに、運転免許証や低所得者むけの食料品チケット（フードスタンプ）などでも、同様のサービスがみられる。現代のアメリカで、多言語サービスはもはや否定できない現実になりつつある。

### 意識調査の結果から

多言語教育や多言語サービスは、アメリカ市民にどのように認識されているのだろうか。ルンバウト・ルーベン（2009）は、全米から1,398人の成人を抽出して2000年に実施した、英語と外国語に関する意識調査を報告している。

その結果をみると（図表1-2、図表1-3）、「バイリンガル教育のプログラムは

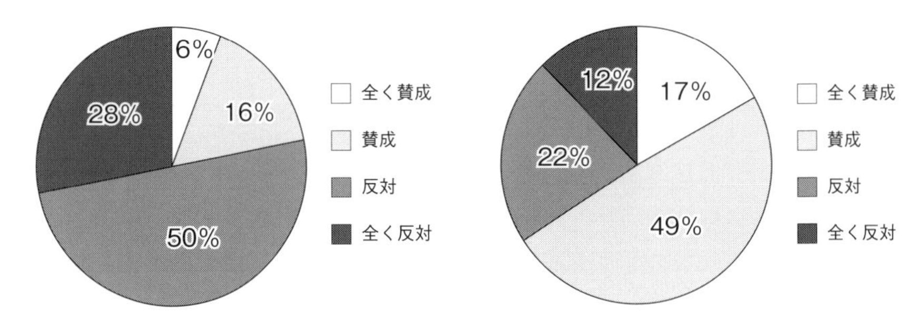


**図表1-2　バイリンガル教育は排除されるべき**

**図表1-3　投票用紙は外国語でも印刷されるべき**

（出典）左右ともルンバウト・ルーベン：Rumbaut, Rubén 2009: 65

アメリカの公教育から排除されるべきだ」という意見については、「全く賛成」6%、「賛成」16%と賛成が少数にとどまる。一方、「反対」50%、「全く反対」28%と、反対は8割ちかくに達し、バイリンガル教育の価値はたかく認知されている。

次に「多くの住民が英語を話さない地域では、投票用紙は外国語でも印刷されるべきだ」という意見には、「全く賛成」17%、「賛成」49%と、賛成があわせて三分の二になっている。投票権法の改正によるバイリンガル投票の実施後、数十年たつが、それは着実に市民権をえている。このほか、「大きな移民コミュニティで他の言語がしばしば話されていると、英語がおびやかされている」という意見については、反対が7割ちかくを占める。多言語化するアメリカの現実は、市民の多数によって肯定的にみられていることがわかる。

## アメリカ型多言語主義

このように多言語サービスが発展してきた理由として、言語少数者による運動をぬきにすることはできない。エスニック団体、その支援団体、NPOなど、さまざまな形があった。それらはまさに下からの草の根運動とよぶしかないものである。

移民や支援者による運動をうけとめ、多言語サービス政策を主導したのは、クリントンやオバマなど民主党政権である。かつての民主党は、南北戦争時に典型的であるが、南部の白人層をおもな支持層とする政党であった。しかし、公民権運動、フェミニズム運動、障害者運動などが興隆するなかでモデルチェンジをはかり、マイノリティを支援するリベラルな政党にかわった。移民もまたマイノリティのひとつとして、ターゲットになった。移民というマイノリティをくみいれた民主党の方向性（アイデンティティ・ポリティクス）が、多言語サービスをもとめる草の根運動をうけとめ、その政策化を可能にした。

アメリカは移民人口が世界で最大である。そして、市民権を取得し、投票を通じて政治参加する割合もたかい（広義の移民の約半数が帰化をはたしている）。つまり、多数の移民が早期に政治勢力化する構造ができている。アメリカ独自の移民政策と政治構造が、多言語サービスの実現を可能にしたといえる。

もちろん、このようにして実現したアメリカの多言語サービスは、独特である。アングロサクソン系の文化や言語が圧倒的な力をもつなかで、移民等の運動によって、分野ごとに成果を獲得し、自分たちの陣地をふやしてきた。それらはパッチワーク的につながっているにすぎない。また、バイリンガル教育が制度として実現しているわけでもない。こうした点で、多文化主義や多言語主義を公的に宣言し政策化しているカナダやオーストラリアとは、顕著なちがいがある。

もうひとつの特徴は、財政援助などの支援策が不十分なことである。クリントンは民主党内の「中道左派」とよばれる潮流に属する。中道左派は、経済政策でいえば、新自由主義の継承者である。新自由主義のもとでは、財政規律が重要性をもち、支出にブレーキがかかる。クリントンは多言語サービスをもとめる大統領令を発令したものの、財政的な裏付けは不十分のままであった。いまも、この政策をバックアップする支援はゆきとどかず、言語少数者あるいはLEPの格差を解消するにいたっていない。

多数の移民をうけいれながらも、国家的、総合的な移民政策を欠く一方、地域的、分野的な移民支援が展開されている点にアメリカの特徴がある。それは新自由主義と多言語主義のひとつの結合様式だといえる。

## 多言語主義の勝利？

思想史を研究するホリンガー・デイビッドは、アメリカにおける多文化主義の歴史的変遷をたどったのち、現代の特徴について「民族人種集団がもつ多種多様な文化を衰退させるのではなく維持すべきだという信条が、20世紀末のアメリカで完全な勝利を収めた」とのべる（ホリンガー・デイビッド2000=2002: 102-103）。ホリンガーの判定にしたがうならば、1980年代から90年代にかけてたたかわれた「差異の政治」派と保守派の文化戦争は、前者が勝利をおさめたことになる（もちろん、文化的反動としての白人ナショナリズムは、今も健在であるが）。

多言語主義についても、教育やサービスがひろがりをみせている。図表1-2、図表1-3でみたように、これを評価する信条もひろく支持されている。「英語唯一（イングリッシュ・オンリー）」をかかげる運動団体は存在するものの、かつての力はない。「勝利をおさめた」と断言できるのかわからないが、現代アメリカにおいて、独特の型を形成しながら、多文化主義とともに多言語主義が主流化しつつあることは事実であろう。

## 第Ⅰ部の構成

第Ⅰ部では、多言語サービスがどのような運動と政策によって実現してきたのか、いくつかの分野に即してみていきたい。第2章は、投票権法（1975年修正）においてバイリンガル投票が導入された経緯をのべる。第3章は、クリントンの大統領令13166の内容と成果をまとめる。第4章は、医療における通訳翻訳サービスの現状を俯瞰（ふかん）する。第5章は、地方都市の一例としてサンフランシスコに焦点をあて、NPOによって言語アクセス条例が成立した経緯を紹介する。

**注**

（1）https://www.migrationpolicy.org/programs/data-hub/charts/immigrant-population-over-time

（2）「アフリカ系アメリカ人」という用語の使用がふえてきたが、反対論もある。本書では主として「黒人」をもちいる。

（3）https://proenglish.org/official-english-map-2/

# 第2章
# 投票権法（1975年修正）について
## ―なぜバイリンガル投票制度が実現したのか―

## 1. はじめに

### バイリンガル投票とは何か？

この章では、投票用紙や選挙資料を英語以外の言語で提供する「バイリンガル投票（bilingual ballot）」をとりあげる。実際には、いくつかの言語による投票がみとめられているので「マルチリンガル（多言語）投票」というべきであるが、ここでは「バイリンガル投票」という一般的な呼称にしたがうことにする。英語が得意でない有権者には、母語による支援が有効である。投票日／投票所の理解や候補者の選択を容易にして、政治参加をうながす効果が期待できる。

アメリカでは一定の条件をみたした場合、言語少数者であるアラスカ先住民、ネイティブ・アメリカン、アジア系アメリカ人、スペイン語・文化継承者（Spanish heritage）は、英語以外の言語による投票が認められている[(1)]。指定をうけた行政は、投票用紙はもとより、有権者登録や投票に関する通知、選挙に関連する資料等を翻訳して配布しなければならない。投票所においては、通訳の配置がもとめられる（アラスカ先住民やネイティブ・アメリカンの言語には、文字をもたないものや、文字があっても浸透していないものがある）。

ややふるくなるが、ライリー・シャウナ（2015: 4, 31）の紹介するデータをみてみよう。2011年の国勢調査によると、全国でバイリンガル投票の対象となる有権者は6,560万人で、全体の31%を占める。2013年の国勢調査によってバイリンガル投票の対象として指定されているのは320区域。対象となる言語は、アラスカ先住民、ネイティブ・アメリカン、アジア系アメリカ人、スペイン語・文化継承者の話す合計21言語。政治区域によっては、多数の言語で選挙関連の資料を準備しなければならない。たとえばカリフォルニア州ロサンゼルス郡では、スペイン語、中国語、日本語、韓国語、タガログ語、ヒンディー語、クメール語、タイ語、ベトナム語という9言語がこれに該当する。選挙サイトの「エレクションライン」によると、近年はウェブの活用がひろがり、31州では英語以外の言語で選挙情報がネット上に掲載されるようになった(2)。

大統領選挙、連邦・地方議会議員選挙、教育委員選挙、住民投票など、有権者が投票所に足をはこぶのは、頻度としては少ないかもしれない。しかし、投票権の意味は、いくら強調してもしすぎることはない。とくに、被抑圧的な状況にある者にとって、社会を改善していく第一の方法は、選挙を通じての政治参加である。黒人（アフリカ系アメリカ人）にとって投票権法の制定は、投票率の向上、黒人議員の増加を可能にし、黒人のための政策実現に大きな役割をはたした。非正規滞在者を含む移民の投票権を研究しているハイドゥク・ロンは、投票権運動における「vote（投票）=voice（声）、participation（参加）=power（力）」という標語を紹介している（ハイドゥク・ロン2006: 196）。まさに声となり、力となるのが、投票である。

## 投票権法の意義

バイリンガル投票を保障する法律は、投票権法（1975年修正）である。アメリカの投票権法は、1965年に制定された。これは黒人による公民権運動の成果であり、20世紀アメリカにおけるもっとも重要な法律のひとつだと評価される。一部に時限法をふくむため、数回の延長・修正を経て現在にいたる。制定から10年後の1975年に2回目の延長・修正がなされ、バイリンガル投票に関する条項がもりこまれた。この条項は、言語少数者の政治参加の促進にとって、大きな意味をもつものであった。

投票権法は、政治や法律の観点から論じられることが多いが、本書では社会運動を分析の視点とする。英語が支配的な社会において、運動団体が言語サービスの成果をかちとっていく戦術や経過には、興味ぶかいものがある。投票権法の1975年修正を主導したのは、メキシコ系アメリカ人（Mexican Americans）とプエルトリコ出身者（Puerto Ricans）の運動である(3)。それは、黒人につづいて、ラティーノによる公民権運動第2幕ということができる。以下では、バイリンガル投票制度をうみだした運動の経緯、特徴、成果を明らかにしていきたい。

アメリカでは、その歴史的意義を認識してか、投票権法をめぐる本や論文は、汗牛充棟、枚挙にいとまがない。一方、これに関する日本語の翻訳、研究書、研究論文はかぞえるほどである。とくに、バイリンガル投票をテーマとしたものは、管見のかぎり一点もない。もちろん、日本とアメリカとは政治や言語をめぐる状況は大きく異なる。しかし、投票権法をめぐる研究は、参政権や選挙権の中核をなす投票権の普遍的な意義を確認するうえで貴重である。

日本でも、永住（定住）外国人に地方参政権や住民投票権を付与すべきだという意見がある。今後、バイリンガル投票もあわせて議論されるべきであろう（はじめて朝鮮人が立候補し当選した1932年＝昭和7年の衆議院総選挙では、ハングルによる投票用紙が準備されていたそうである。仲原良二2000: 17-19）。

## 2. 投票権法（1965年）の制定

### 差別の手段としての識字テスト

まず投票権法（voting rights act）が1965年に制定されるにいたった経緯とその内容をみておこう。1865年に南北戦争が終了し、黒人の投票権の平等も実現するかにみえた。1870年に発効した憲法修正第15条には、「合衆国市民の投票権は…その市民の人種、皮膚の色、強制労役の条件を理由にして拒否されることも制限されることもない」と記されている。しかし1880年代から、南部のいくつかの州は、公共施設や公共交通において黒人と白人を分離するジム・クロウ法を制定するとともに、黒人の投票についても制限策を実行していった。その具体的な方法には、識字テスト（文字もしくは口頭で、読み書き能力や知識を問う）、人頭税（通常1ドルか2ドルの税金を納入する）、祖父条項（一定の時期以前に祖父や親が投票した場合には、その子や孫の識字テストを免除する）、白人予備選挙（政党内で実施される候補者選挙から黒人を排除する）などがある。

アメリカでは選挙にあたって、有権者はあらかじめ有権者登録をしておかねばならない。これは不正投票をふせぐという目的で1920年代にひろがり、1940年代までにほぼすべての州で一般的になった。住民票が整備されている日本からみると、手間がかかって煩雑な制度に思えるが、現在も継続している。登録の際に、読み書き能力や簡単な知識を問うのが識字テスト（literacy test）である。アメリカでは州に選挙権付与権限があたえられており、識字テストは、実施の有無、やり方をふくめて州に裁量権がある。有権者登録は、帰化した移民の英語能力をためすために東部の諸州がはじめ、のちに南部の諸州が黒人の投票権の剝奪手段としてこれを利用した。

識字テストは、一見すると客観的なテストにみえる。しかし実際には、差別の結果として教育水準がひくいレベルにとどまっていた黒人に不利に作用するものであった。さらには、白人の登録審査官がテストを恣意的に運用し、黒人を排除する事例が後をたたなかった。投票権法制定にいたる公民権運動をえがいたアメリカ映画「セルマ（邦題は『グローリー―明日への行進』）」には、アラバマ州の有権者登録所の窓口に登録にきた黒人女性に対して、白人の登録審査官が「アラバマ州の判事の名前をすべてあげよ」といった無理難題を質問して、こたえられなかった女性の登録を却下するシーンがある。公民権運動の指導者のひとり、ルイス・ジョンの自伝にもとづくコミックスには、黒人に石鹸（せっけん）の泡の数をかぞえさせる識字テストをおこなっていたという、信じられない記述もある（ルイス・ジョンほか2016=2018: 31）。

差別的な投票制限策である祖父条項、白人予備選挙は、NAACP（全米黒人地位向上協会）の運動などによって、次第に姿をけしていった。解決がおくれた人頭税も、1964年に成立した憲法修正第24条で、「合衆国も、またいかなる州も、…合衆国市民の投票権を、人頭税その他の税金をはらっていないことを理由に、うばったり、制限したりしてはならない」という規定がつくられ、以後、廃止にむかうことになる。

最後までのこったのが識字テストである。1965年になっても、21州でまだ識字テストが実施されていた。それは黒人の投票権をうばう最後の砦（とりで）だったといえる。1964年、旧南部連合を構成した11州では、白人の有権者登録率が73%であるのに対して、黒人は43%にとどまっていた。ミシシッピ州7%、アラバマ州23%、ルイジアナ州32%が、ワースト3である（安藤次男2000: 57）。

修正公民権法は、注目をあびて1964年に成立した。そこには投票資格審査官が恣意的な判断をおこなってはならないこと、公教育を6年次まで修了していれば識字テストが免除されることなどの規定がもりこまれた。しかし司法的解決に依拠する枠組みのなかでは、違反はその都度の訴訟によって解決しなければならず、識字テスト解消の成果はなかなかうまれなかった。

## 投票権法（1965年）の成立とその内容

こうした状況を打破しようとして、投票権法の制定をもとめるキング牧師らは、アラバマ州セルマでデモ行進を計画した。その行進を阻止するために、警官による暴行事件（「血の日曜日事件」）が発生し、マスコミ報道によって世間の注目をあつめた。ジョンソン大統領は事態の鎮静化をはかり、迅速な法案の策定と成立をめざした。その結果、議会での審議を経て、1965年8月に成立したのが投票権法である。同法は冒頭で、「人種や肌の色のちがいゆえに、アメリカ合衆国市民の権利を否定したり弱体化したりするような投票資格、投票要件、基準、実践、手続きは、いかなる州や政治区域（political subdivision）によっても、課されたり適用されたりしてはならない」とのべる。

焦点となった識字テストについては、第4条でその禁止が宣言された。ただし、対象となる州や政治区域は限定的であった。識字テストを全国で統一的に禁止すればよいように思えるが、連邦政府の関与を最小限にするためか、あるいは議会での通過を容易にする政治的戦術のためか、対象は一部にとどまった。その地域とは、1964年11月1日現在、差別的なテストや方策（device）が維持されており、かつ1964年11月1日に有権者登録が50％以下もしくは1964年11月の大統領選挙における投票率が50％以下であったと、国勢調査局長が認定した州や政治区域である。この条件に該当するのは、アラバマ、ジョージア、ルイジアナ、ミシシッピ、サウスカロライナ、バージニアの6州、およびノースカロライナ州の一部である（安藤次男2000: 184、タッカー・ジェイムズ2009: 15）。必要だと判断した州や政治区域には、司法省が登録業務を監督する調査官（examiner）を派遣することができる。

投票権法（1965年）には識字テストの廃止とならぶ重要な柱として、事前審査制の実施（第5条）がある。これは、州や政治区域が、選挙に関する区割、投票手続き、投票資格などの変更をする際は、事前に司法省の承認を必要とするというものである。人種的少数者の代表が選出される機会を保障することが、その目的であった。これによって、州などの選挙管理に連邦政府が行政的に介入することができるようになり、以後、黒人の政治参加の改善がすすむことになる。ただし第5条は、後年、さまざまな訴訟や議論の対象になった。

## バイリンガル投票の萌芽

なお、バイリンガル投票についていえば、投票権法（1965年）にその萌芽ともいうべき条項があることに注目しなければならない。第4条の最後に追加された（e）項は、教室の言語が英語以外であってアメリカ国旗のある学校で教育をうけた者が諸権利をもつことを保障するため、州が英語の読み書き能力等を投票権の条件とすることを禁止する。具体的には、英語以外で授業がおこなわれており、州、ワシントンD.C.、プエルトリコ自由連合州等から資格付与された公立／私立の学校で6学年の初等教育を修了したことを証明する者には、英語の読み書き能力がないという理由で連邦、州、地方の選挙の投票権が否定されるべきではない、とする。ちなみに、プエルトリコ自由連合州でもっとも一般的な言語はスペイン語である。1991年には公用語がスペイン語にさだめられた。2007年の国勢調査によれば、プエルトリコに住む400万人ちかい人口の約85％は、家庭でスペイン語を話している（志柿光浩2008: 78）。

もっぱら黒人の投票権回復をテーマとする投票権法（1965年）に、こうした条項があることは唐突な感じがするが、それには理由があった。この条項は、条文にあるようにプエルトリコ出身者がおもな対象である。プエルトリコは1898年にスペインとの戦争に勝利したアメリカの領土となった（のち1952年、州に準じるコモンウェルス＝commonwealthになる）。1917年にプエルトリコの住民に市民権があたえられたが、大統領選挙や連邦議会議員選挙の選挙権がないなどの制限がある。ただし、50州のどこかに移住した場合、有権者登録をすれば、他の米国市民と同様に、大統領選挙や連邦議会議員選挙等の投票権が生じる。

1920年代以降、プエルトリコからアメリカ本土への移住者がふえた。移住先はニューヨークに集中し、1960年にはニューヨークのプエルトリコ出身者の人口は60万人をこえていた。そこには、移民地区によくみられる貧困、医療、教育等の問題が発生した。1960年代、黒人の公民権運動の刺激をうけて、それらの解決をめざす運動が活発化する。こうした情勢を背景に、投票権法制定をめぐる議論の際に、ニューヨーク州選出で司法長官をつとめた経験をもつ民主党の大物議員ケネディ・ロバートをふくむ上院議員2名と下院議員2名が、上記の内容からなる修正動議を提出し、それが可決されたのである。当時、ニューヨーク州では有権者登録の際に識字テストが実施されていた。それは母語がスペイン語であり英語能力に限界があるプエルトリコ出身者を排除する識字テストになっている、というのが提案理由である。

これにより、プエルトリコ出身者等に対して、投票の際に配慮がなされなければならないことになった。ただし、それが識字テストの免除規定にとどまるのか、それともスペイン語による投票用紙や投票資料の提供まで要求するのか、記述はあいまいであり、のちにバイリンガル投票をもとめて訴訟がおこされることになる。また「英語の読み書き能力等がないからという理由で投票権が否定されるべきではない」という部分は、プエルトリコ以外から移住して市民権を獲得した移民にも拡大適用される可能性をもつ。こうした内容の条項がもりこまれたことは、1975年の投票権法修正にあたってバイリンガル投票条項を追加する手がかりになり、後からみれば、大きな意味をもつものであった。

## 3. 投票権法（1975年修正）におけるバイリンガル投票条項

### 1970年の修正

1965年に制定された投票権法は、南部の黒人の政治参加が実現するまでの一時的なものとかんがえられていた。このため、同法には恒久的に適用される一般条項とともに、特定の地域に時限的に適用される特殊条項がふくまれていた。期限は5年である。したがって、成立から5年目の1970年に、第1回目の延長・修正がおこなわれた。

投票権法（1970年修正）のおもな修正点は、識字テストの禁止対象となる地域が全米に拡大されたことである。1965年、21州で識字テストが実施されていたにもかかわらず、同年の投票権法で禁止の対象になったのは、南部の6州にとどまる。当時、黒人運動団体のなかにはこうした限界を指摘して、投票権法の採決に反対するところもあった。1970年の修正によって、ようやく識字テストの廃止は普遍的なものになった。同年には識字テストを違憲とする判決もでている。この1970年をもって「アメリカ合衆国における普通選挙権の成立」とされることがある（横坂健治1980: 377）。

## 1975年の修正

投票権法は1970年修正によっても、時限法の性格を有していたため、5年後にふたたび再延長と修正のための審議をおこなうことになった。その際、中心的な争点になったのが、バイリンガル投票条項の追加である。その経緯については、のちに第5節でくわしくのべる。審議と採決の結果、追加がみとめられた条文は、次のようになっている。

識字テストを禁止する第4条に、あらたに（f）項が追加された。内容は、以下の4点である。（1）議会は言語少数者（language minority）の市民に対する投票差別が、国家的な範囲においてひろがっていることを認定する。（2）言語少数者という理由で、合衆国市民の権利を否定するような投票資格や前提などが、州や政治区域によって課せられてはならない。（3）ある集団に属する言語少数者が5%をこえていると国勢調査局長が決定した州や政治区域で、英語だけで有権者登録、投票通知、投票用紙などを提供するのは、否定されるべき「テストや方策」にあたる。（4）該当する州や政治区域は、英語と同様に言語少数者の言語で、有権者登録、投票通知、投票用紙などを提供しなければならない。ただし文字をもたない言語少数者の場合は、口頭による教示や援助だけでよい。

これは第4条の一部を構成するため、第4条（b）にある修正規定、つまり1972年11月1日の有権者登録率が50%以下、もしくは1972年11月の大統領選の投票率が50%以下という条件が加味されて、対象地域が特定される。

投票権法（1975年修正）には、奇妙なことだが、類似したバイリンガル投票条項が別の箇所にも追加された。第3編第203条に、次のような条文がある。（a）議会は言語少数者の市民が、選挙への参加から実質的に排除されてきたことを認定する。（b）次の条件をみたす場合、州や政治区域は有権者登録、投票通知、投票用紙などを英語だけで提供してはならない。その条件とは州や政治区域の5%以上がある言語少数者のメンバーであり、その集団の非識字率（5学年の初等教育を修了していない）が全国の非識字率よりもたかい、と国勢調査局長が決定した場合である。（c）上の場合、州や政治区域は、英語とともに、その少数者集団にふさわしい言語で、有権者登録、投票通知、投票用紙などを提供しなければならない。ただし、文字をもたない言語やアラスカ先住民の場合には、口頭による教示や援助でよい。(d) 略。(e) ここでいう言語少数者あるいは言語少数者集団とは、「アメリカン・インディアン」、アジア系アメリカ人、アラスカ先住民、スペイン語・文化継承者をさす。

### 第4条 (f) と第203条の関係

バイリンガル投票を規定したふたつの条項、第4条 (f) と第203条をくらべると、重複部分が多いが、異なっている部分もある。それは、対象区域の指定条件である。州や政治区域で言語少数者が5%をこえる時という条件は共通するものの、第4条 (f) では、有権者登録率もしくは大統領選挙の投票率が50%以下という条件が付加されるのに対して、第203条では、非識字率が全国平均よりもたかいという条件が付加される。つまり、バイリンガル投票が要請される地域の決定には、ふたつの選定基準が存在することになったのである。

これらの条件によって指定される州や政治区域はどのくらいあったのか。タッカー・ジェイムズは、両者を表と地図でしめしている (タッカー・ジェイムズ2009: 74-76, 79-81)。まず第4条 (f) でカバーされるのは、3州全体 (アラスカ先住民に対するアラスカ州、スペイン語・文化継承者に対するテキサス州、アリゾナ州) であった。その他、ニューヨーク州など8州の一部分に、あわせて24の政治区域がある。一方、第203条でカバーされるのは、州全体はないものの、一部に政治区域を含む30州があった。政治区域の数が多い州には、テキサス (143)、カリフォルニア (39)、コロラド (34) などがある。合計すると、政治区域の数は385に達する。条件としては第203条のほうがゆるやかであり、したがって指定される区域数も多くなる。

それにしても、言語少数者に関して、なぜふたつの基準が出現することになったのだろうか。第4条 (e) は、前節でみたように、ニューヨーク州などに在住するプエルトリコ出身者を念頭においたものであった。識字テストの免除にとどまらず、バイリンガル投票の保障にまでふみこみ、その具体的条件をあきらかにしたのが、第4条 (f) である。

一方、1975年の投票権法修正の議論においては、テキサス州などのメキシコ系アメリカ人の投票権拡充がひとつのテーマになった。第4条をにらみつつ、テキサス州をはじめとする南西部のメキシコ系アメリカ人を救済する条件を整備したのが、第203条である。言語少数者というラベルで一括されているが、修正の主目的はプエルトリコ出身者とメキシコ系アメリカ人の投票権拡充であり、それぞれを抽出する条件が、ふたつの基準という形でのこったのである。当時、「ヒスパニック」という概念はまだ一般化しておらず、メキシコ系アメリカ人とプエルトリコ出身者の運動が一体化していなかった影響がここにはみられる。

投票権法（1975年修正）は、条文に英語以外の言語による援助を明記し、対象者をえらぶ条件や翻訳するべき資料等を確定した。ここにおいて、投票権法にもとづくバイリンガル投票制度が確立したということができる。

## 4. MALDEFとPRLDEF

### モデルとしての黒人解放運動団体

投票権法修正（1975年）のバイリンガル投票条項にふたつの基準があることからわかるように、この成文化にはふたつの団体が重要な役割をはたした。双方は、政治参加を改善するための訴訟を継続的におこすとともに、連邦議会でロビー活動をおこない、投票権法の修正を実現した。それは次の2団体である。

・MALDEF: Mexican American Legal Defense and Education Fund
（メキシコ系アメリカ人・法的弁護および教育基金）
・PRLDEF: Puerto Rican Legal Defense and Education Fund
（プエルトリコ出身者・法的弁護および教育基金）

名称の一部にある「法的弁護および教育基金」から想起されるように、これらの団体はNAACP LDF（全米黒人地位向上協会・法的弁護および教育基金 =National Association for the Advancement of Colored People・Legal Defense and Education Fund）をモデルにして設立された。

黒人解放をめざす運動団体としてもっとも有名なのは、いうまでもなくNAACP

（全米黒人地位向上協会 =National Association for the Advancement of Colored People）であろう。1909年の設立後、長きにわたって黒人差別とたたかってきた歴史をもつ。その困難な闘争は、想像をこえるものがある。1940年ころ、NAACPはひとつの問題に直面していた。NAACPは法的活動ばかりでなく、政治活動にも従事していたため、寄付や助成に関する税制上の特権をうけることができなかった。そこでその解決策として提案されたのが、政治活動をおこなわず、法的活動に専念する新組織をつくることであった。こうして1940年3月に創設されたのが、NAACP LDFである。

NAACPとNAACP LDFは、後者の設立のいきさつから、兄弟姉妹的な関係にあり、友好的な協力関係がつづいたとみられがちである。しかし、実際には両者は独立した団体であり、その関係はつねに良好だったわけではない。NAACP LDFの代表を長くつとめたグリーンバーグによれば、両者の関係は「対立と協調の間をゆれうごいた」のである（グリーンバーグ・ジャック 1994: 478）。とくに1982年ごろには関係が悪化し、NAACPがNAACP LDFに対して、団体名称の使用の差止をもとめる訴訟をおこし、亀裂が決定的になったことがある（最終的に、連邦最高裁判所はこの訴えを却下した）。

NAACP LDFは、人種差別にしぼって訴訟による法廷闘争をたたかい、多くの成果をあげた。その最大のものは、有名な「ブラウン判決（ブラウン対教育委員会事件判決）」（1954年）であろう。公立学校における人種の分離を違憲とするこの判決は、それまでの最高裁判決をくつがえし、人種の平等に道をひらく画期的な内容のものであった。前述のグリーンバーグは、ブラウン判決をはじめとしたNAACP LDFによる裁判上の勝利がなければ、1960年代の公民権運動はうまれなかったかもしれないし、うまれたとしても時期や形がちがうものになっていたであろうとしている（グリーンバーグ・ジャック 1994: 12）。もっとも、これは過大な自己評価だという公民権運動家や研究者もいるであろうが。

### MALDEFの誕生

1960年代末のメキシコ系アメリカ人の運動においても、おなじように法律の専門家集団を必要とする状況があった。当時、もっとも有力なメキシコ系アメリカ人の組織は、LULAC（統一ラテンアメリカ系市民連盟 =League of United

Latin American Citizens）である。LULACは1929年に設立され、以後、市民権の取得、英語の習得などをかかげ、同化を是として活動してきた。1960年代、公民権運動に刺激をうけたメキシコ系アメリカ人のなかに「チカノ運動」といわれるあらたな運動がおこった。チャベス・セサールによる農業労働者組合運動、ティヘリーナ・ライヘスによる土地返還要求運動、「ブラウン・ベレー」という若者グループによる急進的運動などのなかで、LULACは求心力をうしないつつあった。一方、メキシコ系アメリカ人の訴訟事件が増加していたが、それを支援する資金や人材の不足はあきらかであり、改善がもとめられていた。

こうしたなか、LULACの指導者であったティヘリーナ・ピートは、NAACP LDFの存在に注目した。それは、穏健な思想をもつ法律家の専門家集団であり、かつ黒人問題の解決に実績をあげていたからである。ティヘリーナはNAACP LDFの代表であったグリーンバーグと面会し、アドバイスを得た。こうして1968年に設立されたのが、MALDEFである。1970年代になって急進的なチカノ運動が下火になるにつれ、MALDEFは活動家の受け皿になっていった。それは、かつての活動家にとって、法的活動を通じての社会改良という、より現実的な目標を提供する団体だったからである。

MALDEFは当初の活動資金として220万ドルを確保した（オコナー・カレンほか1988: 258）。これはグリーンバーグの紹介によって、フォード財団等から得た寄付による。資金は訴訟費用などにおおいに助けになるものであったが、同時に活動を制約するものでもあった。のちにフォード財団からは、代表の交代やサンアントニオ（テキサス州）にある本部の移転などを要求されている。フォード財団はリベラルな運動に理解があり、この機会にも資金援助をおこなった。それは同時に、急進的、戦闘的なチカノ運動をより穏健な運動へ移行させるという目的もあったとかんがえられる。

MADLEFは、当初は日常的な法律相談をあつかっていたが、やがてメキシコ系アメリカ人の人権擁護を主たる業務とする方向へ舵をきっていった。教育や雇用とならぶテーマが、選挙制度や投票権など、政治参加をめぐるものである。MALDEFの本部があるテキサス州などでは、当時、メキシコ系アメリカ人の生活も政治参加も、ひどい状況がつづいていた。メキシコ系アメリカ人の三分の一は貧困ラインの下で生活し、児童・生徒が学校にかようのは平均7年間で、高校を卒業するまでに半数はドロップアウトしていたのである（バーマン・アリ 2015 : 107）。

政治参加についていえば、テキサス州などには不利益をうむ有権者登録制度や白人に有利な選挙区割がのこっていた。黒人と同様、有権者登録をすれば新聞に名前が掲載され、職場や地域で白人から脅迫をうけることがあった。さらに登録用紙、投票用紙、選挙資料などは英語でだけ印刷され、英語能力に限界のある者にとっては、バリアーになっていた。メキシコ系アメリカ人は、生活も、それを改善する手段もうばわれているという状態であった。

こうした状況をかえるべく、MALDEFは政治参加の改善を活動のひとつの柱にし、訴訟によって事態の改善をはかっていった。たとえば、「ガルザ対スミス」（1970年）は、身体障害者に対しては選挙管理人の援助をみとめるが、英語ができないメキシコ系アメリカ人への援助はみとめないテキサス州の選挙法を訴えた訴訟である。「ホワイト対レジェスター」（1973年）は、大選挙区における完全連記選挙（at-large election）が実質的にメキシコ系アメリカ人候補の選出をさまたげているとして、その改正をもとめた訴訟である（完全連記選挙とは、大選挙区において定数分だけ候補者の氏名を記入し投票するという選挙制度である。小選挙区制以上に、少数者にとっては彼らの代表をえらびにくい制度であり、少数者が議員になることを阻害してきた）。MALDEFはこれらの訴訟において、勝利をおさめた。

## PRLDEFの誕生

もうひとつ、バイリンガル投票条項の実現に重要な役割をはたした団体がPRLDEFである。NAACP LDFやMALDEFの活動を目にして、プエルトリコ出身者にも同様の組織をつくろうという機運がたかまった。プエルトリコ出身者のかかえる諸問題に関心をもち活動をしてきた何人かの弁護士は、前述のグリーンバーグやティヘリーナからアドバイスをうけ、その創設をはかった。こうして1972年にできたのがPRLDEFである。初代の代表には、ペラーレス・セサールが就任した。ペラーレスはドミニカ出身とプエルトリコ出身の両親のもとでうまれ、弁護士として活動してきた経歴をもつ。かつてはヤングローズという急進的なグループに属していたこともあった。

PRLDEFは、フォード財団やロックフェラー財団などから50万ドルの資金提供をうけて活動をはじめた（アルノー・アリエル2018: 45）。活動方針は、法律相談などではなく、人権問題の改善にしぼって訴訟中心のアプローチをとるというものである。これはNAACP LDFやMALDEFの前例をみて、プエルトリコ出身者の生活改善にそれがもっとも有効な手段であるとかんがえたからである。その改良主義的な運動方針は、資金提供をする財団からみてもこのましいものであった。

バイリンガル投票の拡大は、PRLDEFがとりくんだ目標のひとつである。PRLDEFはニューヨーク州で「ロペス対ディンキンス」（1973年）、「トーレス対サックス」（1973年）という訴訟をおこした。これらは英語が十分にできないプエルトリコ出身者が原告になって、投票権法（1965年）の第4条（e）を根拠に、教育委員選挙におけるバイリンガル投票の実施をもとめた訴訟である。両方とも和解協議を経てスペイン語による選挙資料が提供されることになり、実質的な勝利をおさめた。PRLDEFはフィラデルフィアでもバイリンガル投票をみとめさせる判決を獲得している。

こうしてスペイン語による投票用紙や投票資料の配布は少しずつひろまっていった。1975年の投票権法を研究するハンターによると、それはニューヨーク州など7州の一部でみられるようになっていた（ハンター・デイビッド1976: 257）。バイリンガル投票の法制史を研究するタッカーによると、法令に準拠しないものもふくめると15州の一部でみられた（タッカー・ジェイムズ2009: 46）。バイリンガル投票は1975年の投票権法修正で突然に出現するのではなく、すでに一部の地域で先行例があったのである。

## 5. 議会公聴会と法案の成立

### 議会公聴会における証言

スペイン語によるバイリンガル投票が出現してきたとはいえ、地域限定的であり、メキシコ系アメリカ人の多いテキサス州などで実績はなかった。1975年に投票権法が2回目の修正をむかえるにあたり、MALDEFの指導者たちは、投票権法にバイリンガル投票条項を本格的に追加することを企画した。カリフォルニア州で選出された2人目のメキシコ系アメリカ人議員ロイバル・エドワード、ニューヨーク州ではじめて選出されたプエルトリコ出身議員バディージョ・ハーマン、テキサス州から選出された、はじめての女性の黒人議員ジョーダン・バーバラらを通して、連邦議会でロビー活動をおこなった。

投票権法修正に関して「市民的・憲法的権利に関する小委員会」主催の公聴会がひらかれた。その期間と証人は、上院で7日間29人、下院で13日間48人におよぶものとなった（ガルザ・ロドルフォほか1993: 1485, サーンストローム・アビゲイル1987: 57）。ここに、MALDEFやPRLDEFが推薦する証人も出席し証言をした。

その証言をいくつか紹介する。MALDEF代表のマルティネス・ヴィルマは、テキサス州における投票妨害についてのべた。関係者による有権者登録の拒否、投票の無効化、英語のできない有権者への手助けの拒否、代理投票の拒否などがおこなわれていた。選挙制度についても、完全連記投票制度、白人に有利な選挙区改正（ゲリマンダリング）などが、少数者に不利な結果をうみだしている、と証言した（ガルザ・ロドルフォほか1993: 1482-1483）。

MALDEFは、テキサス州から農業労働者のロドリゲス・モデストを招集した。彼はテキサス州でおこなわれている選挙妨害の実例を証言した。また、ラサ統一党に所属しているため銀行からの借金がかなわなかったこと、非識字ゆえに署名のかわりに「×」と書いたメキシコ系アメリカ人たちが裁判所からよびだされたこと、メキシコ系アメリカ人の居住区から白人の居住区へ投票所が移動され投票が不便になったこと、などをのべた。その具体的な証言の数々は、委員会のメンバーを釘づけにした（バーマン・アリ2015: 105）。

カリフォルニア州選出の議員ロイバルも証言にたち、カリフォルニア州でメキシコ系アメリカ人が直面する、脅迫による選挙妨害をのべた。スペイン語を話すアメリカ人が住居、保健、教育、仕事、政治参加などで経験している差別や権力の濫用にもふれた（アルノー・アリエル2018: 159-161）。

テキサス州選出の女性の黒人議員ジョーダンによれば、南西部でメキシコ系アメリカ人が、東部や中西部でプエルトリコ出身者が直面している差別は、ジム・クロウ法のもとで黒人が経験したのと同様のものである。彼女は、PRLDEFによる訴訟によってバイリンガル投票がみとめられた北東州の判例は、南西州の非･英語話者にも拡大されるべきだと主張した。さらに、対象をネイティブ・アメリカンやアジア系アメリカ人に拡大することも提案した（同上書: 157-158）。

これは、のちに投票権法における言語少数者の拡大につながることになる。

これらの証言は、かつての黒人に対する手口によって、テキサス州などのメキシコ系アメリカ人が経験している投票権の剝奪状況をあきらかにした。しかし、彼らとプエルトリコ出身者をつなぐための包括的な概念はまだ存在せず、その創出が必要になった。当時、「ヒスパニック」という用語はつかわれはじめていたものの、国勢調査でまだ使用されていない未熟な用語であった。MALDEFのワシントン事務所にいたペレス・アルは、それにかえて「スペイン語」（Spanish language）という用語を準備した。なぜなら、「法律を策定する統計データとして『スペイン語』が利用できると決定されていた」からである（同上書 2018: 166）。

メキシコ系アメリカ人とプエルトリコ出身者は、出身国や地域によってわかれた集団であった。しかし1970年代前半には、スペイン帝国の旧植民地に出自をもつという意味で「スパニッシュ・スピーキング」という汎エスニックな枠組みによる協力関係をきずいていた（佐藤夏樹2014: 1-2）。ペレスのいう「スペイン語」もその延長線上にある。投票権法（1975年修正）においては、「スペイン語」は「スペイン語・文化継承者（Spanish heritage）」として表記されることになる（なお、佐藤夏樹2014によれば、「ヒスパニック」という概念が公的に確立するのは、1977年の連邦行政管理予算局の指令第15号による）。

## 対象者の拡大

この後、スペイン語に限らず、投票の困難な少数言語もあるという問題提起がなされた。そしてネイティブ・アメリカン、アラスカ先住民、アジア系アメリカ人へと対象が拡大された。これには、当時のネイティブ・アメリカンやアジア系アメリカ人の政治運動が影響をあたえた面がある。ただし、これらの言語少数者について、それほどたちいった議論がかわされた形跡はない。のちのレーガン大統領の時代に、新保守主義の立場から公民権運動や積極的差別撤廃措置に批判的な論陣をはって注目をあびた人物に、サーンストローム・アビゲイルがいる。彼女は「投票権法の修正は、4つの集団に連邦の保護をもとめたが、その集団の特徴は決して説明されていないのである」として、この審議過程を批判している（サーンストローム・アビゲイル 1987: 52）。

ともかく、メキシコ系アメリカ人、プエルトリコ出身者を包括する「スペイン語・文化継承者」という用語にくわえて、言語上の困難を経験している4つの集団を意味する「言語少数者」という用語が案出された。投票権法第2条は「人種や肌の色によって、合衆国市民の投票する権利は、否定されたり、弱体化されたりしてはならない」とのべる。その人種に相当するものとして言語少数者は位置づけられた。このようにして、（やや強引な）一般化と理論的整合化をはかった上で、バイリンガル投票条項は投票権法にくみいれられたのである。

### 投票権法（1975年修正）の成立

議会公聴会を経て、MALDEFやPRLDEFの協力のもとに投票権法（1975年修正）の原案が策定された。そして前述のロイバル、バディージョ、ジョーダンが提案者になり、議事にかけられた。審議を経て、上院では77対12、下院では341対70という大差で可決された。その後、1975年8月にフォード大統領が署名して公法94-73になった。先に紹介したように、投票権法（1975年修正）の第4条（f）と第203条の冒頭には、「議会は、言語少数者の市民に対する投票差別が、国家的な範囲においてひろがっていること（言語少数者が、選挙への参加から実質的に排除されてきたこと）を認定する」という一文がある。これはまさに、議会公聴会の証言やそのレポートを通して、両院の議員たちがメキシコ系アメリカ人やプエルトリコ出身者がおかれている政治参加の困難を認定した（納得させられた）という事実をのべている。

投票権法（1975年修正）の成立過程をみると、メキシコ系アメリカ人、プエルトリコ出身者、黒人の議員の活躍が目につく。とくに女性の黒人議員ジョーダンは注目をあび、投票権法修正の国民的な「顔」になった（バーマン・アリ2015: 108）。しかし、背後にあって主導的な役割をはたしたのは、ここまでの記述からあきらかなように、MALDEFとPRLDEF（とくにMALDEF）である。MALDEFの母体となったLULACは、この修正にほとんど関与しておらず、「1972年までにメキシコ系アメリカ人の公民権政策に対するLULACの貢献は終了してしまっていた」といわれる（カプロウィッツ・クレイグ2005: 184）。

両者の貢献は、議員へのはたらきかけや政策提言といったロビー活動にとどまるものではない。バイリンガル投票や選挙区の区割など、政治参加に関する訴訟とその勝利が大きな意味をもった。それらは、投票をめぐる抑圧状況をあぶりだすとともに、解決されるべき方向をしめしたからである。投票権法修正のための証拠（エビデンス）をつみかさねたともいえる（この点ではPRLDEFのはたした役割も大きかった）。それはちょうど、NAACP LDFがブラウン判決などを通して、公民権法や投票権法へ道をひらいていったのと同様である。ラティーノの政治参加を研究するヒーロー・ロドニィーは、「NAACP LDFの成功を参考にして、ラティーノたちは訴訟が有効かつ重要な政治的戦略であるとみなしたのである」とのべる（ヒーロー・ロドニィー 1992: 76）。あるいは1970年代のPRLDEFの活動を研究するアルノー・アリエルは「PRLDEFのメンバーにとって、訴訟は差別にたちむかい、社会変革をうながす最善の方法であった」とする（アルノー・アリエル 2018: 6）。

弁護士などによる法律家集団を組織すること、活動のための基金を募集すること、目的にそった一連の訴訟を継続すること、そして理解のある議員を通じて法律化をはかること、これが少数者グループの公民権実現のための有効な方法であることをMALDEFやPRLDEFは実証したのである。それは、暴力や暴動といった形ではなく、合法的で穏健な形で社会を変革していくひとつのやり方であった。

NAACP LDFをモデルとするこうした成功例は、他の少数者の運動にもおなじモデルをうみだした。その後、アジア系アメリカ人、ネイティブ・アメリカンなどにおいても、同様の方向性をもった団体が設立されることになる（グリーンバーグ・ジャック 1994: 522）。MALDEFやPRLDEFの実績は、これらの誕生を後おししたのである。

## 6. 投票権法のその後と成果

### 投票権法のその後

投票権法は時限条項をふくむため、1975年以降も、1982年、1992年、2006年に延長・修正をくりかえした。バイリンガル投票に関係する修正点だけ、簡単にみておきたい。

1982年の修正では、こまかな字句修正のほかに、あらたに第208条として

「投票援助（voting assistance）」という項目が追加された。ここには「視覚障害、障害、非識字などの理由で投票の際に援助を必要とする有権者は、援助をうけることができる」という条文がある。言語少数者から、さらに障害者や非識字者に投票援助の範囲がひろがった。

1992年には、第203条（b）が修正され、以下の条件にあたると国勢調査局長が決定した場合に州や政治区域は英語以外で投票関連の資料を提供しなければならない、とされた。その条件は、①ある州や政治区域の有権者の5％以上が何らかの言語少数者のメンバーで、かつLEPである場合、②ある州や政治区域の有権者の1万人以上が何らかの言語少数者のメンバーで、かつLEPである場合、③「インディアン保留区（Indian reservation）」をふくむ政治区域において、「インディアン居留区」のネイティブ・アメリカンやアラスカ先住民の有権者の5％以上がひとつの言語少数者のメンバーであり、かつLEPである場合。それぞれに、非識字率が全国平均よりもたかいという条件が付加される。

第3節でみた投票権法（1975年修正）と比較すればわかるように、ここには②と③の条件があらたに追加されている。②は大都市の言語少数者（とくにアジア系アメリカ人）に対象をひろげるための規定である。第1節で紹介したロサンゼルス郡の事例のように、アジアの少数言語への配慮は、これによって可能になった。③は「インディアン居留区」のネイティブ・アメリカンやアラスカ先住民を考慮した規定である。1975年の修正に際して十分に煮詰められなかった他の言語少数者の条件をより明確にしたのが、②、③の趣旨といえる。

2006年の修正ではとくに大きな変更点はない。投票権法の有効期限は5年、7年、10年、15年と延長されてきたが、今回は2007年から2032年までの25年間に、さらに延長された。したがって投票権法の一部をなすバイリンガル投票条項も、2032年まで有効になった。

## 選挙区の区割変更と有権者登録の促進

こうした修正を経て、投票権法は言語少数者の政治参加を実際にどのくらい促進したのであろうか。これを判断するためには、バイリンガル投票だけではなく、同時期に進行した、選挙区の区割変更、有権者登録の促進といった別の要因も考慮にいれなければならない。

1975年にいたる投票権法の修正においては、識字テストや人頭税の廃止が、公民権運動家のおもな目標であった。しかし1970年代からは、別の課題が中心的なテーマになっていった。それは選挙区の区割変更である。アメリカでは選挙区の区割は、州や地方自治体の議会が決定する。そのため議会を制した政党が自分に有利なように区割変更をすることがある。これは「ゲリマンダー（gerrymander）」とか「ゲリマンダリング（gerrymandering）」とよばれる。なかには、黒人や少数民族を排除するため、大選挙区において完全連記制度（at large district system）が採用されることもある。

差別的な選挙区については、黒人や少数民族グループが大選挙区の小選挙区への変更をもとめる訴訟をおこした。1980年代にそうした訴訟は、かなりの勝率をほこった（グイニア・ラニ1994= 1997、訳者解説：16）。第4節で「ホワイト対レジェスター」を紹介したが、MALDEFやPRLDEFもこうした選挙区割訴訟を通じて、より少数者に配慮した選挙区割への変更を実現していった。また、選挙区や選挙手続きの差別的改正（改悪）を禁じた投票権法第5条の存在も、大きな意味をもった[(4)]。

もう一点は、有権者登録である。言語少数者の政治参加を促進するためには、投票率や有権者登録率をあげることが必要になる。この点で、彼らが参考にしたのは黒人の有権者登録運動である。1962年、VEP（有権者教育プロジェクト=Voter Education Project）という団体が設立された。VEPは、当初は有権者登録を促進するグループに融資をするだけであったが、のちに黒人の有権者登録を推進するプログラムや運動に関与するようになった。このプロジェクトは黒人の有権者登録率や投票率をたかめた。

チカノ活動家のひとりであったヴェラスケス・ウィリーは、チカノ運動からはなれる形で、1974年にSVREP（南西部有権者登録プロジェクト=Southwest Voter Registration Project）を創設した。SVREPは、VEPを範にとって、メキシコ系アメリカ人の有権者登録や投票を促進しようという団体である。フォード財団などから寄付をうけて発足した。ここからわかるように、MALDEFとおなじように、選挙を通して社会の改革をはかるという、穏健な志向性をもつ組織である。1976年から1980年にかけて、ヒスパニックの有権者登録率は約30%増加した（ガルシア・ジョンほか1988: 129）。VEPは1992年に解散したが、SVREP

はいまも活動をつづけている（ホームページ冒頭には、「君の投票が君の声になる」という標語がある）[5]。

先に第4節で、バイリンガル条項の制定に尽力したMALDEFやPRLDEFが、NAACP LDFという黒人の運動団体をモデルにして設立され、活動したことをのべた。さらに選挙区の区割改正や有権者登録の促進といった方針についても、黒人のそれがモデルにされた。ラティーノによる投票権拡充の公民権運動第2幕は、黒人による第1幕のシナリオを利用し再現する形で進行したのである。

## 政治参加の改善

これらの複合的な運動によって、1970年代から1980年代にかけて、言語少数者の政治参加に変化がみられた。アリゾナ、カリフォルニア、コロラド、ニューメキシコ、テキサスという南西部の5州において、1973年と1984年のヒスパニック議員の数を比較した研究がある。これによると、議員数の変化は、連邦議会（5名→9名）、州議会（68名→83名）、市議会（625名→925名）、郡議会（274名→348名）で、いずれも顕著な増加がみられる（ガルシア・ジョン1986: 63）。有権者登録率をみると、投票権法（1975年修正）が施行されてから30年間に、ヒスパニックは2倍になった。アジア系アメリカ人は58%、ネイティブ・アメリカンは50%の増加がみとめられる（ライリー・シャウナ2015: 22）。

バイリンガル投票、有権者登録・投票の推進、選挙区の改正など一連の施策のなかで、バイリンガル投票だけを抽出し、その効果を測定するのはなかなか困難である。しかし近年、統計学の手法をもちいて試算する研究者がいる。そのひとりジョーンズ－コレアは、多変量回帰分析によって、投票権法におけるバイリンガル条項の効果をしらべている。その結論は、バイリンガル投票条項はあらゆる該当集団において意味をもつ、とくに外国籍うまれの移住第1世代にとって重要な意味がある、そしてアジア系アメリカ人よりもラティーノにとって効果が大きい、ということである（ジョーンズ－コレア・マイケル2005: 561）。

こうした改善はみられるものの、依然として現在でも有権者登録率や投票率においては差がある。2010年に実施された中間選挙、2012年に実施された大統領選挙の投票率をみると、ラティーノと白人、アジア系アメリカ人と白人との間には、いずれもまだ15％以上の差がある（ガルシア・ジョン2017: 121, 124）。今後もラティーノやアジア系を中心とした移民の増加が予想されている。バイリンガル投票という言語サービスが必要な理由は、まだのこっているのである。

## 7. おわりに

投票権法の一部をなすバイリンガル投票条項は、制定以来、延長・修正をくりかえしてきた。その都度、反対論はでるものの、大枠は維持されてきた。その背景には、共和党と民主党の両党的（bipartisan）協力態勢があった。少なくとも現在まで、投票権法の精神はアメリカ議会において継承されてきたといえる。また第１章第５節のグラフ（図表1-3）で紹介したように、約三分の二のアメリカ人がバイリンガル投票に賛成しているという調査結果もある。議会においても社会においても、バイリンガル投票は認知されているといってよいであろう。

しかし、これに反対したり、その廃止をもとめたりする議論や運動も根強い。第１章で紹介したが、アメリカ国内には英語唯一主義をとなえる団体がいくつかある。「U.S.イングリッシュ」につづいて、1994年、「プロイングリッシュ（ProEnglish）」が設立された。英語公用語化をはかるための教育や法的な支援をおもな活動内容とする。

この団体のサイトには、多言語投票（バイリンガル投票）の批判ページがあり、「多言語投票に反対する５つの理由」があげられている[(6)]。その５つの理由とは、①正当性がない、②恣意的であり費用がかかる、③地方自治体に余計な負担を負わせる、④選挙におけるミスや不正の可能性をたかめる、⑤負担が増加している、である（ちなみに、プエルトリコ自由連合州の51番目の州への昇格が議論されているが、U.S.イングリッシュもプロイングリッシュも、スペイン語を話す「Spanish speaking」地域ゆえに、昇格に反対している）。

これらの団体のキャンペーンやロビー活動をうけ、州によっては、住民投票によって、バイリンガル投票の廃止決議をおこなったところがある。1983年にサンフランシスコで提案第０号が、1984年にはカリフォルニア州で提案第38号が住民投票にかけられ、賛成多数を得た。いずれもバイリンガル投票の廃止をもとめるものである。もっともこれらは勧告であり、実効性をもたないものであった（吉川敏博2001: 130-133）。

連邦レベルでは、バイリンガル投票条項の廃止が議会で提案されたことが何度かある。1995年に「バイリンガル投票要件廃止法1995」という法案が連邦議会に提案された。その内容は投票権法からバイリンガル投票に関する部分を削除するというものである。具体的には、投票権法第203条の廃止、第4条（f）の削除がかかげられていた。これは反対多数で否決された。

翌1996年には、「ビル・エマーソン英語権限付与法1996（Bill Emerson English Language Empowerment Act of 1996）」が連邦議会にはかられた。同法案は、第1編において英語をアメリカ政府の公用語と宣言する。第2編は上記の「バイリンガル投票要件の廃止」をほぼそのまま援用する。この審議過程は、政府における英語公用語化がもっとも実現にちかづいた（同時に、バイリンガル投票条項がもっとも危機に瀕した）時だったといえる。なぜなら、法案が下院を259対169で通過したからである。あとは上院の結果まちという状況になった。ただし、上院では審議にかからず結局、廃案になった（なお、当時の大統領であったクリントンは、この法案に批判的であり、もし上院を通過すれば拒否権を発動すると発言していた）。

その後も、上記の運動団体の支援をうけ、英語公用語化をめざす「国語法（National Language Act）」や「英語統一法（English Language Unity Act）」という法案が議会やその前段階の委員会にはかられたが、いずれも廃案という結果におわっている（レイニー・ガリーヌ2008）。共和党内には、かつての勢いはないものの、これらの法案を支持する議員がいる。バイリンガル投票制度の今後を注目していきたい。

**注**

（1）「ネイティブ・アメリカン」は、投票権法（1975年修正）では、「アメリカン・インディアン」となっていた。現在では「ネイティブ・アメリカン」「アメリカ先住民」という呼称が一般的であり、本書でもこれらを使用する。ただし、文献引用や歴史的文脈において「アメリカン・インディアン」をつかう場合もある。なお「Spanish heritage」は、言語少数者のひとつとして位置づけられているため「スペイン語・文化継承者」と訳す。

（2）http://electionline.org/images/EB14.pdf（アクセス：2018.10.10）

（3）「Puerto Ricans」には以下では「プエルトリコ出身者」という訳語をあてる。
（4）連邦最高裁判所は、2013年、「シェルビー郡対ホルダー」事件の判決において、これまでみとめてきた投票権法第5条を実質的に否定する「シェルビー判決」をだして、憲法学者や公民権運動家から大きな反発をうけた。現在、この判決の是非をめぐって議論がかわされている。
（5）https://svrep.org/
（6）https://proenglish.org/multilingual-ballots/

# 第3章
# 連邦政府における多言語サービス
## ―クリントンの大統領令13166をめぐって―

### 1. はじめに

前章では、投票権法を1965年に成立させたジョンソン大統領に言及した。ジョンソンは、1964年の公民権法にもかかわっている。これらは人種差別撤廃に大きな意味をもったが、所属する民主党の姿勢転換を象徴する出来事でもあった。アメリカの民主党の支持基盤は、そもそもは南部の保守的白人層であった。しかしこれ以降、北部の労働者（労働組合）とマイノリティ（黒人、女性、障害者、移民など）にかわるからである。

それは同時に、南部の保守的白人層が共和党にクロス移動し、民主党の支持基盤が分裂することでもあった。民主党は、ベトナム戦争への介入、福祉にむけた増税方針なども不評をよび、地盤沈下がつづいた。1969年にジョンソンが退任したあとは、カーター（1977-1981）の一期をのぞいて、ニクソン、フォード、レーガン、ブッシュ（父）と、共和党政権がつづくことになる。

こうしたなかで登場したのがクリントン・ビルである。民主党の現状に危機感をもった彼は、共和党の主張も一部にとりいれた中道的な政策をかかげた。市場原理の重視、財政均衡、福祉制度のみなおしなどが、これにあたる。それは中間層、浮動層へ支持拡大をはかるねらいがあった。政策アピールに成功した結果、ついに1993年、ひさしぶりの民主党大統領に就任した。副大統領のゴア・アルともども、まだ40歳代。ベビーブーム世代の登場である。

クリントンの政策は、外交、経済、医療、福祉などいろいろな観点から論じられている。本章ではただ一点、彼が2000年に発令した大統領令13166だけをとりあげる。言語政策の観点からみれば、共和党政権がつづいた1980年代は、英語を公用語とする法案が連邦議会や州議会にはかられたり、移民支援に制限がかかったりと、多言語サービスに逆風がふいた時代であった。1990年代になっても、それはかわらなかった。

連邦政府の各省庁やその所轄機関に多言語サービスをもとめるクリントンの大統領令13166はこれに対する歯止めになり、トレンドを逆転するものであったといえる。即効性があったわけではないが、医療の通訳翻訳サービス、地方における多言語サービス条例の制定などに、はずみをつけた。英語公用語化をすすめる団体のU.S.イングリッシュやプロイングリッシュのサイトには、いまも「大統領令13166の廃止を」というページがつくられ、キャンペーンがはられている。はからずもこれは、クリントンの大統領令がもつ意義をあらわしているといえるであろう。本章では、この大統領令の成立のいきさつ、内容、成果をみていくことにする。

## 2. クリントン政権の特徴

### 人権の擁護

まず、クリントン政権の特徴について、２点ふれておきたい。

第１点は、この政権が人権擁護に積極的であったことである。クリントンは、南部アーカンソー州でうまれそだった（のちに州知事になる）。当時はまだ人種分離がのこっていたが、彼をそだてた祖父の店が黒人地区にあったこともあり、幼少期より黒人とつきあった経験をもつ。

大統領選の期間中にあたる1992年、ゴアと共著で『アメリカ再生のシナリオ（Putting People First）』と題された本を出版した（クリントン・ビル／ゴア・アル 1992）。ここに、自分たちの政策目標をかかげている。全７章のうちの１章は「人権を確立する」である。「クリントン・ゴア政権はすべてのアメリカ人の公民権をまもるために、精力的にはたらく」と宣言し、女性、高齢者、障害者、退役軍人、移民の分野における具体的政策を列挙する。マイノリティの人権擁護という、モデルチェンジ以降の民主党の姿勢を、彼らもまた共有していたのである。

クリントンが在任中に発令した大統領令をしらべると、黒人、ラティーノ、アジア系アメリカ人、太平洋諸島民、女性、障害者などの公民権擁護のためのものが20本以上ある。たとえば1997年には「21世紀の統一的アメリカ―大統領人種イニシアティブ」という大統領令13050を発令し、人種問題の理解・促進を目標とした諮問委員会をたちあげている。連邦独立行政委員会として人権行政を監視、評価する委員会に合衆国公民権委員会がある。この委員会は、クリントンの退任後に、政権8年間の人権政策を点検評価するレポートをだした。そこでは、クリントンはいつも成功したわけではないが、さまざまな形態の差別の排除に積極的に関与した、という評価をくだしている（合衆国公民権委員会2001: vi）。

## 行財政改革

クリントン政権の特徴のもう1点は、行財政改革である。1980年代、共和党のレーガン大統領は「小さな政府」をかかげ、レーガノミックスとよばれる経済政策によって、財政赤字の縮小をはかった。しかし結果からみると、軍事予算の拡大等によって、体質は改善されなかった。ブッシュ（父）によっても財政支出の拡大が継続し、赤字はさらに増加していた。一方で貿易赤字もふくらみ、「双子の赤字」の解消は、さけられない政権課題になっていた。

クリントンは就任後に、4年間で5,000億ドルにおよぶ大胆な赤字削減策を提案した。そのなかには、不要な補助金の廃止、ヘルス・ケア・コストの削減などもふくまれる。これらを内容とする「包括的財政調整法」は1993年8月に成立した。

財政改革と同時に、行政改革にも着手した。就任後すぐに、ゴアを首班とする行政改革検討委員会を組織した。ゴアたちは、「国家業績調査（National Performance Review）」という名のもとに行政組織の点検・評価をおこない、1993年9月に答申をした（ゴア・アル1993）。「官僚主義から結果主義へ（From Red Tape to Results）」という副題をもつ大部のレポートは、地方への権限移譲、窓口サービスの徹底、民間との協業の推進といった内容からなる。連邦職員25万人の削減、今後5年間での1,000億ドルのコスト削減といった大胆な数字も、そのなかにみられる。

クリントンの行財政改革は、実際に赤字削減を実現した。1993年に2,550億ドルあった赤字は、8年間に黒字に転じ、2000年には2,360億ドルの黒字を計上するまでになった（西川賢2016: 205）。景気回復という追い風があったにしても、クリントンの実績は、現在多くの研究者がみとめるところである。

このように大胆な行財政改革を計画・実行したことは、伝統的に大きな政府を志向してきた民主党政権とは異質である。イギリスのサッチャーに端を発する「小さな政府」を目ざす政策は、「新自由主義」とよばれる。アメリカではレーガン政権がこれに該当する。政治思想はちがっていても、クリントンのめざした方向はこれにちかい。新自由主義の第２段階を「伸展型新自由主義（roll-out neoliberalism）」とか「発展型新自由主義（advanced neoliberalism）」とよぶ研究者がいる。「サッチャーの息子」といわれたイギリスのブレア（労働党）とともに、アメリカのクリントンもここに位置づけられている（仁平典宏2017）。

緊縮財政政策をとるということは、行政サービスを抑制するということである。行政サービスは、社会的弱者に手厚くならざるをえない。そうしたサービスなくしては、社会的な格差は拡大する。多言語サービスについても同様である。財政的なバックアップがなければ、施策も理念にとどまり、掛け声だけになってしまうであろう。人権擁護に積極的ではあるが、社会的弱者のための財政支出には否定的であるという二面性に、クリントン政権の特徴がある。この特徴は、多言語サービス政策にも反映されることになる。

## 3. 大統領令13166の発令

### 大統領令とは何か

大統領令（executive order）とは、大統領が議会からあたえられた裁量の範囲内で具体的政策を指示し、その執行を行政組織につたえるものである。効力は法に準じるとされる。アメリカの大統領は、強大な権力をもっているようにおもわれがちである。しかし実際には法案を議会に提案できるのは議員のみであり、大統領にみとめられているのは行政権にかぎられる。そのため、自分のやりたい政策のひとつの実行手段として利用するのが大統領令である。

大統領令には通し番号がふられ、根拠となる法が明記され、官報に掲載される。こうした点で、通し番号がなく、根拠法はしめされず、官報にも掲載されない「大統領覚書（the presidential memorandum）」と異なる。したがって大統領令とは、法（act）と大統領覚書との間に位置する曖昧（あいまい）な存在といえる。大統領令の積極的な活用には憲法上の疑義がつきまとい、たとえばオバマ大統領の活用スタイルについては弾劾をおこなうべきだという意見がでたこともあった（待鳥聡史2016: 119）。

大統領令は戦時期に頻発されるという事態がおこったが、第二次世界大戦後は、どの大統領についても年間50本程度である。クリントンが8年の在職期間に発令した大統領令は合計364本。内容をしらべてみると、内政から外交まであらゆるジャンルにおよぶ（合衆国国立公文書記録管理局 = The U.S. National Archives and Records Administration）[1]。大統領令は大統領がかわって実効性が消滅したり、廃止が宣告されたりする場合もあれば、次期の大統領が再認（reaffirm）して継続される場合もある。大統領令13166は、その後ブッシュ、オバマ両大統領によって再認されて現在にいたっている（くわしくは後述）。

## 大統領令13166の内容

クリントンは、政権末期にあたる2000年8月、「LEP（限定的英語能力者）へのサービスのアクセス改善にむけて」と題された大統領令13166を発令した。内容を要約すれば、次のようになる。

第1項（目的）: LEPに対する諸サービスのアクセスの改善がこの命令の目的である。そのために連邦政府の省庁は、自らのサービスを点検するとともに、連邦政府から財政援助をうけている受領機関（recipients）がLEPの応募者や受益者に適切なアクセスができるようにはたらきかけねばならない。この目的のために、司法省は「LEPガイダンス」を発行する。受領機関は適切な手続きをとらなければ、公民権法第6編の出身国による差別をおかすことになる。

第2項（連邦が運営するプログラムや活動）: 司法省の「LEPガイダンス」を参考にして、省庁は運営するプログラムや活動にLEPがアクセスしやすくなるステップをあきらかにするプランを作成する。

第3項（連邦が援助するプログラムや活動）: 司法省の「LEPガイダンス」を参考にして、省庁は財政援助をしている受領機関にLEPのアクセス改善の具体的方法を指示する独自のガイダンスを作成する。そこにはサービスの種類や対象者の特定などがふくまれなければならない。

第４項（相談）：この命令の実行にあたって、省庁はLEP、その団体、受領機関といった利害関係者と、事前に相談し意見を聞く機会をもつ。

第５項（法律上の見通し）：この命令は行政内部の運営改善だけを目的とするもので、法律上の権利や権益をうむものではない。

この大統領令の眼目は第２項、第３項にある。司法省が発行するLEPガイダンスを参考にして、連邦政府の各省庁は自身の組織のアクセス改善のプランを作成すること、そして財政援助をしている受領機関にLEPのアクセス改善をもとめる独自のガイダンスを指示すること、この２点である。

## 発令の理由

大統領令には、大統領の個人的な意思がつよくはたらく。クリントンはなぜこれを発令したのだろうか。ふたつの理由がかんがえられる。

ひとつは、前節でふれたように、クリントンが人権擁護に積極的であったことによる。クリントンは、移民の拡大に好意的であったわけではない。1996年には「不法移民改革および移民責任法」によって移民法を改正し、出入国管理の厳密化をはかった。しかし同時に、移民保護にとりくみ、市民権取得や家族再会の改善、政治的難民の保護施策にのりだしている。

またクリントンは、基本的に多言語主義の支持者であった。アーカンソー州知事時代に、彼は同州の英語公用語法案に署名したことがあった。後年それを後悔し、多言語使用の支持者であることを表明している。1994年には、バイリンガル教育を推進する「アメリカ学校改革法」を支持し、これに署名した。

一方、英語公用語法案には反対した。1996年に連邦政府の公用語として英語を指定する「英語権限付与法案」が下院を通過した際には、もしその議案が上院を通過すれば拒否権を発動する、と表明したのである。大統領令13166の発令は、議会における英語公用語化法案の提案に危機感をもったクリントンが、それに対抗するという目的があったとかんがえられる（アカー・フィリップほか 2011: 297）。

同時にクリントンに、言語障壁に対する問題意識があったこともあげておくべきであろう。彼は大統領令13166を発令した際に「言語障壁は連邦政府やそこから援助をうけている機関が当然そのプログラムに参加できるこの国の多くの人々に、効率よくサービスを提供することをさまたげている」とのべた（合衆国公民権委員会2001: 24-25）。

その2年前、1998年6月には「政府文書における〈やさしい言語〉について」という大統領覚書をだした（くわしくは第7章を参照）。覚書は、難解な政府文書が市民にとって言語障壁になっていること、政府文書の作成の際には、短文や日常的用語をもちいて、平易な文書を作成することを命じている。これは政府部内にたちあがった「プレイン」というNPOに影響されてのことであるが、副大統領のゴアとともに、言語アクセスの改善がひとつの公民権の実現であるという認識をもっていた。言語障壁の除去を多言語サービスの採用にまで拡大したのが、この大統領令であったといえる。

発令のもうひとつの理由は、実際にさまざまな現場で多言語サービスの必要性がたかまっていたことによる。第1章図表1-1でみたように、アメリカの移民は1970年代から急速に増加した。1990年代末には移民総数は3,000万人をこえ、医療、司法、生活などにおける不平等なあつかいに言語的少数者から訴訟が増加していた。それに対応すべく、個別的な法律の整備がすすんでいた。多言語サービスに関するガイドラインについても、教育省では1970年から1999年にかけて数回、保健福祉省では1998年にすでに作成されていたのである。クリントンによる大統領令の発令は、こうした各省の個別的対応の総合化をめざしたものだったといえる。

## 4. 大統領令13166のその後

### 議会の反応

この大統領令が発令された直後から、反対や抗議の声があがった。ひとつは医療関係者から。米国医師会は大統領令に猛反発した。医療通訳のコストを負担しなければならなくなるからである。訴訟をおこした医療グループもある。その後も連邦政府の財政支援をもとめる運動がつづいた（竹迫和美2013: 105）。

もうひとつは議員から。翌2001年1月、大統領が民主党のクリントンから共和党のブッシュ・ジョージ・W（ブッシュ・ジョージ・H・Wの息子）にかわった。同年の第107議会において、共和党のスタンプなど30名の議員が、大統領令13166の廃止をもとめる議案を下院に提出した。趣旨は「大統領令13166は無効であり、いかなる効力ももたないものとする。また、その目的のための資金の使用を禁止する」というものである。同趣旨の提案は、英語公用語化にむけた法案とともに、何度もアメリカ議会になされてきた。ただし、いずれも不成立におわっている。

## ブッシュの再認

大統領令については、次期の大統領があたらしい大統領令を発令して、これを廃止することができる。ブッシュは、上記の法案を当然知っていたはずである。英語公用語化をもとめるプロイングリッシュなどの団体や共和党議員からのよびかけもあった。しかし意外なことに、ブッシュは廃止命令をださず、むしろクリントンの大統領令を再認するという行動をとったのである。

2001年10月、司法省副長官は「大統領令13166について」という覚書を発表した[(2)]。きっかけになったのは、「アレキサンダー対サンドバール」事件に対する連邦最高裁判所の判決である。運転免許の試験に英語しかないのは差別にあたるという訴えがアラバマ州でおこされた。これについて連邦最高裁は、差別的効果（disparate impact）だけではなく差別的意図も証明しなければならないとして、訴えをしりぞけた。一見すると、これは公民権法における差別の定義をせまくするように思われる。政府部内でも動揺がみられた。

司法省副長官は、覚書のなかで、サンドバール判決は決して大統領令13166の正当性に影響をあたえるものではないこと、この大統領令は依然として効力をもつというのが司法省の立場であることを明言した。そして、まだガイダンスを発行していない省庁は発行をいそぐように、すでに発行している省庁はヒアリングやコメントを通して改訂をはかるように要請したのである。

この覚書は当然、ブッシュの承認をえたものであり、政権の意思を代弁したものである。では、なぜブッシュは大統領令13166を再認したのであろうか。テキサス州知事をつとめていた1998年、バイリンガル教育をうちきる提案227

がカリフォルニア州で提案されたが、ブッシュはこれに反対の意思表示をしている。2000年のアリゾナ州での同趣旨の提案にも、民主党のゴア副大統領とともに、反対した（ハンチントン・サミュエル2004=2004: 239）。英語公用語化を推進する議員の大半は共和党員である。しかし、決して共和党の全員が賛成しているわけではない。ブッシュもまた、共和党内の反対派あるいは消極派のひとりだったと思われる。彼は英語のほかにスペイン語を話すバイリンガルであった。そうした文化的背景が一因かもしれない。あるいは、ラティーノを意識した選挙目的ということもかんがえられる。

ブッシュの容認をうけて、2001年から2002年にかけて、大統領令13166の推進態勢が整備された。担当部局である司法省人権局のよびかけにより、2001年12月に各省庁から職員をあつめてLEP問題に関するワーキング・グループが結成された。2か月に1度、会合をひらくとともに、資料をあつめたウェブサイトを創設した。「lep.gov（エル・イー・ピー・ドット・ガブ）」というこのサイトは、いまもアクセス可能であり、価値ある多数の資料や最近のうごきを閲覧できる。

2002年6月に、司法省はLEPガイダンス（最終版）を発行した。これは2000年に、クリントンの大統領令の発令とほぼ同時に発行されたガイダンスを約6倍（18ページ）に増補した本格的なものであり、その後に刊行あるいは改訂された各省庁のモデルになった（次節でその内容をみる）。大統領令13166はクリントンが発令し、種をまいた。しかし、彼はわずか半年後に大統領を退任している。この大統領令を定着させ育成したのは、次の大統領のブッシュであった。

### オバマの再認

2009年、大統領はふたたび民主党に交代し、オバマ・バラクが就任した。オバマはリベラルな思想の持ち主であり、英語公用語法案については、議員時代にずっと反対の投票をつづけていた。大統領令13166についても、その継続を宣言した。司法省はオバマ就任後、省庁間のワーキング・グループの人員補充などを省庁にもとめていたが、2011年2月、あらためて司法長官名による覚書をだした。これは「言語アクセスに対する連邦政府の責任の更新―大統領令13166のもとでの責務について」と題されている[3]。

覚書は冒頭で、大統領令13166を再認するとのべる。そしてこれまでの実施状況には省庁間で差があることをみとめ、具体的な行動を指示する。それは省庁内にワーキング・グループをもうけること、LEP問題へのとりくみの自己評価をおこなうこと、省庁のLEPサービスや政策などの定期的な評価や更新のスケジュールを確立すること、職員がLEPとの接触状況を理解し、必要なアクセスの提供手段をとれるように指導すること、など8点である。同2011年3月には、「連邦政府の運営・援助するプログラムのための言語アクセス評価と計画ツール」、同8月には「言語アクセスに関する、よくある質問、技術的支援、連邦の管理、援助するプログラムのためのガイダンス」という文書を司法省が発表した。いずれも、この覚書を実行するためのマニュアルである。

オバマ政権下でも、司法省のイニシアティブのもと、ふたたびこの大統領令の活性化がはかられた。2000年にクリントンが発令した大統領令13166は、ブッシュ、オバマ両政権での再認、テコ入れをへて、現在にいたる息の長い行政命令になったのである（2020年2月の時点では、司法省管轄の省庁間組織によるウェブサイト「lep.gov」は、多言語サービスに関する情報公開をネット上でつづけている。トランプが大統領令13166を廃止したという事実は確認できない）。

## 5. LEPガイダンスとその実施状況

### LEPガイダンスとは

前章でみたように、ブッシュに政権がかわってまもない2002年、司法省のLEPガイダンス（最終版）がつくられた（司法省2002）。タイトルは「連邦政府による財政援助受領機関のためのガイダンス―LEPにかかわる出身国差別を禁じる公民権法第6編に関連して」である。公民権法の第6編には「人種、肌の色、出身国の理由により、連邦政府の財政援助をうけるいかなるプログラムや活動に、参加を拒否されたり、恩恵がうけられなかったり、差別を強いられたりすることがあってはならない」とある。これを典拠として、財政援助の受領機関である各機関に多言語サービスを要請する。ここにはサービスの具体的な内容や手順が記されている。重要なポイントは、以下のとおりである。

・対象となる者：司法省からの財政援助の受領機関（警察、刑務所、法廷、法に関連するNPO、安全や緊急対応をする機関など）。
・受領機関のLEPへのサービスの決定：当該地区のLEPの人口、LEPとの接触頻度、プログラムと活動の性質や重要性、資源やコストという4要素を分析してサービスを実施するかどうかを決定する。
・言語援助サービスの選択
　a. 口頭によるサービス：職員の雇用のほかに通訳者との契約、電話サービスの利用、ボランティアや家族の利用といった方法がある。
　b. 文書によるサービス：重要な文書の翻訳をおこなう。重要な文書とは、同意書、申立書、採用書、権利や損益にかかわる通知書などである。
・安全港基準：文書サービスについて、当該地区の人口の5％もしくは1,000人がLEPであり、彼らに重要文書の翻訳を実施していれば、それは法令順守の強力な証拠になる。5％に達していても50人以下であれば、口頭にかえてもよい。
・LEPプランの作成：受領機関は実行プランを策定する。そこには、LEPの特定、言語援助対策、トレーニング・スタッフ、LEPへの通知、プランのモニターといった事項をふくむものとする。

多言語サービスの実施機関としては、司法省に関連する警察や刑務所があげられている。省庁がかわれば当然、対象になる機関もかわる。たとえば保健福祉省（Department of Health and Human Services）のガイダンスには、病院、福祉機関、メディケイド機関、保健・福祉系の大学などが、国土安全保障省（Department of Homeland Security）のガイダンスには、警察署、消防署、危機管理機関などがあげられている。大統領令がガイダンスの発行を要請する省庁は「公民権法第6編責任省庁」と命名されており、およそ30におよぶ。これらが連邦政府から援助をうけている機関として指定する受領機関は、全米の津々浦々に散在することになる。

司法省のガイダンスには、文書翻訳をする場合の基準をのべた「安全港（safe harbor）」基準がある。ここではLEPの人口比5％、人口1,000人が数値としてだされている。このうち、人口比5％という数字は、投票権法を参考にしたものであろう。第2章でみたように、1975年に改訂された投票権法は、英語だけによる投票を禁じ、言語少数者が5％をこえた場合に投票用紙、選挙通知などを多言語でおこなうことを規定している。その数字が適用されたとかんがえられる。見方をかえれば、おなじ条件のもとに、投票権法の多言語サービスを連邦政府の行政サービス一般に拡大したといえよう。

### LEPガイダンスの実施状況

司法省をはじめ各省庁の発行するガイダンスによって、全米の援助受領機関がどのような多言語サービスを実施しているのか、大いに興味があるが、残念ながらそうした調査はみあたらない。ただし、政府の各省庁がどの程度ガイダンスやプランを作成しているのかを調査したものが、2点ある。

ひとつは、公民権委員会が2004年に実施した調査報告書である（合衆国公民権委員会2004）。タイトルは「平等なアクセスにむけて―連邦政府のプログラムから言語障壁をとりのぞくために」。これによると2004年の時点で省庁独自のLEPガイダンスを発行しているのは、30省庁のうちの16省庁、つまり約半分である。司法省、保健福祉省、労働省のように何度も更新している省庁がある一方、まったく手をつけていない省庁もある。

もうひとつは、2010年に政府監査院（GAO: U.S. Government Accountability Office）が実施した調査である（合衆国政府監査院2010）。これは、内国歳入庁（IRS: Internal Revenue Service）、連邦緊急事態管理庁（FEMA: Federal Emergency Management Agency）、中小企業局（SBA: Small Business Administration）の3省庁だけをとりあげている。それぞれについて、ガイダンスやプランの発行、LEPのニーズ評価、サービスの提供、モニタリングの実施という4点について点検・評価をおこなった。その結果、内国歳入庁については4点とも良好な実施状況が確認された。一方、連邦緊急事態管理庁については2点だけ、中小企業局については1点だけしか評価できる実績がなかった。

調査結果からいえることは、司法省が各省庁にもとめるガイダンスやプランの作成・実施については、法令順守に忠実なところと、そうではないところの差が大きいということである。司法（裁判所、警察署等）、医療（病院等）、教育（学校等）、労働（職場等）、納税（税務署等）といった多言語サービスのニーズをかかえる省庁では意識もたかく、実際の必要性もあってそれなりの実践がなされている。一方、手つかずの省庁も、いくつかある。ガイダンスの作成がない省庁の受領機関は、多言語サービスの実施がほとんどなされていないと推測できる。

より最近の資料として、司法省が2015年に発表した「LEPに対するアクセス改善をすすめるために」という文書がある[(4)]。ここには各省庁の最近のすぐれた実践例が紹介されている。登場するのは、司法省、保健福祉省、国土安全保障省、教育省、社会保険庁、内国歳入庁など。積極的な省庁はかぎられ、省庁間の差が大きいという結果は、ここでもおなじである。

## 6. おわりに——大統領令の成果と限界

### 成果は何か

序章でふれたが、1970年、サンフランシスコにくらす中国系の公立学校の生徒たちは、サンフランシスコ統合学区に対してバイリンガル教育をもとめる訴訟をおこした。「ラウ対ニコラス」事件とよばれるこの事件は、原告の勝訴になり、バイリンガル教育の全米への展開に大きな意味をもった。

アメリカにおける多言語主義の発展のうえで、クリントンの大統領令13166は、ラウ判決にならぶ、重要な出来事だった。どちらも公民権法第6編の出身国差別と言語差別とをむすびつけ、言語少数者の言語権を擁護するものであった。とくに大統領令13166は、「LEP」という概念を正面にだして、両者の関係をハッキリさせた。ラウ判決は学校内において、大統領令13166は学校外において、言語少数者に特別な配慮が必要であることを、明確にしたのである。

大統領令13166は、長年にわたって継続し、その間に連邦政府の省庁で多言語サービスの実践がすすめられた。司法省、保健福祉省、国土安全保障省、教育省、社会保険庁、内国歳入庁のように、積極的な部署もいくつかみられる。それは言語少数者のニーズに対応せざるをえないという面もあるが、これをバックアップしているのが、この大統領令である。

### その限界

しかし、大統領令13166に限界があることもたしかである。実施において、省庁間に大きな差があらわれた。ガイダンス自体がつくられなかった省庁もある。その原因は、大統領令には強制力がなく制裁もないため、効力がともなわなかったことにある。司法省をはじめとして半数の省庁ではガイダンスがつくられ、実践の手引になった。しかしそれはあくまでも案内にとどまるものであり、受領機関に行動を強制するものではなかった。トラン・ヘレンほか（2014: 12）は、ガイダンスには、「must」「shall」がないかわりに、「may」「should」「could」ばかりつかわれていると、皮肉をのべている。

限界をうみだしたもうひとつの原因は、財政的支援に関する規定がないことである。多言語サービスを実施するには、通訳にしろ翻訳にしろ、費用が発生する。連邦政府、州政府、地方自治体、受領機関の間で、どのように費用を分担するのか、具体的な言及がないかぎり、実践にはつながらない。すべてをボランティアでまかなうには限界がある。省庁や受領機関が、サービスの実施に二の足をふむのは当然である。

この背景には、クリントン政権の財政政策と関係がある。第2節でのべたように、この政権の課題のひとつは、赤字財政の改善であった。そのために、緊縮財政が強いられた。福祉や医療も対象であり、予算は減額されている。とくに大統領令13166が発令された2000年は、クリントン政権の末期にあたり、ホワイトハウス実習生のルインスキーとのスキャンダルが表面化するなど、求心力をうしなっていた時期である。あらたに予算措置をともなう政策を議会に提案できる状況ではなかったといえる。

いまもアメリカでは移民の増加がつづいており、多言語サービスの必要性はたかい。エスニック団体やその支援団体による言語アクセス運動は無視できない力をもちつつある。州や自治体のなかには財政的援助をするところもでてきた。これらをバックアップする連邦政府の包括的な言語アクセス法の必要性もたかまっている。そのひとつの方法は、大統領令13166を法律として、より実質のあるものにすることであろう。多言語主義を擁護する立場からは、そうした主張がみられる。たとえば、アカー・フィリップは「イングリッシュ・オンリーの法律に対して連邦政府が戦闘力を強化するためにわれわれがとるべきは、大統領令13166を議会の法（act）に格上げ（upgrade）することである」とのべる（アカー・フィリップほか2011: 302-303）。もっとも現状では実現の可能性はひくいであろうが。

この大統領令は、多言語サービスの欠如を訴えた医療訴訟などに対応するという一面があった。医療を担当するのは保健福祉省である。保健福祉省は、大統領令の発令後に、LEPガイダンスを作成するなど、積極的な対応をとっている。では保健福祉省のLEPガイダンスをうけて、財政援助受領機関にあたる病院等は、多言語サービスをどのように改善したのであろうか。次章では、医療を例にして、この大統領令の成果を問うことにしたい。

**注**

（1）https://www.archives.gov/federal-register/executive-orders/clinton.html
（2）https://www.justice.gov/crt/federal-coordination-and-compliance-section-201
（3）https://www.justice.gov/sites/default/files/crt/legacy/2011/02/25/AG_021711_EO_13166_Memo_to_Agencies_with_Supplement.pdf
（4）https://www.lep.gov/13166/20151218_EO_13166_accomplishment_report.pdf

# 第4章
# 医療にみる通訳翻訳サービス
## ―「中道左派」政策の成果と限界―

## 1. はじめに

ことばの通じない国に旅行したり、くらしたりする時に一番こまるのは、病気とケガである。病院の探索、予約、受付はもとより、病院での医師、看護師、薬剤師とのコミュニケーションが難題になる。病気や薬の名前は専門用語が使用され、日常的な語彙だけでは役にたたない。さらには体調がすぐれないなかで、会話についていくのも大変なはず。二重、三重のプレッシャーにさらされる。

本書が対象にするアメリカ合衆国は、国別にみた日本人の旅行先、在留先の第1位である。各国・地域別日本人訪問者数統計によると、アメリカ本土とハワイを合計すると、2018年の日本人旅行者は約500万人[(1)]。在留邦人届にもとづいたアメリカ在住者は約45万人で、海外在留邦人総数の3割をこえる[(2)]。

こうした現状を背景に、英語による医療会話のテキストがいくつも出版されている。その一冊に『アメリカでお医者さんにかかるときの本―在米日本人のための必携医療マニュアル』(あめいろぐ2014)がある。ここには、予約、受診、入院の一連のながれにそって、医者にかかるマニュアルが要領よくまとめられている。通訳サービスについては、こんな一節がみられる。

> これは本当に大したものだと思うのですが、アメリカの病院では、英語が母国語でない方に対応するために通訳のサービスがつきます。病院内に通訳が常時いるわけではなく、必要に応じて電話で対応してもらうことも多いのですが、それでも何種類もの外国語の通訳を備えるというのは、な

かなかたいへんです。このサービスは無料で、患者さんには一切負担はかかりません（同上書：198）。

ここでは、アメリカの病院は一般的に通訳サービスがつく、それは通訳の場合と電話による場合とがある、サービスは無料、ということがのべられている。これらが真実だとすれば、病院でのコミュニケーション不安は、かなり払拭（ふっしょく）されることになる。

アメリカの医療で多言語サービスが本格化したのは、前章でみたクリントンの大統領令13166以降である。この大統領令はすべての省庁に対するものであった。医療を管轄する保健福祉省（Department of Health and Human Services）は、大統領令をうけて、司法省モデルにそったガイダンスや基準を作成した。こうしたとりくみを通じて、医療機関の通訳翻訳サービスが一般化することになる。本章ではこのプロセスを追跡したい。

同時に、その問題点もさぐりたい。上記の本もそうだが、アメリカはしばしば「医療通訳先進国」といった形で理想的にえがかれる。旅行者用マニュアルや大病院の訪問レポートには、こうした記述スタイルが多い。しかし、アメリカの医療が低所得者や少数者にとっていかに問題が多いか、いくつものルポルタージュが報告するとおりである。一例として、ムーア監督の映画『シッコ』や堤未果の著作（2014、2015）をあげてもよいだろう。多言語サービスがこの弊害をのがれてはいないか、検証しなければならない。

クリントンは多言語主義に理解をもつリベラリストであると同時に、財政規律や小さな政府を志向する新自由主義的な大統領であった。彼の発令した大統領令13166も、両面的な性格をもつのではないか。本章では、医療現場における「中道左派」的な言語サービス政策の成果と限界をみることにする。

## 2. 人種・民族間の健康格差

### 健康格差調査

医療の多言語サービスとは、具体的には医療行為に関連する通訳翻訳サービスをさす。法整備がすすんだ背景のひとつに、1980年代から1990年代にかけて、移民の増加による人種・民族間の健康格差が顕在化し、その一因として言語障壁が注目されたことがある。

1965年の移民法改正以後、少数民族が増加して一定のボリュームの人口集団を形成するにつれ、人種とともに民族間での健康格差（health disparities）が衆目をあつめるようになった。1970年代からイギリスを中心にして、社会階層による健康格差の研究や調査が活発化した（近藤尚己2016: 17）。こうした方法論の普及もあったことであろう。

きっかけになったエポック・メイキングな調査は、保健福祉省が1985年に実施した調査である。その結果は、同省長官のヘックラー・マーガレットによって、1986年に「ヘックラー・レポート」として発表された（ヘックラー・マーガレット1986）。レポートは、白人と黒人、白人と少数者集団（ラティーノ、アジア系アメリカ人、ネイティブ・アメリカン、アラスカ先住民など）との間に、健康状態、病気の発症率などに歴然とした差があることをあきらかにし、衝撃をあたえた。

このレポートをとりあげた連邦議会からの要請をうけ、保健福祉省は、全米医学研究所（National Institute of Medicine）に対して、健康格差に関する大規模な調査を命じた。その結果は『不平等な治療―直面する医療の人種・民族間格差』としてまとめられた（全米アカデミー医学研究所2002）。この本は、さまざまな疾病について人種・民族間格差の実態を詳細に検討したもので、2013年までに7刷をかさねるロングセラーになっている。

おなじ2002年には「多様なコミュニティの共通する関心事―アメリカの少数者の医療の質を評価する」という報告書も発表された。これは、健康格差に関心をもつ数人の研究者が、コモンウェルス基金の援助を得て実施したものである（コリンズ・カレン2002）。白人、アフリカ系アメリカ人（黒人）、ヒスパニック、アジア系アメリカ人の4つの集団について、健康状態や医療を比較し、わかりやすく解説している。

## 調査結果から

ここでは、コリンズらによる調査（2002）から、データをいくつか紹介してみよう。

まず、健康状態について。自分の健康を「とてもよい」と自己評価した者の

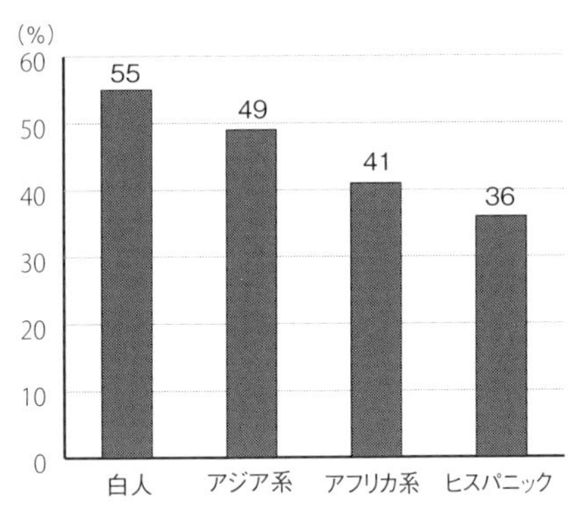


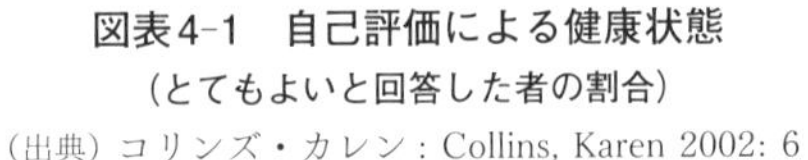
図表4-1　自己評価による健康状態
（とてもよいと回答した者の割合）
（出典）コリンズ・カレン：Collins, Karen 2002: 6

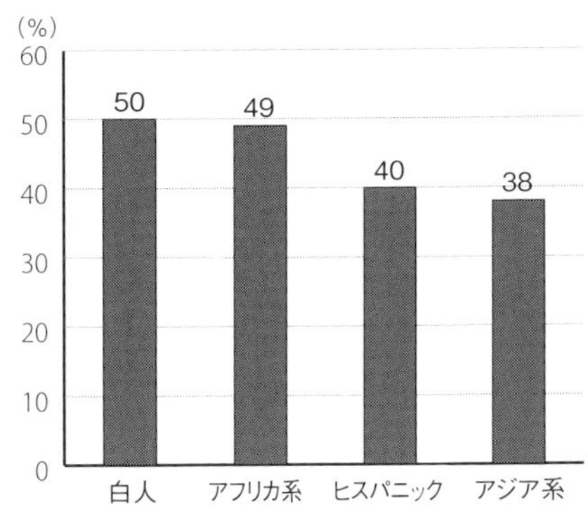


図表4-2　前立腺ガンのスクリーニング
（40歳以上の受診経験者の割合）
（出典）コリンズ・カレン：Collins, Karen 2002: 33

割合は、白人55%、アジア系アメリカ人49%、アフリカ系アメリカ人41%、ヒスパニック36%（図表4-1）。検診の一例として前立腺ガン・スクリーニングを過去にうけたことのある40歳以上の男性の割合をみると、白人50%、アフリカ系アメリカ人49%、ヒスパニック40%、アジア系アメリカ人38%（図表4-2）。ほかにも健康や疾病に関する調査項目があるが、やはり白人が最上位にあり、それ以外の集団との間には差がある。生活水準についてみると、貧困ライン以下で生活する者の割合は、白人9%、アジア系アメリカ人13%、アフリカ系アメリカ人19%、ヒスパニック30%である（同上書：5）。とくにヒスパニックは健康状態、生活水準とも状態がわるく、白人との差が大きい。

## コミュニケーション障壁

健康格差の原因のひとつは、コミュニケーション障壁（言語障壁）である。移民は徐々にアメリカ社会になじみ、英語を習得していく。しかしその習得には世代差や個人差がある。職場や学校では英語を使用しても、家庭では母語を使用する移民がいる。日常生活の英語に不自由するLEP（限定的英語能力者）も多い。すでに2000年には、アメリカの住民のうち、家庭で英語以外の言語を使用する者は4,700万人（全人口の18%）、LEPは2,100万人（全人口の8%）に達していた（カマロタ・スティーブンほか2014）。

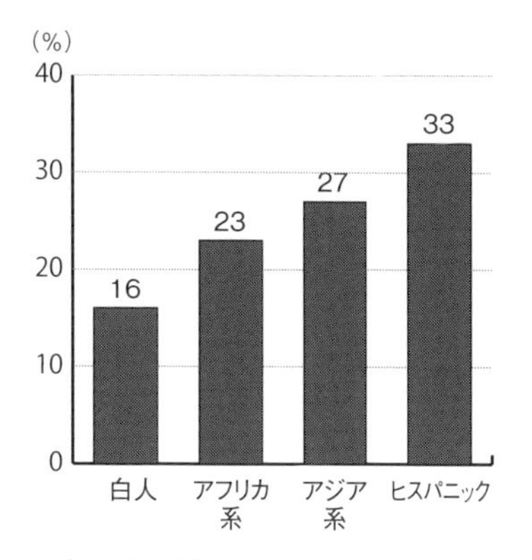


**図表4-3　医師とのコミュニケーション**
**(大いに困難を感じる者の割合)**
(出典) コリンズ・カレン: Collins, Karen 2002: 14

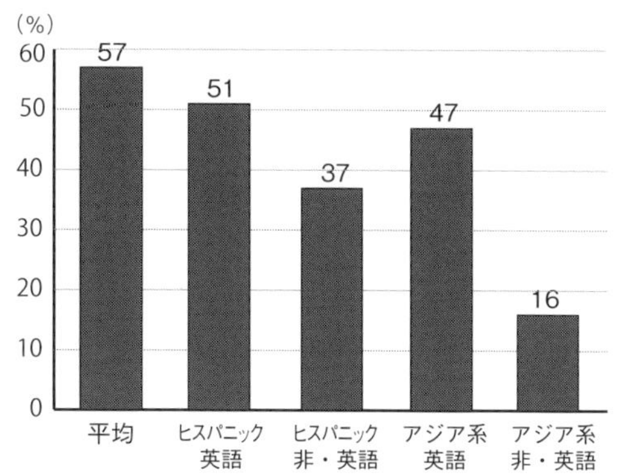


**図表4-4　医師の診断書等**
**(読むのが容易だとした者の割合)**
(出典) コリンズ・カレン: Collins, Karen 2002: 16

先ほどあげたコリンズらの調査は、言語障壁も調査項目にとりいれている。医師とのコミュニケーションに非常に困難をおぼえる者の割合は、白人16%、アフリカ系アメリカ人23%、アジア系アメリカ人27%、ヒスパニック33% (図表4-3)。医師の診断書等を読むのが簡単だと回答した者は、平均が57% であるのに対して、ヒスパニック (家庭で英語を話す) 51%、ヒスパニック (家庭で英語を話さない) 37%、アジア系アメリカ人 (家庭で英語を話す) 47%、アジア系アメリカ人 (家庭で英語を話さない) 16% である (図表4-4)。とくに家庭で英語を話さないヒスパニックやアジア系アメリカ人 (その約半数はLEPと推測される) は、言語障壁が大きい。

## 医療訴訟／支援団体の活動

健康格差や言語障壁があきらかになるとともに、その解消をもとめる訴訟や運動が顕在化してきた。第1章でみたように、それまでにも教育、投票、司法などの分野で多言語サービスを要求する訴訟や運動がおこり、関連する法律や規則の成立につながった。医療の場にも、おなじ波がやってきたのである。

そのひとつは、医療サービスや医療ミスに対するLEP患者からの訴訟である。先駆的な事例のひとつに、1976年の「メンドゥーサ対レバイン」と名づけられた訴訟がある。これはラティーノ住民のメンドゥーサが、ニューヨーク州社会福祉局を訴えた訴訟である。原告はスペイン語によるサービスが提供されなかったために、メディケイド、低所得者・障害者給付、児童給付などがうけられなかった。被告は実質的にその主張をみとめ、7年後の1983年に支払いをおこなっている（ピアット・ビル1990: 104）。医療サービスの改善には、こうしたLEP患者の訴訟が原動力になった。ただし、その大部分は法廷外の示談で解決しており、全体を追跡することは困難である。

黒人や少数民族を支援するアドボカシー（人権擁護）団体の貢献も大きかった。「全米保健法プログラム（National Health Law Program : NHeLP）」はそうした団体のひとつである。1969年に設立されたNHeLPは、「州や連邦の司法の場で訴訟をおこなう弁護士、低所得者や不十分な行政サービスしかうけられない人々の医療へのアクセスを改善するためにたたかう政策代弁者」として、自己を定義している。人種、民族、性、出身国（national origin）による差別をゆるさないという公民権法第6編の原則に依拠して、積極的に訴訟を支援してきた。LEPの実態についての調査も実施し、結果をもとに連邦政府や州政府に政策提言やロビー活動をおこなってきた。その多彩な活動は、ホームページからうかがうことができる(3)。

NHeLPの活動目標のひとつは、LEPの言語アクセスの改善である。活動の一例をあげれば、1999年、メーン医療センターの入院患者の訴えの支援がある。この女性患者はペルシア語しか話せなかった。入院中にベッドからおちて救助をもとめたが、病院スタッフから気づいてもらえなかった。彼女は他の患者とともに、この病院が公民権法第6編に違反するという人権救済の申立を公民権局におこなった。NHelpはこの問題の解決にかかわり、包括的な解決策を提供した。メーン医療センターはそれをうけいれ、2000年に解決にいたった。NHeLPによれば、この解決案がのちに保健福祉省が提案する言語アクセス案の枠組みになったということである(4)。

移民の増加による民族間の健康格差と言語障壁の顕在化、その調査や是正をもとめる議会からの要請、LEP患者の医療訴訟の増加、アドボカシー団体の政策提言などにより、連邦政府や州政府は、医療における通訳翻訳サービスを具体化する政策的対応をせまられていた。

## 3. 連邦政府の対応

### 保健福祉省の対応

前章で大統領令13166をとりあげ、発令の理由として、クリントンのリベラルな思想を指摘した。しかし実際にはここでみたように、医療現場における訴訟や運動のたかまりなどがあり、それに応答せざるをえなかった一面がある。保健福祉省、国土安全保障省、内国歳入庁など、大統領令に積極的に反応しLEPガイダンスを作成した省庁は、いいかえれば、現場における言語サービスをせまられていた部署であったといえる。

保健福祉省は、大統領令の発令と現場からの要求という、両側からの言語サービス要求にこたえて、2000年に独自のLEPガイダンスとそのサービス基準を発表した。それは、同省の公民権局（Office for Civil Rights）が発行したガイダンス（LEPガイダンス）と、少数者保健局（Office of Minority Health）が発行した基準（CLAS国家基準）である。これらは、その後、医療機関の言語サービスの発展に重要な意味をもつことになる。それぞれの略称と正式名称は、以下のとおりである。

・LEPガイダンス：LEPに影響をあたえる出身国差別を禁止する政策ガイダンス＝Political Guidance on the Prohibition Against National Origin Discrimination As It Affects Persons With Limited English Proficiency
・CLAS国家基準：医療における文化的・言語的に適切なサービスのための国家基準＝National Standard for Culturally and Linguistically Appropriate Services in Health Care

### LEPガイダンス

保健福祉省のLEPガイダンスは、司法省のモデル提示をうけ、同省が独自に作成したものである。次の内容からなる。

・目的：連邦政府から援助をうけている保健・福祉機関にLEPを援助する責任があることを明確にし、その責任の遂行を援助する。

・対象 : 保健福祉省をとおして連邦政府から援助をうけている機関。たとえば病院、療養所、マネジドケア組織、保健・福祉のプログラムをもつ大学など。

・要件 : LEP に対してアクセスに必要な言語援助を無料で提供する。とくに、評価、方針開発、スタッフ教育、監視が4つの鍵概念になる。

評価 : サービスをうける人口の言語ニーズを評価する。

方針開発 : 言語アクセスに関する包括的で文章化された方針を開発する。

スタッフ教育 : スタッフがその方針を理解し遂行できるように教育をおこなう。

監視 : 言語援助プログラムの実施状況について、監視を継続する。

・翻訳 : 診断申込書、同意書といった文書の翻訳をおこなう。LEP が対象者の10%もしくは3,000人以上の場合には文書を、LEP が5%もしくは1,000人以上の場合には、重要な文書の翻訳をおこなう（後者の基準を安全港〈safe harbor〉基準として、これをみたしていれば、法令順守と判断する）。

・通訳 : 医療通訳者については、友人、家族、年少の子どもなどはさけて、通訳の質の確保をめざす。

このLEP ガイダンスは、司法省のモデルの改訂をうけ、2003年に改訂版が発行された。内容は一部変更されているものの、大差はない。また、オバマによる大統領令13166の再認をうけて、2013年に「言語アクセス計画2013」が発表された。これは従来のLEP ガイダンスの発展版にあたるもので、関係者との協議、デジタル情報の開発、認証付与と法令順守、という3項目が追加されている。

## CLAS国家基準

保健福祉省の少数者保健局は、先にあげたヘックラー・レポートをうけて、1986年に開設された部署である。ホームページには、「健康格差を除去する政策やプログラムの展開によって、人種・民族的少数者の健康の改善に寄与する」と、その使命がのべられている[5]。

アメリカの人口構成が多様化するにもかかわらず、医療機関にはそれに対応する目安や基準がなかった。これを提供しようというのが、CLAS 国家基準の目的である。全14項目のそれぞれを簡単に要約すると、次のようになる。

① 医療機関は、患者が自分の文化的な医療信念、実践、好みの言語と両立する効果的な治療を受診できることを保障すべきである。
② 医療機関は、その地域の人口統計的な特徴を反映した多様なスタッフやリーダーを雇用すべきである。
③ 医療機関は、スタッフが文化的、言語的に適切なサービスをおこなう教育やトレーニングをうけることを保障すべきである。
④ 医療機関は、LEP 患者に対して、無料で言語援助サービスを提供しなければならない。
⑤ 医療機関は、好みの言語で言語援助サービスをうける権利があることを、口頭および文書にて、患者に通知しなければならない。
⑥ 医療機関は、通訳者やバイリンガルのスタッフによってLEP 患者に言語援助をおこなわなければならない。家族や友人はさけるべきである。
⑦ 医療機関は、その地域によくみられる言語で、患者に関係のある資料や案内を利用できるようにしなければならない。
⑧ 医療機関は、文化的、言語的に適切なサービスを提供する目的や方針などを記した計画をたて、実行すべきである。
⑨ 医療機関は、文化的、言語的に適切なサービスの自己評価をすべきである。
⑩ 医療機関は、人種、民族、言語などに関する患者のデータを診断記録のなかにあつめるべきである。
⑪ 医療機関は、その地域の人口統計的、文化的、疫学的なプロフィールを保持すべきである。
⑫ 医療機関は、いろいろなコミュニティと参加型の協力関係を発展させるべきである。
⑬ 医療機関は、対立や不平の解決プロセスに、文化的、言語的差異に配慮すべきである。
⑭ 医療機関は、CLAS 国家基準の進展や新機軸について、定期的に公的情

報が利用できるようにすべきである。

このうち①～③は文化的能力（cultural competence）、④～⑦は言語サービス、⑧～⑭は医療機関の指針に関する事項である。文化的能力とは、文化的な信念、行動、ニーズの文脈のなかで、個人や組織が効果的に行動する能力を意味する。能力という日本語は個人を想定しがちであるが、これは医療機関などの組織もふくむ。近年、いくつかの英語圏の国では文化や言語の多様化に対応する個人や組織の能力として、「文化的・言語的能力」（cultural and linguistic competence）という用語がよく登場する。これは教育のための重要な概念にもなっている（ドリーチリン・ジャニスほか2013、スペクター・ラファエル2017など）。これに対応するサービスが、「文化的・言語的に適切なサービス =CLAS: culturally and linguistically appropriate services」である。

おそらく、現在のアメリカでもっとも多言語サービスがすすんだ分野のひとつが医療であろう。それを象徴する文書がCLAS国家基準であり、そのキーワードが「文化的・言語的能力」である。なお、CLAS国家基準はオバマケアの成立をうけて、2013年に、より詳細なものにバージョン・アップされた[(6)]。

## 言語サービス規定の特徴

LEPガイダンスとCLAS国家基準の言語サービスに関する部分のうち、次の3点がとくに注目される。

第1に、LEPガイダンスの「要件」項目の冒頭、あるいはCLAS国家基準の第4項では、医療機関等は「無料（at no cost）」で言語サービスを提供することをもとめている。次にみる州政府の対応もそうだが、アメリカの行政においては、LEPに言語サービスの支払いを請求すべきだという発想はない。低所得者が多いLEPにとって、診療代の加算は、病院からさらに足をとおざけるであろう。それは健康格差の縮小に逆方向にしか作用しないからである。

第2に、通訳に関しては、どちらも家族、子ども、友人などはさけるべきとしている。こうした通訳は「アドホック通訳（その場かぎりの通訳）」とよばれる。身近な存在であり利用しやすいが、医学の専門的知識はもっていない。英語の能力も千差万別である。誤解や誤訳のために重大な医療ミスが発生した事例も報告されており、ふさわしくない。医療通訳者としてアドホック通訳を利用すべきでないことは、アメリカの医療関係の文献でしばしば強調される。

第3に、翻訳に関してLEPのガイダンスに「LEPが対象者の10%もしくは3,000人以上の場合には文書を、LEPが5%もしくは1,000人以上の場合には、重要な文書の翻訳をおこなう」という基準が記されている。後者は大統領令13166にあるが、前者は、より拡大した基準である。CLAS国家基準にも「患者に関係のある資料や案内」という表現があり、該当文書の範囲がひろがっていることがわかる。

## ガイダンス／基準の効力

LEPガイダンスとCLAS国家基準は、一省庁が発表した行政機関規則にすぎない。法（act）ではないし、罰則規定もない。「アメリカでは医療通訳が義務化されている」という一文を目にすることがあるが、これは正確ではない。

CLAS国家基準を分析すると、①〜③、⑧〜⑭は「すべきである（should）」であるが、④〜⑦は「しなければならない（must）」となっている。LEPガイダンスに対応して、④〜⑦は連邦政府から助成をうけている機関に対する「要求（mandate／requirement）」とされ、他から格上げされている。しかし「要求」は、「規範（should）」をこえるが、「義務（obligation）」にはおよばない。これを「義務」とよぶにしても、それは「罰則規定のない努力義務」でしかない。

つまり、医療通訳の義務化を規定した法は現在のアメリカにはなく、保健福祉省のガイダンスや基準といった規則のなかで、その必要性がうたわれているにすぎない。しかもそれは、「規範以上、義務以下」というあいまいな記述にとどまる。では、その効力はどのように担保されているのだろうか。

## 医療認証制度

おそらく、保健福祉省のガイダンスや基準を実質的に義務化しているのは法律ではなく、医療認証制度であろう。第三者による医療認証機関は、病院等の医療機関が提出する報告書をもとに数年ごとに審査をし、諸基準を満たしていれば認証をあたえる。日本でも、「財団法人　日本医療機能評価機構」による医療認証制度はあるものの、3割以下の病院しか利用していない。なぜなら日本では保険適用の条件として認証制度が利用されることはなく、認証の必要性があまりないからである（大学については、大学基準協会などによる認証制度が一般化しており、大学が数年おきに自己点検評価を実施するのは日常化しているが）。

一方、アメリカにおいては、認証が保険適用の条件になっている。メディケア（高齢者むけ公的保険）やメディケイド（低所得者・障害者むけ公的保険）の許可をとるためには、認証機関の認証が必要になる。このため医療機関は、第三者機関に認証をもとめ、審査に合格するため、保健福祉省の法令順守につとめることになる。

とくに近年は、認証条件のひとつとして、文化的・言語的能力が重視されるようになった。一例として、第三者認証機関のひとつ、合同機構（The Joint Commission）をみてみよう。ここは、1951年に非営利団体として設立され、2007年に現在の名称になった。20,000件以上の医療機関と医療プログラムの認証をおこなう大手である。近年は国際的な認証制度を発足させ、その認証をうけた日本の病院もある[(7)]。

合同機構は、全米の病院における文化的・言語的能力の調査を企画し、プロジェクトチームに委託した（第5節で紹介する2007年調査がこれにあたる）。その結果をふまえて、2010年に「効果的なコミュニケーション、文化的能力、患者・家族中心のケアの促進にむけて」というレポートを発表した（合同機構2010）。ここでは、保健福祉省のCLAS国家基準を認証条件として位置づけ、医療機関がどのような準備をすべきか詳細な説明をおこなっている。さらに2011年には、これを「病院のための認証マニュアル」に反映させ、医療機関にその順守を問うことを、より明確にした。全米品質フォーラム（National Quality Forum）、全米品質保証機構（National Committee for Quality Assurance）といった第三者認証機関でも同様のうごきがみられる（ダイヤモンド・リサほか2010: 1086）。

アメリカの医療機関は、LEP患者のニーズに対応して、個々に通訳翻訳サービスを整備してきた。保健福祉省によるガイダンスや基準は、それを指針化、標準化した。そして、医療機関に対する認証制度が、その実質的な義務化に貢献している。アメリカの医療における言語サービスの普及には、保健福祉省とともに、医療認証制度が重要な役割をはたしてきたのである。

では各医療機関は、実際に法令を順守してどのような通訳翻訳サービスを実施しているのだろうか。これについては、のちに第5節で検証したい。

## 4. 州政府の対応

### 州における言語サービス法

アメリカでは法律の制定、政策の実行などに関して、州の権限が大きい。それは州の間で格差をうむとともに、独自の可能性をひろげることになる。言語サービスについても、連邦政府とは異なる多様な法律がみられる。州ではどのような法律が施行されているのか、二、三の例をみておきたい。

2008年、パーキンスとユーデルマンは、医療の言語ニーズに対応して州政府が制定した法律を収集した（パーキンス・ジェーン／ユーデルマン・マラ2008）。同年に、ユーデルマンはその内容を分類した論文も発表している（ユーデルマン・マラ2008）。法律は、ワシントンD.C.をふくむすべての州に存在し、総計で1,000をこえる。州の間で、かなりの差がある。移民の数や割合、運動や政治家の力量のちがいによるのであろう。もっとも少ないのはワイオミング州で2本。全体では0本～10本（17州）、11本～20本（13州）、21本～30本（7州）、31本以上（14州）となっている。過半数は20本以内にとどまる。突出して多いのはカリフォルニア州で152本。カリフォルニア州は、言語サービスの「リーダー州」といわれる。

法律のテーマとしては、病院、施設の認可、医療通訳者の認証、公衆衛生、基金、保険、医療教育などがある。病院にとどまらず、広範囲にわたる。いまや州の政策は、連邦政府をこえているといってよい。「近年、言語サービスに関する国家的関心はたかまってきたものの、具体的な政策や活動は、もっぱら州や地方のレベルで展開してきた」といわれる（アウ・メラニーほか2009: 7）。とても全体をとりあげられないので、以下ではカリフォルニア州とニューヨーク州で成立した法律をひとつずつ紹介したい。

### カリフォルニア州「医療言語援助法」

カリフォルニア州は移民が多く、医療における言語サービス法もはやくから策定されている。すでに1983年には、急性期患者をあつかう州内の総合病院に、人口の5％以上の少数言語のバイリンガル・スタッフもしくは医療通訳士の配置を義務づける「カリフォルニア・健康と安全の法1259（コップ法1983年）」が成立している。その後、反移民運動の時期をへて、ふたたび言語サービス法が立案されるようになった。

そのひとつは、保険加入時の通訳翻訳サービスである。アメリカでは公的保険としては、メディケアとメディケイドがあるだけである。約三分の二の者は、各自の責任で民間の医療保険をえらぶ。公的保険、民間保険を問わず、保険の選択、契約、適用の際に、いろいろな書類の読解や口頭による説明が必要になる。LEPが十分な情報を獲得し、適切に行動するためには、通訳や翻訳による言語援助が必要である。

カリフォルニア州には、カリフォルニア州・汎エスニック保健ネットワーク（California Pan-Ethnic Health Network：CPEHN）という団体がある。CPEHNは、1992年、アジア・太平洋島民保健フォーラム、カリフォルニア黒人保健ネットワーク、カリフォルニア・インディアン保健委員会、カリフォルニア保健のためのラティーノ連合という4つのエスニック団体が集結して結成した団体である。以前よりメディカル（カリフォルニア版メディケイド）の契約に際して、LEPのための翻訳サービスをおこなっていたが、とくに私的な市場で保険を契約する人々の公的な言語援助をもとめる運動を開始した。カリフォルニア州ではメディカル契約者に対して保険会社に翻訳を義務づける「メディカル契約法」はすでに1999年に成立していたが、民間保険についてはまだであった。議会でのロビー活動などにより、2003年に「医療言語援助法（The Health Care Language Assistance Act）：SB853」が成立した（施行は2009年）。

その内容は、保険会社が人種、民族、言語に関するデータをあつめること、契約のあらゆる段階で無償の通訳を提供すること、重要な文書の翻訳をすること、通訳や翻訳の質を確保すること、登録者に言語サービスが無料でうけられる通知をすること、言語アクセスに関するスタッフ教育をすること、などである。これらの内容は、前節でみた保健福祉省のLEPガイダンスやCLAS国家基準とかなり重複する。法律の成立後も、CPEHNは州の担当機関と協働して法の執行状況を監視している。また保険会社には情報の提供を、LEPには言語サービスをうける権利の周知をおこなうなど、事後の活動もつづけている。

## ニューヨーク州「薬局における言語アクセス法」

もう一例、ニューヨーク州をみてみよう。医療の一分野に、医薬品がある。州のなかには、薬の購入の際の言語サービスを規定しているところがある。スペクター・サラとユーデルマン・マラは、各州の薬局法（pharmacy law）を収集し分析している（スペクター・サラ／ユーデルマン・マラ2010）。口頭での相談、薬局にいない患者への助言、処方箋（しょほうせん）や文書の説明など、いずれも言語サービスが必要である。カリフォルニア、テキサス、ノースカロライナの3州には、医薬品に関して英語以外の言語への文書翻訳をさだめた法律があった。2012年、ニューヨーク州は、より包括的な法律を制定し、ここにくわわった。

ニューヨーク州で成立したのは「薬局における言語アクセスとラベル標準化法（Pharmacy language access and label standardization legislation: SafeRx」である。この法律によると、州内のあらゆる薬局は、スペイン語、中国語、イタリア語、ロシア語という州内の主要な4つの少数言語で、LEPの顧客に薬のラベル、服用規定、注意書などを提供しなければならない。また、通訳、店内のスタッフ、電話サービスなどによって、無料で、顧客の言語で処方箋を説明しなければならない。

これらの規定は突然に出現したのではない。すでに2008年にはニューヨーク州司法長官と一部の薬局チェーンとの協約（agreement）によって、部分的な言語サービスが実現していた。協約や法律の成立に尽力したのは、「メイク・ザ・ロード・ニューヨーク」というラティーノを中心にしたエスニック団体と、ニューヨーク公益法律家集団という法律専門家の団体である。両者がLEPの訴訟の支援活動や議会でのロビー活動を協力しておこない、成果につなげたのである（メイク・ザ・ロード・ニューヨーク2012）。連邦においても州においても、言語アクセス関連の法律や規則の制定には、エスニック団体とそれを支援する法律家団体の協力がよくみられる。

ニューヨーク州もまた、カリフォルニア州とならぶリーダー州のひとつである。両州の先駆的な法律が、その後どのように他州にひろがっているのか、手元に資料はないが、興味ぶかい。

## 5. 通訳翻訳サービスの現状

### 調査の事例

連邦政府と州政府は、医療における言語サービスの法律をいくつも制定してきた。では、実際の医療機関において、これらはどの程度、順守されているのであろうか。ややふるくなるが、病院の言語サービスの実態を調査し、その結果をまとめた論文が2点ある。それぞれを、発表年度をとって2006年調査、2007年調査とよぶことにする。

・2006年調査:「LEP患者に対する病院の言語サービス―全米調査の結果から」（ハスナイン－ウイニア・ロマーナほか2006）
・2007年調査:「病院、言語、文化―全米のスナップショット」（ウィルソン－ストロンクス・アミィほか2007）

前者は861病院を対象とした大規模な調査である。後者は層化したランダム・サンプリングによる30病院と、特別サンプリングによる先進的な30病院、あわせて60病院を対象にする。数がすくなく、2種類のサンプリングによるため、結果の考察には注意が必要である。

### 病院の言語サービス体制

病院が言語サービスの提供に関する方針や手続をさだめて、それを文書化することはLEPガイダンスやCLAS国家基準が要求するところである。実際にこれを実行しているか病院に質問したところ、90%がイエスとこたえた（2007年調査: 54）。方針策定については、ほぼ順守されているといえる。

病院がLEP患者をうけいれている頻度については、毎日が43%、週1回程度が20%、月1回程度が17%。あわせて80%の病院が月1回以上うけいれている。LEP患者の来院は、日常的といえる。LEPの言語としてはスペイン語（93%）が圧倒的に多く、中国語（47%）、ベトナム語（39%）、日本語（37%）、韓国語（37%）、ロシア語（37%）とつづく（2006年調査: 2-4）。

病院は、受入の指針を具体化すべく、どのような人材や設備を用意している

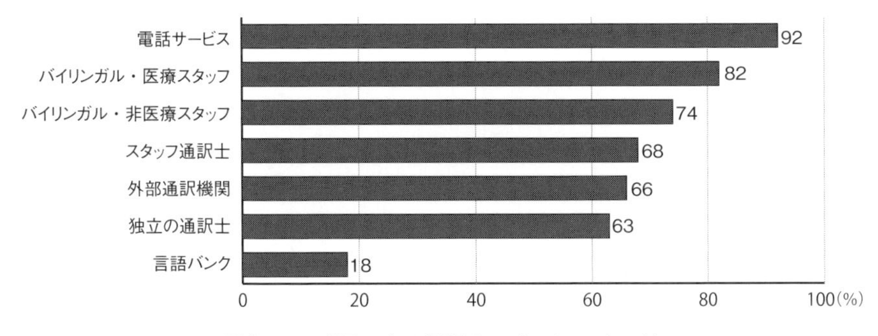


**図表4-5　利用できる言語サービス（2006年調査）**

（出典）ハスナイン-ウイニア・ロマーナほか：Hasnain-Wynia, Romana et al. 2006: 6

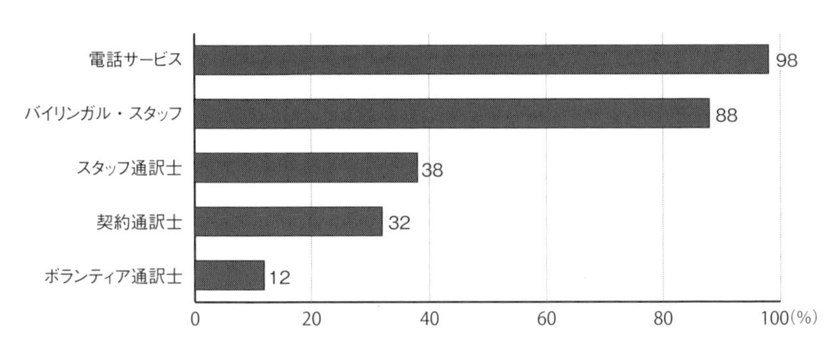


**図表4-6　利用できる言語サービス（2007年調査）**

（出典）ウィルソン-ストロンクス・アミィほか：Wilson-Stronks, Amy et al. 2007: 55

のか。2006年調査によると、電話サービス（92%）、バイリンガル・医療スタッフ（82%）、バイリンガル・非医療スタッフ（74%）、スタッフ通訳士（68%）の順である（図表4-5）。選択肢が異なるが、2007年調査では、電話サービス（98%）、バイリンガル・スタッフ（88%）、スタッフ通訳士（38%）、契約通訳士（32%）などとなっている（図表4-6）。

両者とも、最多は電話サービスである。これは医療通訳士の待機するコールセンターに電話をかけて、患者との会話を通訳するという方式を意味する。コールセンターを介しての遠隔式の場合、対面式にくらべて費用は三分の一ですむといわれる。近年では、テレビ（ビデオ）電話によるケースもふえてきた。画像がみられるため、よりコミュニケーションがとりやすくなる。これらの調査では、両者を区別していない。

電話サービスは、専門の通訳者が対面するので効果が期待でき、少数言語への対応も可能である。ただし、主訴のききとり、治療方針の説明、重病の告知、手術説明、精神疾患への対応といった場面では、限界がある。電話サービスには、状況がみえづらく誤訳がおきやすい、機器故障の可能性がある、初期費用が大きい、といった問題点もある。これは日本の例であるが、西村明夫（2009: 99）は医療場面別にみた通訳翻訳サービスへの医師の信頼度調査をおこなった。そして、複雑かつシリアスな場面では医療通訳者が不可欠だという医者たちの認識を紹介している。

次に多いのは、病院のスタッフによる通訳である。どちらの調査でも70%をこえており、バイリンガル（多くはスペイン語話者である）の医師、看護師、職員が活用されている。医療スタッフは医療の知識があり、その点ではすぐれている。ただし、その言語能力は、千差万別である。また、医療通訳のトレーニングをうけているかが問われる。スペイン語は話者が多いが、少数言語には対応できないという限界もある。

スタッフ通訳士もしくは雇用通訳士というのは、病院で言語サービスのために雇用された通訳士をさす。多くは資格をもつか訓練をうけている。医療事務員兼任で採用されることもある。現場に常住するため、安定した言語サービスの提供が期待できる。日本で外国人診療にとりくむ増井伸高（2019）は、これを「コンシェルジェ通訳」とよんでいる。スタッフ通訳士／雇用通訳士をもつ病院は、2006年調査では68%、2007年調査では38%と大きな差がある。これについて、2007年調査を実施したウィルソン－ストロンクスらは、前者の調査では質問文があいまいで、回答者がバイリンガル・スタッフもここにふくめて回答したためではないかと推測している。そうだとすれば、2006年調査の数字は、多少さしひかねばならない。

外部通訳機関や独立の通訳士は、2006年調査では6割をこえる。一方、契約通訳士は、2007年調査では3割程度である。前者が通訳士の所属を、後者が通訳士の契約の形態を質問しているために生じた差異であろう。いずれも資格をもつ医療通訳士が、派遣されるはずである[8]。

地域の言語バンクからの派遣、あるいはボランティア通訳士の利用はすくなく、両調査とも2割にみたない。これらは経費がすくなくてすむ。しかし、病院のニーズが多数で、対応できる容量をこえており、中小病院などを中心に、補完的な利用にとどまっていると推測される。

## 病院の規模別、種類別

2006年調査では、病院の病床数によって大中小の規模別にみた集計がある。2007年調査では、ランダム・サンプリングによる30の病院と、先進的な病院を特別にサンプルした30の病院との種類別の集計がある。言語サービスをこれらの規模別、種類別にみた結果の一例が、図表4-7と図表4-8である。

図表4-7をみると、電話サービスではあまり差はないが、バイリンガル・スタッフ、スタッフ通訳士、外部通訳機関、独立の通訳士などの言語サービスにおいて、大規模病院と小規模病院とのあいだに、かなり差があることがわかる。これらはいずれも対面的サービスであり、人件費を要する。中小の病院にとって、その負担は大きく採用がすすんでいない実態が反映されている。言語

**図表4-7　利用できる言語サービス**（病院規模別、2006年調査）　(%)

| | 小（～99床） | 中（100～299床） | 大（300床～） |
|---|---|---|---|
| 電話サービス | 83 | 96 | 99 |
| バイリンガル・医療スタッフ | 68 | 90 | 97 |
| バイリンガル・非医療スタッフ | 59 | 82 | 93 |
| スタッフ通訳士 | 65 | 68 | 76 |
| 外部通訳機関 | 52 | 73 | 85 |
| 独立の通訳士 | 60 | 64 | 70 |
| 言語バンク | 19 | 17 | 16 |

（出典）ハスナイン - ウイニア・ロマーナほか : Hasnain-Wynia, Romana et al. 2006: 7

**図表4-8　利用される言語サービス**（病院種類別、2007年調査）　(%)

| | ランダム・サンプル病院 | 特別サンプル病院 |
|---|---|---|
| 家族や友人 | 79 | 50 |
| バイリンガル・スタッフ（訓練あり） | 31 | 60 |
| バイリンガル・スタッフ（訓練なし） | 59 | 54 |
| スタッフ通訳士（訓練あり） | 26 | 87 |
| 契約通訳士（訓練あり） | 26 | 66 |
| ボランティア（訓練あり） | 3 | 20 |
| ボランティア（訓練なし） | 20 | 13 |

（出典）ウィルソン - ストロンクス・アミィほか : Wilson-Stronks, Amy et al. 2007: 56

バンクからのボランティア通訳士だけが、逆の結果になっているのも、同様の理由によるのであろう。

図表4-8で、ふたつのタイプの病院に共通する特徴は、家族や友人の利用がたかいことである。LEPガイダンスでもCLAS国家基準でも、アドホック通訳の利用はさけるべきとされているが、現実はそうなっていない。両者のバイリンガル・スタッフについてみると、特別病院では「訓練あり」が6割になるのに対して、一般の病院では逆に「訓練なし」が6割を占める。ほかにも、一般の病院では「訓練あり」の通訳士の割合がきわめてひくい。資格をもたなかったり、訓練をうけていなかったりするバイリンガル・スタッフが、LEP患者の対応にあたっている現実がここにはある。

## 言語サービスにおける格差

以上をまとめれば、こうなる。アメリカの病院の大半は、言語サービスの方針を所持し、電話などの機器をつかった遠隔型の言語サービスも普及している。こうした点で、形式的には言語サービスはひろくゆきわたっているといえる。

しかし、内容には問題がある。簡単な治療は、電話サービスやバイリンガル・スタッフで用がたりる。しかし、より正確な、より深刻な治療や相談には、専門の医療通訳士が欠かせない。コリンズ・カレン（2002: 22）によると、LEP患者に通訳がつく確率は48%である。ただし、その半数は、家族や友人といったアドホック通訳である。医療通訳士がえられる確率は、2割程度にすぎない。2007年調査でも、一般的な病院で内外の専門スタッフが対応するケースは3割程度にとどまる。

しかもこれらは、大規模で先進的なとりくみをしている病院にかたよっている。アメリカでは患者はどの病院も受診できるわけではなく、契約する保険会社によって、受診できる病院が指定されるのが一般的である。低所得のLEPが契約する保険会社には、質のひくい言語サービスしか提供していない中小の病院を指定するケースも多い。LEP患者は、訓練をうけた医療通訳士がいて、良質の言語サービスを提供する病院を受診できるとはかぎらないのである。病院が市場原理による競争にさらされる結果として、言語サービスにも格差が生じており、それがLEP患者の均等なサービス享受をさまたげている。2007年調査を実施したウィルソン－ストロンクスらは、こうした問題点を指摘し、結論として「全米の病院における言語サービスの提供システムは、いまなお発展途上（work-in-progress）にある」という評価をくだしている（ウィルソン－ストロンクス・アミィほか2007: 7）。

これは個々の病院というよりも、医療行政にかかわる問題である。言語サービスを無料で提供するという競争的市場のなかでは、中小の病院が大規模の病院にくらべて不利な立場にたたされるのは当然である。平等な言語サービスの実現のためには、公的援助がかかせない。アメリカで、なぜ言語サービスに対する公的援助がすすまないのか、節をあらためて検討したい。

## 6. 公的援助はあるのか

### 公的援助の現状

医療通訳サービスのコストはかなり高額である。最近の資料によると、対面通訳で1時間あたり45ドル～150ドル、電話による通訳で1分あたり1.25ドル～3ドル、テレビ（ビデオ）電話による通訳で1分あたり1.95ドル～3.49ドルである（ジェイコブス・バーブほか2018: 72-73）。ほぼ半数の病院に毎日のようにLEPが来院する状況では、彼らによる収入増も期待できるとはいえ、言語サービスを病院だけで分担するのは負担が大きい。

アメリカの医療保険制度は、国民皆保険ではなく、民間医療保険と公的医療保険の組みあわせからなる。オバマケアの成立直前、2010年の統計をみると、民間医療保険の加入者が73%、公的医療保険の加入者が25%、保険に加入していない無保険者が14%であった（櫻井潤2013: 114。複数の保険加入者がいるため、合計100%にはならない）。公的医療保険は、メディケイド（低所得者・障害者むけ）、CHIP（Children's Health Insurance Program：メディケイドほどまずしくない世帯の児童むけ）、メディケア（高齢者むけ）からなる。メディケイドとCHIPが11%、メディケアが14%である。

連邦政府は、メディケアの言語サービスについては公的援助をおこなっていない。援助があるのは、メディケイドとCHIPだけである。LEPガイダンスやCLAS国家基準を発表した2000年、保健福祉省のメディケア・メディケイド・

サービスセンターは、メディケイドとCHIP登録者に対する言語サービスについて各州は適切な資金（マッチング・ファンド）を獲得できると発表した。連邦政府の助成をうけ、州政府は主体となって援助をおこなうことになった。

連邦政府の関与部分は、州の財政状況等によって変動し、メディケイドとCHIPの間で割合も異なる。医療機関に対する補償率は州が決定する。ただし、この補償をすべての州が実施しているわけではない。2018年現在、言語サービスを実施する医療機関に費用補償をしている州は、アイオワ、ワイオミングなど15州だけである（ワシントンD.C.をふくむ）。財政状況のきびしい州にとっては負担が大きく、二の足をふむのであろう。煩雑な業務に対する拒否感もあるのかもしれない。

したがって、言語サービスへの公的援助は、保険契約者の10%程度を占めるにすぎないメディケイド・CHIP登録者にかぎられ、さらには、それを実施している州は全体の三分の一程度にとどまる。病院の割合でいえば、全米でなんらかの形で言語サービスの補償をうけているのは、わずか3%である（ハスナイン－ウイニア・ロマーナほか2006: i）。実質的には、医療の言語サービスに対する公的援助はないにひとしい。

## 補償や援助がないということ

このようにみてくると、問題の核心がハッキリしてくる。アメリカの医療における多言語サービス（通訳翻訳サービス）は、保健福祉省や医療認証機関からの要求があり、ほとんどの病院がポリシーをそなえ、形式はととのえられるようになった。しかし、全体としてみると、通訳の質に問題をかかえる。家族・友人といったアドホック通訳の利用、訓練をうけていないバイリンガル・スタッフによる対応、電話を介した遠隔通訳だけ、といったケースがみられる。中小の病院ほど、その傾向が強い。

こうした現状の原因について、研究者の多くは医療通訳士を雇用する補償や資金がないことだという点で一致している。ダイヤモンド・リサら（2010: 1085）は「コストと保険補償の欠如が、LEP患者に言語サービスを提供する際に病院が直面する最大の課題である」とのべる。ユーデルマン・マラ（2008: 431-432）は「最重要事は資金提供（funding）である。…言語サービスに対する資金提供こそ保険会社や政府をふくむあらゆる関係者に適用されるべき社会的責任なのである」とする。

もちろん、すべての医療通訳を専門的な医療通訳者でまかなうことは理想であるが、あまりにも費用負担が大きい。病気や言語の種別によって、遠隔型の電話サービスやバイリンガル・スタッフの対応をくみあわせることが、現実的な方法であろう。しかし、常駐であれ派遣であれ、資格をもった医療通訳士がLEP患者に対応できる態勢を基本とすることが、医療機関のとるべき最低限のラインである。アメリカの現状は、ここからほどとおい。

## 公的援助がない理由

財政支援のひとつの方法は、連邦政府が予算を計上して、基金をつくることであろう。LEPガイダンスやCLAS国家基準が策定された2000年、政権にあったのはクリントン大統領である。第3章でのべたように、クリントンは市場や競争を重視し、財政均衡を重視した。そうした政権にとって、あらたな予算支出をはかることは困難な課題であった。とくに政権末期にあって求心力をうしないつつあったクリントンに、その政策遂行能力はもはやなかった。

もうひとつ、健康保険から言語サービスに対する支出をはかるという方法がある。日本でも言語サービスの費用は健康保険のなかから医療通訳士加算という形で支出すべきだという議論がある（中村安秀ほか2013）。母体となる基金の規模が大きいため、有力な方法であろう。しかしアメリカでは、国民全体をカバーする一元的な保険制度がない（クリントンは、ヒラリーを座長とする委員会をつくって保険制度改革にのりだしたものの、失敗におわった）。

現実的な方法としては、民間保険にこれをもとめるしかない。実際、保健福祉省は、言語サービスの提供費用を健康保険のなかにうめこむことを民間保険会社に推奨している（ジェイコブス・バーブほか2018: 74）。しかし、それは保険料金の増額を意味する。市場原理が貫徹する民間保険会社に、この「推奨」が実現する可能性はひくい。アメリカの保険制度の限界が、言語サービス補償を困難にしているといえる。

一見すると理想的にみえるLEPガイドラインやCLAS国家基準は、現実においては言語サービスの対価をほとんど補償・援助せず、医療機関にサービスの実施を要求するだけの理念的なものだったのである。

## 7. おわりに――オバマケアと多言語サービス

### オバマケアの成立

2010年3月、「患者保護および医療費負担適正化法」(Patient Protection and Affordable Care Act、以下ACAと略記)、いわゆるオバマケアが成立した。これは1965年のメディアケア、メディケイドの導入以来の画期的な医療改革法といわれる。国民への保険加入の義務づけ、低所得者に対する財政支援の拡大をおもな内容とする。民間保険を中心にするとはいえ、ともかく国民皆保険が成立したのである。オバマケアによって、言語サービスは改善されたのか、最後にみておきたい。

多言語サービスと関連するのはACAの第1557条である。ここでは人種、肌の色、出身国、性、障害、年齢による差別の禁止が明確に表明された。これは、連邦政府が管轄もしくは援助しているあらゆるプログラムや活動、そしてACAの第1編によって創設される保険市場などに適用される。それまで公民権法第6編で表明されてきた差別の禁止が、医療に関する法律のなかで明確になったことの意義は大きい。

また、ACAによって低所得者に対して税額控除や補助金の支援がおこなわれるようになった。メディケイドが拡張され、所得が貧困レベルの138%の者にまで受給資格があたえられることになった。これは低所得者が多いLEPにとって、ひとつの朗報である。メディケイドの多言語サービスにだけ公的支援がみとめられている現状からすれば、その拡大が展望できる。さらにACAのもとでメディケイドを拡大した州は、多言語サービスの補償をほぼ全額うけられるという優遇策も採用された。補償率は100%(2016年)、95%(2017年)、94%(2018年)、93%(2019年)、90%(2020年)である(ユーデルマン・マラ2017: 1)。

法律の制定をうけ、保健福祉省は2016年、「ACA・1557条のもとで差別禁止を施行する最終規則(final rule)」(以下、「最終規則」と略記)を発表した。LEPに対する差別は出身国による差別にあたる。そのため、この最終規則のなかにもLEPに対する記述がある。第92条201項は、「LEPへの意味あるアクセス」と題された条項である。ここでは「当該機関は、保険プログラムや活動でサービスをうけたり、うける可能性のあるLEPに、意味あるアクセスを提供する手続きをとらなければならない」としている。また「このもとで要求される言語援助は、無料で提供され、正確でタイムリーでなければならず、LEPの人たちのプライバシーや独立性をまもるものでなければならない」とする。

これにつづいて具体的な提供方法が提示される。注目すべきは多言語サービスの質の向上に関する記述である。当該機関が提供すべきは有資格（qualified）の通訳者や翻訳者でなければならない、とある。テレビ電話による遠隔通訳についても、高画質、鮮明、リアルタイムなどといった条件がつけられている。医療通訳の質に問題があることは、保健福祉省も認識しているのであろう。LEPガイダンスやCLAS国家基準を継承して2016年に発表された最終規則は、より高度な医療通訳の水準を要求している。

### オバマケアの意義と限界

オバマケアは多言語サービスの拡大にとって、一歩前進だといえる。タイテルバウム・ジョエルら（2012: 372）は「ACAの条項は、患者中心、意味あるコミュニケーション、重要な情報へのアクセス、情報による医学的決定、文化的能力などの諸原則をしっかりうめこんだ。この法律は医療における言語アクセスのあつかいに明確な進歩を記した」とのべている。

しかし同時に、その限界も指摘しておかなければならない。それは公的援助が条項にもりこまれなかったことである。これまで論じてきたように資金問題が医療の多言語サービス拡大の最大のネックであった。ACAによって援助が増加したが、それは保険加入者の1割程度を占めるメディケイドの部分的拡大にとどまる。また、州への援助の拡大によって各州に多言語サービス補償を促進しているが、その拡大幅は小さく、実際にどの程度の効果があるかは不明である。民間保険、メディケア加入者に対する多言語サービス援助はもりこまれなかった。ユーデルマン・マラ（2011: 1）は「われわれはACAの立法化によって言語アクセスの改善をいくらか獲得したが、資金問題をふくむ多くの問題は、最終案にふくまれなかった」として、その限界を指摘している。

これはオバマケア自体の中途半端な存在性格に由来する。ACAは民主党リベラル派が主張するようなシングル・ペイヤー・システムにもとづく一元的な国民皆保険をめざしたものではなく、従来の民間保険中心の保険制度を縫合したものにすぎなかった。それは「パッチワーク（つぎはぎ細工）」の改革といわれる。多言語サービス補償についても多少の改善はみられるものの、従来の大枠をこえるものではない。オバマケアは、中道左派の枠をこえることはなかったのである。

オバマのあとをついだ共和党のトランプ大統領は、オバマケアの廃止を訴え、税制改革とあわせて、2017年、個人保険加入の義務化を廃止した。一時は減少に転じた無保険者が、今後どうなるのか懸念される。一方、民主党の一部は、国民皆保険の導入を主張している。これを支援するエスニック団体やアドボカシー団体も健在である。保険制度改革のゆくえは、多言語サービスの今後にも大きな影響をあたえるはずである。

**注**

（1）https://www.jnto.go.jp/jpn/statistics/20191024.pdf

（2）https://www.mofa.go.jp/mofaj/toko/page22_000043.html

（3）https://healthlaw.org/

（4）https://healthlaw.org/the-history-of-the-national-health-law-program/

（5）https://www.minorityhealth.hhs.gov/omh/browse.aspx?lvl=1&lvlid=1

（6）多言語援助の対象は、LEPにくわえて「その他のコミュニケーション・ニーズをもつ人々」に拡大された。また、提供すべきものとして「わかりやすい（easy-to-understand）印刷物、マルチメディア資料、案内（signage）」が追加された。これらは障害者を念頭においた改訂であろう。

（7）2009年、千葉県にある亀田総合病院と亀田クリニックが日本ではじめて、JCI（Joint Commission International）の認証を取得した。日本でも2016年、厚生労働省が外国人診療に関する医療機関の認定機構として、JMIP（Japan Medical Service Accreditation for International Patients）を創設した。2020年1月現在、認定された医療機関は、70機関である。

（8）アメリカでは近年、医療通訳士に関して、NBCMI（National Board of Certification for Medical Interpreters）とCCHI（Certification Commission for Healthcare Interpreters）というふたつの認証機関が設立された。医療通訳士の資格について、組織的な整備はすすみつつある。

# 第5章
# 地方都市における多言語サービス
## —サンフランシスコの言語アクセス条例—

### 1. はじめに

言語サービスをもとめるエスニック団体やその支援団体は、州や地方都市にも、政策化を要求した。地方の自治権が大きいアメリカでは、その成果は連邦政府をこえる部分がある。本章では、この一例として、カリフォルニア州サンフランシスコをとりあげる（「サンフランシスコ市／郡：City and County of San Francisco」を、以下ではサンフランシスコとよぶ）。

サンフランシスコは、カリフォルニア州の経済や金融の中心のひとつで、多くの名所をかかえる観光都市である。また同性愛者、移民、難民など、少数者の権利擁護に熱心なリベラル都市としても有名である。「西海岸都市（west coast city）」ならぬ「左海岸都市（left coast city）」と称されることもある。

移民／難民に関していえば、彼らを庇護する「避難都市（City of Refuge）」のモデル都市として有名である。アメリカでは1980年代、エルサルバドルやグアテマラの政治的弾圧をのがれた難民が、次々とアメリカにやってきた。当時のレーガン政権は、これら難民の認定や亡命を拒否した。これに対抗して、1982年、アリゾナ州ドゥーソンでひとりの牧師が教会を「聖域（sanctuary）」と宣言し、彼らを庇護（ひご）しはじめた（これが聖域運動のはじまりとされる）。エスニック団体や市民運動家なども、生活支援やビザ取得に協力した。

その後、庇護の対象は非正規滞在者にも拡大された。日本では非正規滞在者は「不法移民」「非合法移民」として犯罪者のごとくあつかわれるが、アメリカではおなじ都市の生活者として、その人権を擁護しようとする運動がさかんである（もちろん、反対者も多いが）。

サンフランシスコは1985年に「避難都市」を決議し、この列にくわわった。さらに1989年には、「避難都市条例」（「聖域都市条例」ともいわれる）を制定した（マンシーナ・ピーター2013）。条例は、連邦政府の管轄下にあって難民や非正規滞在者の摘発をおこなう移民・関税執行局（ICE: Immigration and Customs Enforcement）への協力を拒否し、市の警察や職員に、移民の在留資格に関する情報の収集や拡散を禁止する。

難民や非正規滞在者の権利を擁護する聖域都市条例は、全米各地にひろがった。聖域都市の定義はあいまいで、数に上下はあるが、聖域を名のる地域は、5州、106都市、633郡に達するといわれる（安岡正晴2017）。サンフランシスコの条例は、これらのモデルになったのである。

本章であつかう言語アクセス条例も、移民擁護運動からうまれた。都市としてもっともはやい2001年、サンフランシスコは「諸サービスへの平等なアクセス条例（Equal Access to Services Ordinance）」を制定した。これは2009年、2015年に改訂され、現在は「言語アクセス条例（Language Access Ordinance）」という名称にかわっている。

移民に多いLEP（限定的英語能力者）の生活を保障するため、行政に多言語サービスをもとめて成立したのが、この条例である。草の根運動が原動力となって条例化が実現した点は、避難都市条例の場合とおなじである。まだ3州8都市にすぎないが、サンフランシスコをモデルにした同趣旨の条例も、各地にひろがりつつある。以下では、この条例の成立の経緯、内容、成果などをみていくことにする。

## 2. サンフランシスコの人口統計

### 人種民族構成

まず、サンフランシスコの人口統計上の特徴を確認しておこう。アメリカ・コミュニティ調査（2013-2017）によると[(1)]、サンフランシスコの人口は86万人。人種民族構成は多彩で、ラティーノをのぞく白人が41%、アジア系が34%、ラティーノが15%、黒人が5%などとなっている。ラティーノをのぞいた白人の人口比率が50%に達しない都市を「マジョリティ－マイノリティ（majority-minority）都市」

という。サンフランシスコもそのひとつである。

人口構成で特徴的なことは、アジア系住民の比率のたかさである。人口の三分の一を占める。カリフォルニア州では、ラティーノが38%、アジア系が14%であるので、これとは逆の比率になっている。アジア系の約6割は中国出身。つまりサンフランシスコの人口の約2割は、中国系（華人）ということになる。

中国からの移民が多いのは歴史的な理由がある。19世紀の中頃、ゴールドラッシュにわくこの地に、鉄道や鉱山の労働者がもとめられ、アジアとくに中国から移民がおしよせてきた。第二次世界大戦後は香港、台湾、広東省などから、1979年の国交正常化以降は中華人民共和国からの移民がふえている。これらの移民がつくった「チャイナタウン」は、全米で最古かつ最大といわれる。

とくに移民がふえたのは、1965年の移民法の改正以降である。山下清海（2017: 11）の集計によると、サンフランシスコの人口に占める華人の割合は、1960年には人口の5%程度であったが、1980年には10%、2000年には20%とふえている。とくに近年の増加が顕著である。

## LEP（限定的英語能力者）の分布

人種民族構成とともに、言語も多彩である。同上調査によれば、5歳以上の人口のうち、家庭で英語だけを話す者は56%にとどまる一方、英語以外を話す者が実に44%に達する。その最大は中国語、ついでスペイン語、タガログ語である。家庭で英語以外を話す人口の約4割がLEPといわれる。サンフランシスコでも、全体の21%が「それほどうまく英語が話せない」と回答している。エスニック集団による集住地区があることは、英語の習得の必要性が低下するということでもある。デグラウ・エルス（2016: 63）によると、サンフランシスコで14年以上くらしている住民でも、その54%は英語をうまく話せないという。

LEPは、日常生活に不便をきたす。同上書（91-92）は、NPOがサンフランシスコであつめた例を紹介している[(2)]。そこには、子どもを病院につれていけない、予防的な医療措置をうけられずに高額な治療費を請求された、虐待や犯罪を警察にとどけられなかった、就労／保険／給付などに困難をきたした、学校との連絡がとれなかった、といった事例があげられている。

これらの改善のためには、英語教育とともに、少数言語による言語サービスが必要になる。サンフランシスコは、たかい人口比率もあって、エスニック団体やその支援団体による移民擁護活動が活発である。そうしたNPOの数だけでも200をこえるといわれる。このなかから、LEPの言語アクセス改善をもとめる運動があらわれることになる。

## 3. カリフォルニア州の言語政策

### ダイマリー・アラトーレ法

言語アクセス条例にたちいる前に、当時、カリフォルニア州ではどのような言語政策がとられていたのか、背景を一瞥（いちべつ）しておこう。

序章で、「ラウ対ニコラス」といわれる訴訟にふれた。これはサンフランシスコにすむ中国系アメリカ人生徒のラウが、サンフランシスコ統合学区に対して、中国語の補習を訴えた裁判である。1974年にだされた判決は、ラウの訴えをみとめるものであった。ラウ判決は、言語差別を禁じる根拠として公民権法第6編を位置づけ、その後のバイリンガル教育の展開に、法的根拠をあたえることになる。地元サンフランシスコでも、バイリンガル教育の普及がすすんだ。

おなじ頃、1973年にカリフォルニア州では「ダイマリー・アラトーレ・バイリンガル・サービス法（Dymally-Alatorre Bilingual Services Act）」が成立している。これはダイマリー・メルビンという黒人議員、アラトーレ・リチャードというラティーノ議員のふたりが提案者になってできた法律である。英語が話せないために、地方政府と効果的なコミュニケーションがとれない人数がかなりに達するようになっていた。それは本来、享受できる権利や恩恵の否定につながっている。言語障壁によって公的なサービスから排除されている住民のために効果的なコミュニケーションを提供すること、それがこの立法の目的である。

法律には、サービスをうける非英語話者の割合が対象者の5%をこえるとき、州の各機関は住民と接触のある部局に二言語を話す担当者を配置しなければならないという規定がある。また、サービスの説明書・書式・応募書類・質問書・手紙・催告などの書類、あるいは権利・義務・特典に関係する情報は、翻訳しなければならない、という規定もある。

これは行政の多言語サービスをさだめた全米で最初の法律といってよい。多言語サービス法の先駆というべき1975年の投票権法改正の以前であることを考慮すれば、画期的であり、トレンドセッターといわれるカリフォルニア州の面目躍如たるものがある。

しかし、実効性という点では不十分な結果におわった。次節でみるように、サンフランシスコの条例制定のきっかけになったのは、この法律の監査である。それによれば、「ダイマリー・アラトーレ法」は不十分な実行しかなされていないという結論がくだされている。同法に強制力やペナルティがなく各部局の自主性にまかされたこと、財政的な裏づけがなかったこと、などがおもな原因である。

### その後の展開

第1章でものべたように、1980年代、90年代には、英語公用語化運動が活発になり、多言語主義の発展が抑制された時期である。カリフォルニア州でも、英語の公用語化、バイリンガル教育の廃止といった住民提案が可決されている。

しかし、同時に多言語サービスの芽も徐々にそだっていた。第4章でふれたが、医療の分野では、急性期患者をあつかう総合病院に、24時間体制での多言語サービスを義務づける「カリフォルニア・健康と安全の法1259」が1983年に成立した。1999年には、メディカル（カリフォルニア版メディケイド）契約者に対して、保険会社に翻訳サービスの提供を義務づけた「メディカル契約法」が成立している。この時期にも医療分野をはじめ、多言語サービスの実質化がすすんでいた。英語公用語をさだめたカリフォルニア州の州憲法は宣言的なものにとどまり、実効性をあまりもたなかったのである。

2000年以後は、クリントンの大統領令13166の発令もあり、カリフォルニア州でも、多言語サービスや多言語教育をもとめる運動が活発化する。州内のサンフランシスコやオークランドで成立する言語アクセス条例は、こうした流れのなかでうまれた。

## 4. 条例制定のいきさつ

### CAAとは何か

サンフランシスコで条例の成立に中心的な役割をはたしたのは、「CAA」というNPO団体である。その設立や活動の目的をみておこう。

1960年代、アメリカでは公民権運動がさかんになった。黒人に刺激をうけ、アジア系アメリカ人の運動も活発化した。1968年、カリフォルニア大学バークレー校で「AAPA: Asian American Political Alliance=アジア系アメリカ人政治連盟」という組織が結成された。「Asian American（アジア系アメリカ人）」という用語もこの時にうまれたとされる（マエダ・ダリル・ジョージ2012: 9）。

これをひとつの画期として、街角やキャンパスでアジア系アメリカ人の公民権運動が展開されることになる。そのなかには「人民への奉仕」をモットーに、地域社会での活動に力をいれた組織もあった。1969年、サンフランシスコで誕生したCAAは、そうした団体のひとつである。CAAの正式な名称は以下のとおり。

CAA: Chinese for Affirmative Action=積極的差別撤廃措置をもとめる中国人協会。当団体による漢字表記は、華人権益促進会

CAAが結成されたきっかけは、「ラウ対ニコルス」訴訟事件である。名前の一部には「積極的差別撤廃措置」とある。現在では、これは大学や企業などの入学や人事採用に際して、人種・民族・障害・性などの少数者優先枠をわりあてる措置をイメージする。しかし本来はもっと包括的な社会保障、福祉、教育、住宅などにおける少数者のための政策を意味した。すくなくともジョンソン大統領が1965年にハワード大学でおこなった有名な演説にある「結果の平等」は、そうした広範な意味で使用されていた。この意味が変質するのはニクソン政権以降になる（川島正樹2014）。CAAの名前にある「積極的差別撤廃措置」は、いまよりもひろい意味をもっていたはずである。

CAAのホームページをみると、団体の目的は、アジア・太平洋系アメリカ人のコミュニティが市民生活に十全に参加できる能力を促進すること、そのための公正な社会の建設にむけて社会変化のためのアドボカシーをおこなうこと、としている。それまでにも中国系アメリカ人の権利擁護団体は存在した。しかし地域の学生や活動家が中心になって創設され、具体的な権利擁護を旗幟（きし）にかかげて活動する点に、この団体の特徴がある。

CAAはその後、NPOの資格を獲得した。2017年の年次レポートによると、21名のスタッフをかかえ、年間約2億円の予算規模で活動している（CAA: 2017）。中国系を中心にした企業や個人の寄付や契約が大きな収入源である。

活動は、地域における中国系を中心としたアジア・太平洋系移民の支援である。その範囲は仕事、教育、住宅など多岐にわたる。言語アクセスの改善をもとめる活動も柱のひとつである。CAAは、中国系移民の支援活動の一環として翻訳や通訳をするなかで、彼らが行政情報の利用や作成に苦労していることを知った。本来であれば、ダイマリー・アラトーレ法によって多言語サービスが提供されているはずである。しかし実際には、同法はほとんど機能していなかった。その隙間をうめるべく、行政手続き、書類作成の相談や代行にあたってきたのである。

この現状をふまえ、CAAは行政に多言語サービスを要求する活動にのりだした。NPOなどのこうした活動は「アドボカシー（advocacy）」といわれる。アドボカシーは日本語では「権利擁護」とか「政策提言」と訳される。移民、女性、子ども、患者といった少数者の権利回復のために、自治体や政府などに働きかけたり、法的な措置をもとめたりする活動をさす。NPOの二側面として「日常的な支援」と「政策決定への働きかけ」がある。CAAの年次レポートは「草の根レベル」と「公共政策レベル」という表現で、両者を区別している（CAA 2017: 4）。

## 実態調査の実施

CAAはまず、実態調査に着手した。NPOが政策を提言するためには、政治家や行政を説得する事実が必要である。しかし、英語公用語がタテマエとなっている州で、いきなり多言語サービスの調査をもとめても実現の可能性はひくい。そこでCAAは、カリフォルニア州の15のNPOと協力して、「ダイマリー・アラトーレ・バイリンガル・サービス法の点検評価」を州政府にもとめるという戦術をとった。もしこの法律が正常に機能しているならば、多言語サービスは支障なく実施されているはずだからである。

州政府はその要求をみとめ、調査を実施した。1999年、カリフォルニア州検査院（California State Auditor）は調査結果を「ダイマリー・アラトーレ・バイリンガル・サービス法―州政府・地方政府はバイリンガル・サービスの依頼者のニーズにこたえる努力をすべきである」という報告書にして刊行した。そこには「バイリンガル・サービスの趣旨を理解し実行しているのは、10機関中2機関のみ。州機関は法令順守をはたしておらず、責任を放棄しているとみなさざるをえない」とある（カリフォルニア州検査院1999: 1）。報告書の結論はきびしいものであった。

CAAなどのグループはこの報告書を手に、州議会でロビー活動をおこなった。アメリカの内国歳入法によれば、寄付金の免除をうけられる公益型のNPO（501-C-3型といわれる）は、選挙活動などの政治活動を禁じられている。しかし、特定のテーマについてのロビー活動はみとめられる。理解をしめす何人かの議員の協力をえて、2002年と2004年に、同法の強化と実行をもとめる法案が州議会に提案され、両院を通過した。しかし、当時のデイビス・グレイ知事、シュワルツネッガー・アーノルド知事が財政上の問題を理由に拒否権を発動し、成立にはいたらなかった。

## サンフランシスコでの条例の成立

CAAはこれと並行して、地元のサンフランシスコでも独自の条例化をめざす活動をおこなった。まず「ラ・ラサ・セントロ」「アジア女性シェルター」など、サンフランシスコを拠点とする7つのNPOと言語アクセスネットワークをつくった。この団体は、「LANSF（Language Access Network of San Francisco）」という名で、いまも活動している。次に「諸サービスへの平等なアクセス条例（Equal Access of Services Ordinance）」の原案を策定するとともに、市議会（Board of Supervisors）の議員に働きかけをおこなった。

「諸サービスへの平等なアクセス条例」は1999年に市議会にかけられた。しかし、何人かの議員の反対もあり、初の黒人市長として有名なブラウン・ウィリー市長からの積極的な支持もえられず、成立にはいたらなかった。第1回目のこころみは、失敗におわったのである。

しかし、2000年の選挙で議員のメンバーがかわった情勢をみて、CAAは再チャレンジをした。ふたたびリーダーシップをとってロビー活動をおこない、法案の上程をはかった。そして2001年6月、ついに同法の成立にこぎつけた。条例はブラウン市長も署名し、発効にいたった。輻輳（ふくそう）したいきさつのなかで、近隣のオークランドに施行の先をこされることになったが、それはサンフランシスコの条例を参考につくられている。実質的にはサンフランシスコが全米で最初に言語アクセス法を立案し条例化したといってよいであろう。

## 5. 条例の内容と特徴

### 条例の内容

2001年に成立した「諸サービスへの平等なアクセス条例」は、カリフォルニア州のダイマリー・アラトーレ法をほぼ複製しただけのシンプルなものであった。その後、2009年、2015年に2回改正され、より詳細で充実した内容になっている。

2009年のおもな変更点は、オセイア（OCEIA: Office of Civic Engagement and Immigrant Affairs=市民参加・移民問題局）が担当部署局になり、責任の所在が明確になったことである。名称は「言語アクセス条例（Language Access Ordinance : LAO）」に変更された。2015年の改正では、多言語サービスが市民サービスにかかわるすべての部局に拡大された。また、不平申立の手続きや部局の年次報告義務の強化がはかられた。

同法はサンフランシスコ行政法典（San Francisco Administrative Code）の第91章に位置づけられている。説明のためタイトルをすこし修正して、各項の内容をしめすと、次のようになる。

① 目的とこれまでの経過
② 本条例で使用する用語の定義
③ 本条例が適用される部局の範囲
④ バイリンガル職員の活用
⑤ 資料や案内の翻訳
⑥ 州政府、連邦政府からの翻訳資料の配布
⑦ 公的な会議や公聴会の翻訳
⑧ 多言語による電話メッセージ
⑨ 緊急事態における対応
⑩ 不平申立の手続き
⑪ 各部局による年次法令順守プランの作成

⑫ オセイアによる法令順守プラン、言語アクセス条例の概括レポート、言語人口の変化への対応策の提出
⑬ 職員の公平な募集
⑭ 各部局の責任
⑮ 移民人権委員会の責任
⑯ オセイアの責任
⑰ 規制や規則の制定
⑱ 施行
⑲ 放棄事項

## 条例の特徴

条例の責任部局であるオセイア（市民参加・移民問題局）は、2回の修正によってサンフランシスコの言語アクセス条例は全米でもっとも強力なものになった、と自負している。ダイマリー・アラトーレ法、あるいはクリントンの大統領令13166とくらべて、どのような特徴がみられるのか、7点ほどあげてみよう。

・多言語サービスの対象になるLEPについては、第2項で、5％もしくは10,000人という数字があげられている。これらの数字自体にかわりはない。ただし、オセイアが地区ごとに毎年LEPの数字を算出してこの基準にあたる言語を決定することになっており、サービスの対象言語を判定する基準と時期が明確になっている。現在、中国語、スペイン語、タガログ語がこれに該当する。
・サービスを実施する部局については、第3項で「直接に公的なサービスを実施する、あらゆる部・局・室のプログラムとサービス」という定義がある。移民をあつかう特定の部局にかぎらず、すべての部局にサービスが拡大された。
・翻訳される文書の種類については、第5項でサービスの説明通知、応募用紙、書式、催告、テスト紙、サービスをもとめる者に関連する文書などが列挙されている。さらに第6項では連邦政府や州政府からの書類、第7項には公的な会議や公聴会の議事録があげられ、翻訳文書の範囲が具体的に指示されている。

・第9項に緊急事態に対する対応があらたに挿入された。ケガ、病気、難民の救済、災害といった緊急事態が発生した場合に、すべての部局は言語アクセスを優先してLEP住民の支援にあたるべきことが追加された。
・多言語サービスをうけられなかった場合の不平の申立、それに対する行政内部での対応の手続きの順序が、第10項に記された。これを利用して、LEP住民は、状況の改善を要求することができる。おそらく移民支援のNPOから要求があったのであろうが、サービス改善の道筋がつけられた。
・第14項から第16項にかけて、各組織の責任がのべられ、指揮系統が明確にされた。これまで担当部署であった移民人権委員会にかわって、オセイアが責任部局として位置づけられた。オセイアは、他の部局にアドバイスや技術的援助をおこなったり、その法令順守を監督したりする。
・各部局は年次レポートを作成する。オセイアはそれらをとりまとめてレポートを作成し、市議会や市長室にとどけなければならない。条例制定後の推進体制が整備された。

## 6. アドボカシーの成功要因

### 成功の3要因

サンフランシスコの言語アクセス条例の成立と改正の原動力になったのは、運動のネットワークの中心となったCAAである。そのアドボカシーは、なぜ成功をおさめたのか。リベラルなサンフランシスコの政治的風土もあったことだろう。しかし、CAAのアクティブな活動をみのがすことはできない。その特徴として、①データの蓄積、②地方政府との協働、③事後の監視、という3点をあげることができる。

### データの蓄積

まずデータの蓄積について。CAAは実践的な移民支援を重視するNPOである。中国語を母語とするLEPのために、翻訳や通訳の支援活動もおこなってきた。その過程で、さまざまな事例を手元に蓄積した。政治家や行政へのはたらきかけにおいて、これらは有効な説得材料になったはずである。日本のあるNPOの活動家は「実際の支援活動からの学びがなければアドボカシーは実行できない。またアドボカシーがなければ実際の活動は単なる草の根レベルにとどまる」とのべているそうである（名波彰子2011: 3）。まさに、支援活動とアドボカシーの循環がうまく機能したといえる。

しかしNPOが現場から収集した事例だけでは不十分である。それらは特殊で個別的な事例にうけとられかねず、全体にかかわる客観的、集合的なデータも必要になる。CAAはまずダイマリー・アラトーレ法の点検評価を州にもとめた。サンフランシスコもふくむカリフォルニア州のバイリンガル・サービスの理想と現実のギャップを総合的に把握するうえで、これは有効だった。条例の制定後も、CAAは実施状況の調査をサンフランシスコに要求し実現している。その結果は、2006年に移民人権委員会（Immigration Rights Commission）から「サンフランシスコ・諸サービスへの平等なアクセス条例に関するレポート（Report Concerning the Status of San Francisco's Equal Access to Services Ordinance）」として刊行された（筆者は未見）。これも改正の材料を提供したはずである。

CAAは依頼するばかりでなく、みずからも調査を実施している。CAAのサイトには「報告書と資料（Reports and Resources）」というページがあり、これまでにおこなった調査をPDFファイルでみることができる[(3)]。条例の制定から改正にいたる時期の調査タイトルを、内容がわかるようにすこし修正して列挙すると、以下のようなものがある。

- 2004「ビジネスの言語について―行政サービスへのLEPのアクセスを改善するため、参考にするべき私企業の多言語サービスの実践例」
- 2005「両親をおきざりにしてはならない―カリフォルニアの児童教育におけるLEPの両親の参加機会の確保にむけて」
- 2005「言語ギャップの架橋にむけて―LEP労働者の職場での能力開発と、より効果的な訓練プログラムにむけたアドボカシー戦略」
- 2006「翻訳がないために生じる損失―サンフランシスコ統合学区で子をもつLEPの両親が直面する言語障壁」
- 2009「延期されたアクセス、進歩、挑戦、機会―サンフランシスコ統合学区、警察署、ワンストップ・キャリアセンターにおける言語アクセスに関するレポート」

いずれも数十ページにおよぶ力作である。これらのレポートも、条例の改正をバックアップする資料として、力になったことであろう。

## 地方政府との協働

第2に、地方政府との協働について。従来、政策の実現や変更を要求する運動は、労働運動であれ市民運動であれ、政治的な色彩をおび、対立や葛藤をうむことがおおかった。しかし、サンフランシスコの言語アクセス条例の成立過程をみていくと、そこには「対立的」というよりは、むしろ「協力的」な関係をみいだせる。

この点を力説するのはデグラウ・エルスである。デグラウは、CAAをはじめ、サンフランシスコに拠点をおく移民支援NPOの調査を実施した。NPOにゆるされている、特定のテーマについてのロビー活動という形での政治家との接触を分析して、NPOが決して党派的ではなく、個別的、実践的なアプローチを採用していることを発見した。それはある問題について現状を説明し、その改善に協力をもとめるという穏健な政治的手法である。デグラウはこうした手法を象徴することばとして「わたしたちがやろうとしていることは、やさしさと情報で政治家を『殺す』ことよ」という、あるNPOメンバーの発言を引用している（デグラウ・エルス 2008: 333）。

CAAは、政治家ばかりでなく、行政職員とも協力的な関係をきずいている。NPOは行政から支援をうけており、事業を受託している場合もある。事業の受託、運営、報告といった一連のながれのなかで、行政と連絡をとり、関係をつくっていかざるをえない。行政にとっても、移民の支援事業において、専門的、実践的知識をもったNPOはたのもしいパートナーである。両者にとって、友好的な関係を維持することは、メリットがある。

政治家や行政とのこうした関係をデグラウは「NPOと地方政府の協働（collaborations）」とよぶ（デグラウ・エルス 2016: 108）。NPOは政治活動の制約下にある。しかしそうした制約があるからこそ、従来とはちがった形で地方政府と関係をつくり、独自の形でのアドボカシーを可能にしているのである。

### 事後の監視

第3に、事後の監視について。法律は成立したとしても、それで完結するわけではない。文面どおりに実行されてこそ、はじめて意味をもつ。2001年に条例が成立したのちも、CAAは市に対して監査を要求した。その結果は前述のように、2006年に報告書にまとめられたが、やはり大半の部局では法令が順守されていなかった。同時にCAAはいくつもの独自調査をおこない、LEPの実情をあきらかにした。こうした活動をとおして、ふたたび条例の改正をもとめ、2009年、2015年の改正につなげたのである。

CAAは、行政内部の改革も実行していった。言語アクセスの知識を欠いたり、意欲のなかったりする職員に対して、専門的な知識をとおして教育し、啓発をはかった。また、年次プランの作成やバイリンガル職員の手配などへの協力もおしまなかった。こうした活動をとおして、言語アクセスへの理解をふかめていったのである。行政との協働は、業務の協力ばかりでなく、監視というアドボカシーのひとつの手段でもあった。

カリフォルニア州のダイマリー・アラトーレ法は、成立後に形骸化していった。これとは対照的に、サンフランシスコの言語アクセス条例は、改正をへて次第に実効性をつよめていった。その理由のひとつは、NPOによる事後の監視があったからである。

## 7. 言語アクセス条例の拡大

### 各地への拡散

サンフランシスコの言語アクセス条例の経緯をみると、移民を支援するNPOのアクティブな活動があった。おなじような条件さえあれば、他の地域にもひろがる可能性がある。1989年にサンフランシスコが制定した条例がモデルになった聖域都市は、全米の州、都市、郡に拡大した。サンフランシスコ、オークランドで2001年に施行された言語アクセス条例も、その後、各地にひろがっている。

市レベルではフィラデルフィア（2001年）、ニューヨーク（2003年）、ミネアポリス（2003年）、ワシントンD.C.（2004年）、シアトル（2009年）、ヒューストン（2013

年）の8都市で、州レベルでは、カリフォルニアのほかに、メリーランド（2002年）、ハワイ（2006年）の3州で、同様の条例が制定された。数でいえば、まだまだ少数ではある。しかし、首都ワシントンや大都市ニューヨークの名前がある。条例はなくても、規則やガイドラインをもっている地方自治体もある。影響は、すこしずつ拡大しているといってよい。

## ワシントンD.C.の条例

このうち、いくつかの事例については、ネットを通じて資料やデータにアクセスできる。それらをみると、サンフランシスコと類似した制定経緯や内容がみてとれる。一例としてワシントンD.C.をみてみよう（ここも聖域都市を宣言している）。

ワシントンD.C.は人口60万人のアメリカの首都で、外国籍うまれの比率は22%である。出身地別にみると、もっとも多いのはラティーノで44%、ついでアジア系が19%。5歳以上の人口におけるLEPは、市内で5%、広域地域で11%とみつもられている（バーンシュタイン・ハムタルほか2014: 16）。この地で2004年に「言語アクセス法2004（Language Access Act of 2004）」という条例が制定された。これはサンフランシスコとおなじく、LEPに対する多言語サービスをさだめたものである。

立法化の原動力になったのは、「アジア太平洋系アメリカ人・法律資料センター（Asia Pacific American Legal Resource Center : APALRC）」である。APALRCは弁護士や法学生のボランティア組織として1998年に結成された。いまでは5人のフルタイム職員、11人の評議員、多数のバイリンガル・ボランティアをかかえる。アジア系や太平洋諸島系のアメリカ人を対象に、法律相談や多言語サービスを実施し、公民権の擁護をはかってきた。2002年、APALRCが中心になって、「DC言語アクセス連合（DC Language Access Coalition）」を結成した。これはLEP住民の公的なサービス、プログラム、活動への参加の保障をもとめて、41の団体が合同してできた組織である。DC言語アクセス連合は、活動の柱のひとつとして言語アクセス条例の制定をかかげてロビー活動をおこない、2004年にその実現をはたした。首都ワシントンで、こうした法律が成立したことの意味は大きい。

条文の第2項には「言語アクセス連合と相談して」といった文言がみられる。

ここでは、NPOと行政の協働が文字化されている。実際に、NPOは市長室、人権事務室などと協力態勢をとり、コンサルタント的な役割をはたしている。独自に、事後の監視もおこない、その点検結果を2012年に発表した（アメリカン大学ワシントン法学部／DC言語アクセス連合2012）。こうしたいきさつをみると、サンフランシスコと同様に、NPOが言語アクセス条例の制定、協働、監視に主導的な役割をはたしていることがわかる。もちろん、言語アクセス条例をもつすべての都市や州にあたったわけではないので一般化はできないが、いくつかの自治体において、サンフランシスコと同様にNPOの重要な役割を確認することができる。

## 8. おわりに――言語アクセス条例の評価をめぐって

### あたらしい公共の出現

アメリカでNPOの活躍がめだつようになるのは1990年代である。この時期には数量的な飛躍がみられる。アメリカの10大都市圏におけるアジア系アメリカ人を支援するNPOの数を集計した調査がある（リウ・マイケルほか2008: 125）。これによると1960年代（1961-1970年）には200にも達しなかったNPOの数は、1990年代（1991-2000年）には1,200をこえるまでになっている。

サンフランシスコを舞台として実現した言語アクセス条例は、こうしたNPOの活動の一例として評価することができよう。デグラウ・エルス（2016: 31-37）がのべるように、従来は移民支援をおこなうのは宗教団体、福祉団体、労働組合、政党の地方組織などであった。しかしその影響力がうしなわれつつあるいま、旧組織にかわって移民を支援する有力な団体はNPOである。

NPOの力がましたことは、内発的な理由だけでなく、外発的な理由もある。共和党のレーガン大統領にはじまる1980年代の経済政策は、規制を緩和して市場メカニズムを拡大するとともに、行政改革によって小さな政府を実現し、財政の緊縮をめざすものであった。「新自由主義」とされるその政策は1990年代、民主党のクリントン大統領によっても、継続された。

ただし、クリントンによる新自由主義は、あらたな方針も導入した。仁平典宏（2017）によれば、それは社会政策から単純に撤退するのではなく、市民社会組織を活用した包摂化や、助成・委託を通じての準市場の機能化である。政府が手をひいた分野を放置せずに、官民協働型あるいはネットワーク型の組織の利用がなされた。こうした社会の仕組みは、「あたらしい公共」「新公共管理」とよばれる。その有力な実行機関がNPOである。

NPOの活動は、日常的な実践にとどまらず、権利擁護や政策提言といったアドボカシーにのりだすところもでてきた。政治や行政の不備を目にすれば、その改善を志向する組織がでてくるのは当然である。1990年代は「アドボカシーの噴出」の時代でもあった。かつての運動団体にかわってNPOなどが諸要求をかかげて実現してきた。サンフランシスコの言語アクセス条例もその一例である。それは民主主義の深化ということもできよう。こうした社会を評価して「あたらしい市民社会」とよぶ場合もある（坂本治也2017）。

## リベラルからの批判

しかし言語アクセス条例（あるいは「あたらしい公共／あたらしい市民社会」）に対しては、左右からの批判がある。

リベラルは、NPOは本来的には政府のなすべきことを肩がわりしているにすぎないと批判する。新自由主義的な経済政策のもとで、企業とならんで肩がわりを期待されるアクターがNPOなのである。言語アクセス条例にしても、本来は連邦政府が全国一律の法律を制定して施行すべきといえる。アメリカでは移民の増加に対して、国家的な政策はなく、いわば「ほったらかし」の状態である（日本も同様であるが）。何度か総合的な施策の立法化をこころみられたが、いずれも失敗におわった。多言語サービスをうたった、クリントンの大統領令13166でさえも、予算措置のない理想主義的な行政命令にとどまる。この大統領令の法制化こそ、めざすべき目標になる。

アンデルセン・クリスティは「アメリカ合衆国の現況は、連邦政府が移民政策を策定する責任を放棄し、州や自治体がさまざまな問題に対して自分たちで政策をつくっている」とのべる（アンデルセン・クリスティ 2010: 26）。こうしたなかで、州や自治体と協力して、移民支援のニーズに地域のNPOがこたえざるをえなくなっているのである。

## 保守からの批判

一方、保守主義の立場からは、移民排斥のうごきがある。2017年に大統領に就任したトランプは、メキシコとの国境に壁をつくることを公約にかかげ、それを実行中である。聖域都市をめぐっては、大統領選挙中から、非難をくりかえし、就任直後には「聖域都市への連邦補助金を停止する大統領令」を発令した(4)。

言語サービスについては、いまも英語公用語化を目的として活動する団体がある。これらの運動団体によれば、多言語サービスは、余計な支出をともない、移民の英語習得をさまたげるサービスである。多言語サービスが実施されている投票、運転免許、医療、裁判なども批判の対象になる。

移民排斥のうごきと連動した英語公用語化運動が活発化すれば、かつてのバイリンガル教育がそうであったように、言語アクセス条例も骨抜きにされていく可能性がある。移民政策とおなじく言語アクセス条例も、対立する政治潮流のなかにおかれているのである。

### 注

(1) ttps://factfinder.census.gov/faces/nav/jsf/pages/community_facts.xhtml?src=bkmk（アクセス: 2018.2.20）

(2)「NPO」という用語は、アメリカではかならずしも一般的ではない。「Nonprofits」とか「Nonprofit Organizations」などと表現される。ここでは、日本語の用法にしたがって、「NPO」を使用する。

(3) https://caasf.org/（アクセス: 2017.12.20）

(4) トランプは、サンフランシスコで非正規移民が女性を殺害した「スタインリー事件」を反聖域都市、反移民の選挙キャンペーンに利用した。そして大統領に就任まもない2017年1月、「すみやかに非正規滞在者を拘束し退去させるとともに、聖域都市には連邦資金を交付しない」という大統領令を発令した。これに対してサンフランシスコなどいくつかの聖域都市が訴訟をおこした。2017年4月サンフランシスコの連邦地裁は、この大統領令の差止を命じる仮処分の判決をくだしている。

# 第Ⅱ部

# 〈やさしい英語〉サービスについて

# 第6章
# 〈やさしい英語〉をめぐる運動と政策

## 1. 法律文書の難解さ

第Ⅱ部では、〈やさしい英語〉(plain English) をテーマにする。現代アメリカで〈やさしい英語〉をめぐる運動や政策がいかにして生じてきたのか、消費者文書や行政文書を素材にして論じたい。第9章（付章）では、現代イギリスに言及する。

法律文書は一般に、専門用語が多く、構文もながくて複雑である。大久保忠利（1959）は、法律日本語の特徴を病気にたとえて、「①長文病、②修飾語句長すぎ病、③主述はなれ病、④省略文素無意識病、⑤条件文やたらはさみこみ病」とユーモラスに名づけている。大河原眞美（2009: 128）は、検察官が書いた起訴状に原稿用紙一枚分（400字!）をこえた長文があることを紹介している。

英語にも似た症状がある。イギリスの法律英語は、歴史的な経緯もあって、ラテン語、フランス語、専門用語など市民にはわかりにくい語彙が多くのこっている。また句読点をつけないといった、固有の形式や文法もある（メリンコフ・デイビッド1963）。植民地時代からこれをモデルとして継承したアメリカの法律英語は、その特徴をうけついだ。いくぶん改良されたとはいえ、20世紀になっても、弊害はもちこされていたのである。

現代アメリカの法律英語には、どのような特徴がみられるのか。ティアルスマ・ピーターは、次のような点をあげる（ティアルスマ・ピーター 1999: 208-210）。法律専門用語の存在（estoppel、lis pendens など）、ふるい形式語の使用（hereof、therewith など）、非人称代名詞による構文、名詞化や受動態の多用、形式的法助動詞（shall など）の使用、多重否定、長くて複雑な文章、貧弱な組織化。

一例として、ティアルスマは1975年までニューヨークのシティバンクで使用されていた①「ローン契約書（promissory note）」の例をあげている。これは消費者文書改訂のきっかけになった文書である。また1990年頃に使用されていた、不動産の売買において抵当証書に相当する②「信託証書（deed of trust）」の一節も紹介している（同上書：219, 257）。

① AS COLLATERAL SECURITY FOR THE PAYMENT OF THE INDEBTEDNESS OF THE UNDERSIGNED HEREUNDER AND ALL OTHER INDEBTEDNESS OR LIABILITIES OF THE UNDERSIGNED TO THE BANK,（以下、略）

② Borrower covenants that Borrowers is lawfully seised of estate hereby conveyed and has the right to grant and convey the Property and that the Property is unencumbered, except of the encumbrances of record.（以下、略）

日本語でいえば、これらは普段ほとんど目にしない漢字・法律用語が登場し、一文も長くてよくわからない、といった文章であろうか。①のローン契約書はすべてが大文字で実に読みづらい。長文で、どこに区切りがあるのかもハッキリしない。②の信託証書は、大文字と小文字が混在して、現代風になっているとはいえ、難語が多く、構文も複雑である。ティアルスマはこの信託証書は近代以前の「年季証文書（indenture）」とかわらないとしている。契約者にとって一生のうちの最も大きな支出にかかわるローン契約書や信託証書が、このように難解な英文で書かれているのであれば、たまったものではない。

法律文書を改革しようというこころみは、歴史上、何度も登場した。そのなかで、アメリカでもっともひろく受容されたのは、フレッシュ・ルドルフである。「わかりやすい」という意味をもつ英単語には、「easy」「simple」「clear」「understandable」「plain」などさまざまな候補がある。これらのなかで「plain」が採用され一般的になっていった理由のひとつは、フレッシュの主張や著作に「plain」がつかわれていたことによる（同時に、イギリスの〈やさしい英語（plain

English)〉運動の影響もあるが)。

## 2. フレッシュ・ルドルフと〈やさしい英語〉

### 読みやすさ公式と読みやすさ尺度

フレッシュ・ルドルフ(Flesch, Rudolf、1911-1986)は、オーストリアうまれの心理言語学者。1941年にナチの迫害をのがれてアメリカに移住し、コロンビア大学で学位を得た。当時、アメリカには亡命者や移民が多数おしよせ、そのうけいれが問題になっていた。英語を母語としない人々、とくに移民児童の英語教育のために、英語の難易度を判定することがひとつの課題であった。フレッシュは、「読みやすさ(readability)」をテーマにした学位論文をかいている。以後、アメリカで英語作文法に筆をふるうとともに、教師やコンサルタントとして活躍した。

著作は20点以上にのぼる。主著には、『読みやすい作文の技法(The Art of Readable Writing)』(1949)、『効率的な作文、会話、思考の方法(How to Write, Speak, and Think more Effectively)』(1960)、『表現スタイルABC―〈やさしい英語〉案内(The ABC of Style : A Guide to Plain English)』(1964)、『〈やさしい英語〉作文法―法律家と消費者のために(How to Write Plain English: A book for Lawyers and Consumers)』(1979)などがある。

当時も、読みやすさをはかる尺度を提案した研究者は多かった。フレッシュは、文章と単語が短いほど、読みやすさが向上することを発見した。そして文章の難易度をしめす独自の公式(フレッシュ・読みやすさ公式:Flesch Reading Ease Readability Formula)を提案した。

**図表6-1 フレッシュ・読みやすさ公式**

得点 =206.835 − (1.015 × ASL) − (84.6 × ASW)
ASL: Average Sentence Length(文章の平均的な長さ)
 = 総単語数÷総文章数
ASW: Average Number of Syllables per Word(単語あたりの平均的音節数)
 = 総音節数÷総単語数

(出典)フレッシュ・ルドルフ:Flesch, Rudolf 1979, 23-24

この公式によって得られた得点は、たかいほど平易であることになる。1976年には、海軍から委託された研究をもとにして、得点と学年レベルとを関連づけた「フレッシュ・キンケイド読みやすさ尺度」(以後、「フレッシュ・読みやすさ尺度」と略記)が発表された。デュベイ・ウィリアム(2007)を参考にすると、これは次のようにまとめられる。

**図表6-2 フレッシュ・読みやすさ尺度**

| 得点 | 文章の難易度 | 通算学年 | 成人比(%) |
|---|---|---|---|
| 0-30 | 非常にむずかしい | 大学院 | 5 |
| 30-50 | むずかしい | 13-16年 | 33 |
| 50-60 | やや・むずかしい | 10-12年 | 54 |
| 60-70 | 標準 | 8-9年 | 83 |
| 70-80 | やや・やさしい | 7年 | 88 |
| 80-90 | やさしい | 6年 | 91 |
| 90-100 | 非常にやさしい | 5年 | 93 |

※成人比は1949年アメリカのデータによる
(出典)デュベイ・ウィリアム:Dubay, William 2007, 57

図表にあるように、義務教育修了程度の学年(日本でいえば、中学2年生、3年生程度)にあたる60点から70点の範囲が標準になる。アメリカでは通算学年で識字レベルが表示されることがある。医療や消費者文書に関しては、標準レベルでの執筆がもとめられることが多い。

## ガイドライン

「フレッシュ・読みやすさ公式」で変数として採用されたのは、単語あたりの音節数、文章あたりの単語数である。明確な英文を書くときは、できるだけ短い単語と短文で、というのが第一の原則になる。フレッシュは、これ以外にも文章作成の手引(tips)を何点かあげている。それまでの著作の総集編である『効率的な作文、会話、思考の方法』(1960)の表紙見返しには、ルール集がある。それは「話すように書くこと、一人称をつかうこと、文章を短くすること」など、25のルールからなる(資料6-1を参照)。

フレッシュの作文法は、散文一般を対象にしており、ジャーナリズムやビジ

**資料6-1　〈やさしい英語〉ガイドライン（フレッシュ・ルドルフによる）**

| | |
|---|---|
| 1. 人と事物と事実について書きなさい。 | 13. 省略名や短縮形を使用しなさい。 |
| 2. 話すように書きなさい。 | 14. 名詞をくりかえすよりは、代名詞を。 |
| 3. 短縮形を使用しなさい。 | 15. 名詞より動詞を使用しなさい。 |
| 4. 1人称を使用しなさい。 | 16. 能動態と人称主語を使用しなさい。 |
| 5. 語られたことを正確に引用しなさい。 | 17. 概数を使用しなさい。 |
| 6. 書かれたことを正確に引用しなさい。 | 18. 図、事例、例示など、具体例をあげなさい。 |
| 7. 読者の立場にたちなさい。 | 19. あたらしい思考で、あたらしい文章を。 |
| 8. 読者の気持ちを傷つけないように。 | 20. 文章は短く。 |
| 9. 誤解をふせぎなさい。 | 21. パラグラフは短く。 |
| 10. 簡略化しすぎないように。 | 22. 直接疑問形を使用しなさい。 |
| 11. 序論、本論、結論の計画をたてなさい。 | 23. 強調には下線をひきなさい。 |
| 12. 規則から例外、親密から新奇へすすむこと。 | 24. 一時的な言及にはカッコを使用しなさい。 |
| | 25. 文書のみばえをよくしなさい。 |

（出典）フレッシュ・ルドルフ Flesch, Rudolf 1960: 表紙見返し

ネスの分野にひろがった。とくに『読みやすい作文の技法』(1949)は人気を博し、広告業者や新聞記者のバイブルになったという。契約書をはじめとする法律や行政の文書作成に利用された。大学や機関でわかりやすい法律英語を書くための研修やトレーニングのテキストにも〈やさしい英語〉の方針が採用されている（アスプレイ・ミッシェル2010、ガーナー・ブライアン2013など）。これとくらべて、日本では平易な法律文を書くためのテキストや実践がほとんどみられないのは残念である。

文章の難易度を数値化した尺度はほかにもあるが、「フレッシュ・読みやすさ尺度」は、もっともポピュラーなものになった。日本人にも身近な文章作成ソフトMS-Wordに文書校正ツールとしてくみこまれており、英作文の際などに、簡単に文章の難易度を測定できる。

英作文マニュアルは、人気を博しても、ひとつの指南書にすぎない。フレッ

シュのガイドラインや尺度が社会的な影響力をもつにいたった理由は、公式の場に採用され規範化されたことによる。1970年代から消費者文書や行政文書の平易化をさだめた法律がうまれ、そのガイドラインとしてフレッシュが採用されたのである。

## 3. 消費者文書の平易化

法律文書の平易化のきっかけは、先ほど第1節であげたニューヨーク・シティバンクの「ローン契約書(promissory note)」の書きかえである。シティバンクはローン契約をめぐって、不払い者に対して多数の訴訟をおこしていたが、同時に、市民から訴訟をおこされていた。その改訂にあたって、コンサルタント会社に在籍して指導したのが、フレッシュ・ルドルフである。書きかえは、世間の注目をあびた。これが実施された1975年をもって、アメリカにおける〈やさしい英語〉運動の起点とする研究者もいる。

1978年には、ニューヨーク州で「ニューヨーク州・〈やさしい英語〉法」(New York Plain English Law)が発効した。これは、商品や土地の取引などの消費者契約書にまで範囲を拡大して、その平易化をもとめたものである。同法には、5万ドル以下の消費者契約は〈やさしい英語〉つまり日常的に使用される英語で書き、適切に段落に区切り、見出しをつけなければならない、とある。

ニューヨーク州・〈やさしい英語〉法は、他州へ影響をあたえた。アメリカでは州の独立性がたかいが、ある州の立法が他州に「政策波及」をもたらすことも多い。これに範をとった法律は、全米26州で州議会にはかられた(実際に成立した州は8州にとどまる)。

また保険、証券といった他の分野にも影響をおよぼした。全米保険監督官協会は、生命医療保険などの保険契約に付随する「約款(policy)」について、フレッシュの読みやすさ公式にもとづくモデル法を作成し、各州に採用をうながした。証券取引委員会も、証券目論見書の改訂を実施した。シティバンクとニューヨーク州に端を発した消費者文書の平易化は、他の地域や分野にひろがりをみせたのである(くわしくは第7章を参照)。

## 4. 行政文書の平易化

法律文書とならんで、行政文書も難解である。1970年代になると、連邦政府においても規制(regulation)や規則(rule)の文面を平易にするうごきがみられるようになる。1977年、大統領に就任したカーターは、行政改革を目玉政策にかかげ、翌年「政府の諸規制の改善について」と題する「大統領令(executive order)12044」を発令した。第2条には「規制は、〈やさしい英語〉で書かれ、これにしたがう人にわかりやすいものにする」という一文がみられる。この大統領令は〈やさしい英語〉を採用したということで話題になったが、実際の効果は限定的であった。

ふたたび〈やさしい英語〉が注目をあびたのは、クリントン大統領の政権時である。クリントンは、官僚主義の打破をかかげ、そのひとつとして1998年に「政府の文章作成における〈やさしい言語〉について」という覚書を発表した。覚書は、連邦政府の文書は〈やさしい言語〉でなされるべきだとのべ、短文、日常的な用語、能動態の使用などをすすめる。省庁間で差はあったものの、行政文書の平易化に一定の進展がみられた。

その後、オバマ大統領は2010年「やさしい作文法(Plain Writing Act of 2010)」に署名した。連邦政府における〈やさしい言語〉政策は、大統領令や覚書をへて、より上位の「法(act)」にいたったのである。同法は、規制をのぞく、政府の文書、書式、刊行物、告知、手紙などは、簡潔でよく組織された作文で書かれなければならないとする。

「やさしい作文法」の成立後に、適用範囲をひろげようとする法案が準備され議会に提案されたが、成立にいたらなかった。研究者や運動家の多くは、あらたな立法が必要だという認識をもっている(くわしくは第8章を参照)。

## 5. 世界における〈やさしい言語〉運動

### イギリスの〈やさしい英語〉運動

大西洋をへだてたイギリスでも、同時期に〈やさしい英語〉運動の展開がみられた。アメリカのフレッシュ・ルドルフに相当するイギリス人は、ガワーズ・

アーネスト（Gowers, Ernest）である。行政官僚のひとりとして、難解な法律／行政文書に疑問をもっていたかれは、1948年に『やさしいことば（Plain Words）』、1951年に『やさしいことばABC（ABC of Plain Words）』、1954年に両者をあわせた『合本·やさしいことば（The Complete Plain Words）』を刊行した。とくに『合本』はロングセラーをつづけ、2014年にも新版がでている。

イギリスでは1979年に、低識字者の支援をおこなうNPO「〈やさしい英語〉キャンペーン（Plain English Campaign）」が結成された。代表者のマーハ・クリッシーとカッツ・マーティンは、公文書の難解さをアピールすべく、同年にロンドンの国会議事堂前で、公文書をシュレッダーできりきざむデモンスレーションをおこなった。その後も、研修会の開催や「〈やさしい英語〉大賞」の発表といった活動をつづけている。

創始者のひとりカッツは、オックスフォード大学出版局から『〈やさしい英語〉へのオックスフォードガイド』を出版した（カッツ・マーティン2013）。これは、標準的な解説書として版をかさねている。そのガイドラインには、eメール、レイアウト、校正の注意点などもふくまれ、より現代的である（資料6-2を参照）。

当時、サッチャー首相のもとにあったイギリス政府は、積極的な対応をみせた。『政府の行政書式について』という白書を刊行し、文書改訂にとりくんだのである。これにマーハやカッツも協力した。イギリスでは運動と政府の一体化という現象がみられた（くわしくは第9章を参照）。

## 各国の〈やさしい言語〉運動

〈やさしい英語〉は、近年は〈やさしい言語〉といわれることが多い。その理由のひとつは、アメリカ・イギリス以外の諸国に運動がひろがっているからである。たとえば、カナダでは言語の平易化をはかるとともに、国際的な連帯をめざすNPO「プレイン = PLAIN: Plain Language Association International」が1993年に結成されている（アメリカにおなじ略称のNPOがあり、まぎらわしいが）。オーストラリア、ニュージーランド、スウェーデン、フランス、ドイツなどにも同趣旨のNPOがある。

文書の平易化に積極的な政策をとっている政府もある。オーストラリア政府は、1984年に法律そのものに〈やさしい英語〉を適用する政策を採用した。ス

資料6-2　〈やさしい英語〉ガイドライン（カッツ・マーティンによる）

| ■スタイルと文法 |
| --- |
| 1. 文書全体において、平均的な文章の長さは、15語から20語にしなさい。 |
| 2. 読者が理解できそうな単語を使用しなさい。 |
| 3. 本当に必要な数だけの単語を使用しなさい。 |
| 4. 受動態をどうしてもつかう理由があるとき以外は、能動態を使用しなさい。 |
| 5. 文書で行動を指示するときは、クリアーで、明快で、ハッキリした動詞を使用しなさい。名詞の連続はさけること。 |
| 6. 複雑なテキストよりも箇条書きを。 |
| 7. できるだけポイントを明確にしなさい。 |
| 8. 参照指示はできるだけ、へらしなさい。 |
| 9. 作文の中心部に、正確に句読点をうちなさい。 |
| 10. 人々の平均的な読書年齢は13歳ぐらいであることを記憶しておきなさい。 |
| 11. 作文に関する神話にまどわされないこと。 |
| 12. 性差別的な言葉はさけること。 |
| 13. よい文法をつかうこと。ただし、何百もの文法用語を知る必要はありません。 |
| 14. 手紙やeメールでは、文頭、文末のふるくさい文章はさけましょう。 |
| ■準備と計画 |
| 15. 書きはじめるまえに、計画をたてること。 |
| ■情報の組織化 |
| 16. 読者が重要な情報をすぐに把握し文書をみてすぐにうごけるように材料を組織化しなさい。 |
| 17. 情報を処理する、いろいろな方法をかんがえなさい。 |
| 18. モラルや効率がたかまるように、注意ぶかく思慮ぶかく同僚の作文を管理しなさい。 |
| ■特別な目的のための〈やさしい英語〉: eメール、使用説明書、ウェブ、法律文書、低識字者 |
| 19. 他の作文とおなじくらい、eメールを注意ぶかくあつかいなさい。 |
| 20. 明瞭でよく組織化された使用説明書をつくるよう特別な努力をしなさい。 |
| 21. ウェブ上で駄文を書いてはいけません。さきに重大なニュースをつたえ、スタイルや構造を力強くしなさい。 |
| 22. 保険証券、レンタカー契約、法律、遺言書などの法律文書に〈やさしい英語〉の技法を適用しなさい。 |
| 23. 低識字者のために、細部はカットして簡潔にし、真の専門家つまり読者によって文書をテストしなさい。 |
| ■レイアウト |
| 24. あなたの言葉がすぐにわかるように、明快なレイアウトをもちいなさい。 |
| ■校正 |
| 25. 読者が読むまえに、あなたの作品をチェックしなさい。 |

（出典）カッツ・マーティン Cutts, Martin 2013, xxxi-xxxii

ウェーデン政府は、1989年に各官庁に対して〈やさしい言語〉の使用を義務づける法律を制定した。カナダ政府は1991年に「Plain Writing」マニュアルを発行し、〈やさしい言語〉の使用を促進している（岡田吉次郎2003）。イギリスのNPOの協力をえて、マンデラ大統領のもと南アフリカで1996年に公布された新憲法が、〈やさしい言語〉原則にもとづいて作文されたことも特筆すべきである。

このように1970年代以降、各国で法律／行政文書の平易化がみられた。〈やさしい言語〉の運動と政策は、アメリカにとどまらず、いくつかの国に共通する現象だといえる。日本でも1995年の阪神淡路大震災をきっかけに〈やさしい日本語〉が登場し、その活用がはかられている。いまのところ上記の国々の運動と組織的な関係はないようだが、共通する基盤や特徴もある。今後の国際的な連帯が期待される。

## 6. 〈やさしい英語〉運動の主体

### 運動主体はだれか

アメリカの〈やさしい英語〉の政策化をめぐっては、これを推進した運動主体として、次の三者を指摘できる。

第一は、消費者である。消費者文書の改訂のきっかけは、消費者からの訴訟であった。1960年代以降、アメリカで消費社会が到来すると商品が多様化し、保証書、取扱説明書、契約書など、さまざまな文書が付随するようになった。とくに識字能力が十分ではない消費者にとってこれらの文書の理解は困難であり、その不備を問う訴訟の増加がみられるようになった。

イギリスでは低識字者による運動もみられた。〈やさしい英語〉キャンペーンの創始者のひとり、マーハ・クリッシーは家庭の事情により10代なかばまで字の読み書きができなかった女性である。文字をまなび、同様の問題をかかえる人々の支援にのりだした。ただし、アメリカではこのような運動を確認できない。

第二は、行政文書の平易化をもとめるNPO（非営利団体）である。1996年、連邦政府内に「プレイン = PLAIN: Plain Language Action and Information」

という団体が誕生した。これは連邦政府の情報提供に〈やさしい英語〉の利用を促進しようとする、連邦職員有志による団体である。政府内において、研修会、入門講座の開催などをおこなっていた。クリントンが覚書を発表した背景には、政府部内における NPO の活動があった。

政府の外部でも、法律家や法学者を中心とする組織が活動をしている。上記のプレインは、活動を連邦政府外にひろげるため、2003年にあたらしい NPO「〈やさしい言語〉センター＝Center for Plain Language」をたちあげた。メンバーには政府職員のほかに、法学者や弁護士も多数参加する。センターは、オバマ政権時に議会にロビー活動をおこない、「やさしい作文法2010」の成立を主導した。

第三は、企業と政府である。消費者文書の改革のきっかけになったのは、シティバンクという私企業であった。消費者にわかりやすい文書を提供することは、訴訟リスクをさけ、長期的な利益を確保するという企業戦略につながる。〈やさしい英語〉は、利潤を追求する企業の活動に合致する。

政府にも同様の動機があった。〈やさしい英語〉政策を遂行したカーター、クリントンは、行政改革の必要にせまられていた。肥大化する連邦政府の組織や事務を整理し、財政支出を削減することは、これらの政権にとって必須の課題であり、その一環として事務・文書改革が位置づけられていた。イギリスのサッチャー政権についても、同様のことが指摘できる。

### 三者の関係

消費者、NPO、政府という三者の関係はどうであったのか。消費者は、難解な消費者文書や行政文書によって、もっとも被害をこうむる人々である。消費者訴訟という形で、個々の異議申立はみられた。一部は消費者団体の支援もあった。しかし、「消費者文書の平易化」をスローガンとする消費者運動を確認することはできない。

〈やさしい英語〉をめざす、法律家、行政職員などによる NPO は、活発な活動をしている。それは、企業や行政の文書改革のきっかけとして機能した。しかし、これらは、第Ⅰ部でみたような言語少数者の支援を目的とする団体ではなく、文書改革をめざす行政や法律の専門家の団体である。ロビー活動もみられるが、第三者的な組織という性格にとどまる。

こうしてみると、〈やさしい英語〉サービスを実現した最大の力は、企業や政府だったことになる。消費者やNPOなど、きっかけや協力者は別にあったが、推進の中心になったのは、企業や政府である。文書合理化、経費節減という動機は、実に強力であった。第7章（企業と州政府）、第8章（アメリカ連邦政府）、第9章（イギリス政府）の事例は、これを例証するはずである。

第Ⅰ部で、行政や議会に多言語サービスを要求し、実現してきたエスニック団体や移民支援NPOの運動をみてきた。それは言語少数者を起点とし、諸団体による協力をえて、言語支援の政策化をもとめるという「下からの運動」であった。これに対して、〈やさしい英語〉サービスの実現には、「下からの運動」はよわく、むしろ企業や政府が主導する「上からの運動」であったといえる。協力者としてのNPOも改革派の官僚や法律家が中心であり、性格は異なっている。〈やさしい英語〉サービスの実現にいたる経緯は、多言語サービスの場合とは、様相がちがうのである。

## 7. 〈やさしい英語〉の意義と限界

### 〈やさしい英語〉の意義

クリントン政権時に副大統領をつとめたゴア・アルは〈やさしい言語〉政策を主導したひとりである。彼の発言に「〈やさしい言語〉は、ひとつの公民権である」というのがある[1]。たしかにこれは〈やさしい言語〉の意義を明確にあらわしている。難解な法律／行政文書にくるしめられていた消費者や市民が、平易な文書にアクセスできることは、公民権（現代的にいえば、言語権／言語アクセス権）の拡大にほかならない。アメリカにおける〈やさしい英語〉の発展は、言語の民主化として、評価すべきである。

アメリカの〈やさしい英語〉の特徴のひとつは、その実効化をはかる仕組みが構築されていることである。連邦政府、州政府、企業の監督機関などで、法律や規則として法制化されている。さらには、実施機関に報告を要求したり、許認可の条件にしたりといった工夫がある。もうひとつの特徴は、〈やさしい英語〉がガイドラインの提示にとどまらず、得点、尺度、通算学年といった形で数値化されていることである。もちろん、それが正当かどうかは議論がある。しかし、数字という目にみえる形がしめされることで、目標や達成度がより明確化されることになる。日本でも〈やさしい日本語〉の実践があるが、こうしたアメリカの特徴にはまなぶべき点が多い。

## 〈やさしい英語〉の限界

同時に、〈やさしい英語〉に限界があることも指摘しなければならない。その意義はみとめつつも、〈やさしい英語（言語）〉の現在のあり方を批判する研究者が何人かいる。

そのひとりジェンセン・カリは、正義へのアクセスの改善としてはじまった〈やさしい英語〉運動は、次第に時間・効率・カネの節約へと変節をとげたとする。契機になったのは、クリントンの政策である。クリントンは大統領覚書をとおして〈やさしい英語〉の推進に貢献した。しかしジェンセンによれば「クリントンの覚書の背後にある真の動機は、時間、労力、費用の節約であった」ことになる（ジェンセン・カリ 2010: 822）。実際、覚書のなかには「〈やさしい言語〉は、政府や私的なセクターから、時間、手間、費用を節約する」という一文がある。ゴアの報告書にも、いたるところに「コスト・カット」ということばが登場する。

しかし、これは時代による変節というよりは、当初からそうした特徴をもっていたというべきであろう。クリントンに先行するカーターの大統領令も、行政改革という動機によるものであった。つまり、〈やさしい英語〉運動は、企業や行政が主導する上からの言語改革運動であったために、正義へのアクセスの視点、つまり受け手の視点が欠如しやすいことになる。序章でのべたように、本書はLEPという言語少数者に立脚する。平均的な英語能力をもつ受け手にとって〈やさしい英語〉は理解しやすい英文を提供するかもしれない。しかし英語能力に限界のあるLEPにとって、依然として改善は不十分であり、その意義は限定的である。

LEPにとって、〈やさしい英語〉にはどのような限界があるのか。次の2点を指摘できる。

① 出身国の言語や障害の様態など、多様なコミュニケーション・ニーズに対応できないこと。
② 文書作成というテキストだけの次元にとどまるために、コンテキストにおける諸問題に対応できないこと。

### ①受け手の多様性

〈やさしい英語〉を批判する研究者のひとりに、第2言語としての英語を研究するスラッシュ・エミリーがいる。英語にはラテン系（ロマンス系）とゲルマン系（サクソン系）の単語がふくまれている。スラッシュ（2001）は、学習者の出身国のちがいによって理解しやすい単語がちがうことを立証している。〈やさしい英語〉では難語のいいかえリストがしばしば提案されるが、それは母語によって難易度が異なるのであり、だれにでもあてはまるものではない。

さらにいえば、〈やさしい英語〉は通算学年8-9年（中学生程度）を対象レベルに想定しているが、それに達しない非識字者や低識字者がいる。さらには、聴覚障害者、知的障害者など多様なコミュニケーション・ニーズをもつ人もいる。〈やさしい英語〉はそうしたニーズに対応力をもっているのか。はたして、単一のガイドラインを作成することが可能なのか。ペンマン・ロビン（1992: 13）は「〈やさしい英語〉はすべての病気をなおす万能薬ではない。受け手のニーズと問題点がまず考慮され、その後に適切なスタイルの選択がなされるべきである」とのべている（くわしくは第7章第7節を参照）。

### ②受け手のコンテキスト

もう一点、文書の改良だけで、はたしてLEPの言語アクセスは改善されるのかという問題がある。カー・キャスリーンは、オバマの「やさしい作文法」をテーマにする研究者である。カー（2014）は、市民からインタビューをおこない、行政文書の利用実態の調査を実施した。その結果、文書の平易さとは別に、日常生活におけるさまざまな条件（コンピュータ能力、移動手段の欠如、視力などの身体能力、人間関係など）が重要な意味をもっていることを発見した。そして必要なのは「読みやすさ尺度」よりも、「利用可能性（usability）」であるとする。LEPのおかれている生活は、経済的、社会的な条件にもかかわってくる。そうした生活世界のなかで、〈やさしい英語〉の意義をとらえかえさなくてはならない（くわしくは第８章第６節を参照）。

先ほどとりあげたジェンセン・カリは、〈やさしい英語〉の本来の目的にたちかえることを提言する。〈やさしい英語〉運動がはじまったとき、その目的は日常的な、ありふれた人々に正義へのアクセスを提供することであった。効率から正義に運動の目標を再定義すること、これがジェンセンの結論である。本書の立場からいえば、法律ことばや役所ことばによってもっとも不利益をこうむるLEPの立場から〈やさしい英語〉の再評価をすべきだということになる。

## 第Ⅱ部の構成

第Ⅱ部は〈やさしい英語〉をテーマとする。第７章では企業や地方政府による消費者文書の平易化、第８章では３人の大統領による連邦政府の行政文書の平易化、第９章ではイギリスの〈やさしい英語〉運動をとりあげる。

**注**

（1）https://www.plainlanguage.gov/about/history/

# 第7章
# 消費者文書をやさしく
## ―企業と政府のとりくみ―

## 1. はじめに

### 消費者文書の明確性・平易性

消費は一見すると、貨幣と商品の交換のようにみえる。しかし、そこには言語的な要素も介在する。消費者は商品の名前、値札からはじまって、警告、成分表、取扱説明書、保証書などを読みとらなければならない。信用取引になると、契約書、借用書など、より複雑で高度な文書の解読も必要になる。消費に付随するさまざまな文書を「消費者文書（consumer documents）」とよべば、消費は消費者文書の読み書きをともなう行為だといえる。

消費者の権利、とりわけ「知らされる権利／知る権利」の実現のためには、ふたつのことが必要になる。ひとつは、必要な事項が開示されていること。消費者の安全や利害に関する事項は、不足なく開示されていなければならない。もうひとつは、文書がわかりやすく開示されていること。いくら必要事項が公開されていても、それが明確かつ平易に書かれていて、ただしく理解されなければ、意味がない。商品情報の開示には、内容（必要事項）と形式（明確性・平易性）の両方がもとめられる。

本章は、後者の明確性・平易性をテーマにする。私たちもよく実感するように、製品取扱説明書（マニュアル）、製品保証書、保険約款（やっかん）、証券目論見書（もくろみしょ）などは、実にわかりにくい。海保博之（2002）によると、日本での四大悪ドキュメントは裁判の判決文、官庁文書、学者の文章、そしてマニュアルなのだそうである。

日本でも消費者文書の明確性や平易性についての関心がたかまり、それをもりこんだ消費者法が策定されるようになった。2001年に成立した消費者契約法の第3条は、こうのべる。

> 事業者は、消費者契約の条項を定めるに当たっては、消費者の権利義務その他の消費者契約の内容が消費者にとって明確かつ平易なものになるよう配慮するとともに、消費者契約の締結について勧誘をするに際しては、消費者の理解を深めるために、消費者の権利義務その他の消費者契約の内容についての必要な情報を提供するよう努めなければならない（下線は筆者による。以下で引用する条文も同様）。

下線部にあるように、条文は必要な情報の提供とともに、その記述の明確性や平易性をもとめている。これは消費者法にあたらしい地平をひらいたといえる（同様の表現は、2004年に成立した消費者基本法第5条にもある）。しかし、条文が真に意義あるものになるかどうかは、今後にかかる。すでに指摘されているように、この条項は努力義務にとどまり、具体的な方策への言及がないからである。企業からすれば、明確に記述する具体的基準がわからず罰則規定もないのなら現状のままで、ということになりかねない。

## アメリカにおける明確性・平易性基準

本章は、アメリカにおける消費者文書をとりあげる。はやくから消費社会が到来したこの国では、消費者問題も早期に論じられていた。消費者を擁護すべくその権利をはじめて宣言したのは、ケネディ大統領である。1962年、議会に送付した特別教書において、消費者の4つの権利を提言した。そのなかには、「安全である権利」「選ぶ権利」「聞いてもらう権利」とならんで、「知らされる権利」がある。「知らされる権利（right to be informed）」というのは、詐欺的、欺瞞（ぎまん）的、または誤解しやすい情報や宣伝などから保護され、かつ選択に必要な知識を得る権利のことである。より能動的にいえば、これは消費者の「知る権利（right to know）」だといえる。商品および商品供給についての知る権利は、消費者の権利の中核をなす（奥平康弘1979: 84）。

消費者基準の明確性・平易性については、1960年代後半からは、「貸付真実法（Truth in Lending Act）」（1969年）を嚆矢（こうし）として、消費者法にとりいれられるようになった。その後、「1970年代を通じて、消費者保護の焦点は変化し、明確なコミュニケーションが事実関係の開示よりも重要だとみなされはじめた」とさえ、いわれる（エリオット・デイビッド1992: 8）。

この背景には、耐久消費財の市場が拡大し、取扱説明書や保証書などの文書が増加したこと、ローンによる商品購入といった信用取引の拡大によって複雑な文書が増加したことなどがある。これらの文書は、難解な法律ことば（legalese）や専門用語にあふれていた。その結果、無理解や誤解から生じる訴訟が多発することになり、対策がもとめられた。企業や行政は、商品情報の明確な開示をせまられたのである。

それから50年。アメリカでは各種の消費者文書について、明確かつ平易な文章作成のために、法律の制定、ガイドラインの指示、機関による許認可制度など、態勢が整備されてきた。こうした方策は、日本の消費者文書の今後をかんがえるうえで参考になるはずである。

以下では、製品保証書、消費者契約書、保険約款、証券目論見書という4つの消費者文書をとりあげる。それぞれには明確で平易な文書作成を要求する「マグヌソン・モス保証法」、「ニューヨーク州・〈やさしい英語〉法」、「生命健康保険約款・言語簡明化法」「SEC・〈やさしい英語〉開示規則」がある。これらの成立の経緯、内容、成果をみていきたい。規制主体は何か、どのようなガイドラインや数値基準が指示されているのか、罰則や許認可はあるのか、ということがポイントになる。

## 2. マグヌソン・モス保証法と製品保証書改訂

### マグヌソン・モス保証法の成立

アメリカの連邦法に消費者文書の明確性や平易性をはじめて記載した法律は「貸付真実法」であるが、より一般的かつ明快な形でそれを法制化したのが、「マグヌソン・モス保証法」である。製品保証に関する法律として1952年に「統一商法典（UCC：Uniform Commercial Code）が制定された。商法においては州法が連邦法に優先する。統一商法典はバラバラであった各州の州法を統一することを目的にしてつくられたモデル法である。このモデル法は各州で相ついで採用され、全米にひろがっていった。

しかし1960年代になると自動車や家電製品など耐久消費財の普及がみられ、商法典だけでは対応できなくなっていった。耐久消費財には保証書が添付され、保証内容や故障した場合の対応などが記される。しかし製品保証書はあらたな問題をひきおこした。たとえば自動車メーカーのクライスラーは、5年5万マイルの特別保証を実施したが、これは他社との間に派手な保証競争をまねいた。同様の過当競争は家電業界でも生じた。これとともに、消費者から多数の苦情が政府や議会によせられるようになったのである。内容は、保証条件、サービス内容、保証書の表示等、保証書全般にわたる（安田総合研究所 1990: 338–339）。

政府は、タスク・フォースをつくってあらたな立法を検討した。ジョンソン大統領、ニクソン大統領と2期にわたった検討結果をうけ、上院の商業委員会の委員長と委員であったマグヌソン（Magnuson）とモス（Moss）は、1969年「消費者製品保証法」を議会に提出した。法案は紆余曲折をへて6年後の1975年に議会を通過し、フォード大統領が署名して成立した。日本の公正取引委員会に相当するのは連邦取引委員会（FTC: Federal Trade Commission）である。その強化をはかるための「連邦取引委員会改善法」も同時に成立した。FTCは所轄委員会として、権限強化がはかられた。以後、この法律は「マグヌソン・モス保証法」もしくは「マグヌソン・モス保証および連邦取引委員会改善法」とよばれることになる。

保証法は、用語を定義した冒頭の101条につづいて、102条の（a）項で開示形式と開示内容をのべる。

> 消費者が利用できる情報の適切さを改善し、欺瞞をふせぎ、消費者製品の市場競争を促進するため、書面保証によって消費者に製品の保証をしようとする保証者は、委員会の規則が要求する範囲において、簡明に、すぐにわかることばで、保証の用語や文面を、十分に、ハッキリと開示しなければならない。

注目されるのは、「簡明に、すぐにわかることばで（in simple and readily understood language）」あるいは「十分に、ハッキリと（fully and conspicuously）」という文言

である。これにつづいて、保証者の名称、住所、期間といった保証内容が列挙される。同条(b)項でも、「明確に、ハッキリと(clearly and conspicuously)」という表現がある。

### 執筆ルール

執筆ルールについては、委員会が指示するとしている。そのひとつは、1977年に「ビジネス改善局協議会(Council of Better Business Bureaus)」が発表した「マグヌソン・モス消費者製品保証法に関するレビュー」である。このレビューは、執筆上の注意事項として何点かのポイントをあげる(安田総合研究所1990: 344)。

> 法律的、技術的な語句ではなく、一般的、素人向けの用語を使う／できる限り長字句ではなく、1音節か2音節の語を用いる／受け身文ではなく、能動文・直接文を用いる／長文、複文ではなく短文を用いる／各文を論理的順序で並べる／適度の余白をとり、重要な項目については太字やゴチック体を用いたり、明るい色を使う／保証されない項目は何かを示すために、実例を用いる。

その後、FTCは1983年に「読みやすい保証書を書くために」というガイドを発行した(連邦取引委員会1983)。ガイドのなかの「明確に、簡明に書くために」というセクションでも、同様の作文法が推奨されている。

このレビューやガイドは両方とも、第6章でみたフレッシュ・ルドルフによるガイドラインとほぼ一致している。1976年から数年間、フレッシュはFTCのコンサルタントとして勤務していた。彼が1979年に刊行した『〈やさしい英語〉の書き方―法律家と消費者のために』は、「改訂前／改訂後(before/after)」の形で、法律や規則をいかに〈やさしい英語〉に書きかえるかを解説した書である。そこで言及される例文の大半は、FTCの規制や規則である。FTCのレビューやガイドの作成において、フレッシュの影響力は大きかった。

それまで、明確化･平易化のための具体的指針を提示した消費者法はなかった。保証書の執筆者にとって、作文法が指示されることはおおいに参考になる。マグヌソン・モス保証法は、フレッシュを援用して、その先例をつくったのである。

## 成果はあったのか

これらの法律やガイドラインによって、実際にどのくらい製品保証書は改善されたのだろうか。マグヌソン・モス保証法の成果を検証した論文に、スティーバーソン・ジャネット／ムンター・アーロン（2015）がある。マグヌソン・モス保証法が施行されて3年後の1978年に、FTCは家庭用器具、移動式住宅、自動車、家庭用娯楽という4つの分野でそれぞれ何社かの保証書をとりあげ、法律の施行前後でどう変化したのか調査した。スティーバーソンとムンターは、それから34年後の2012年に、同一の企業の保証書をつかって2回目の調査を実施した。FTCの調査と対比させつつ、その結果を報告したのが上記論文である。

保証書の読みやすさを「フレッシュ・読みやすさ公式」の得点で計算すると、法律施行前の1974年には、4つの分野の全体的平均点は31点であった（フレッシュの得点の計算と尺度については、第6章の図表6-1、図表6-2を参照）。法律施行3年後の1978年にそれは38点に上昇し、やや改善がみられた。しかし、改善はわずかである。得点は大学生相当の学歴を必要とする「むずかしい」レベルにとどまり、標準とされる60-70点にはおよばない。2012年の再調査では、得点は31点に逆もどりしていた。保証書自体の長さも、平均的な単語数は319語（1974年）、455語（1978年）、1666語（2012年）と増加していた。

これらの結果をみるかぎり、マグヌソン・モス保証法は、あまり成果がなかったことになる。もちろん同法の意義はこれだけで評価できるわけではない。保証事項の確定や連邦最低基準の提示など、評価すべき点があった。しかし、同法の目的のひとつである保証書の明確化・平易化に関しては、1978年にも2012年にも、満足できる調査結果は得られなかったのである。

同論文の著者たちは、その原因として具体的な規制がなかったことをあげる。そして、今後はFTCの関与によって、保険業界にみられるように数値基準を設定し、「フレッシュ・読みやすさ公式」45点以上を法令順守とする規制を提案している（同上書：263）。こうした規制をすれば同法は21世紀の消費者にも意義をもちうる、というのが彼らの結論である。

製品保証書改訂の検証は、ひとつの教訓をあたえてくれる。それは消費者文書の明確化・平易化を法律でうたい、作文法を指示するだけでは、実際的な効果は期待できないということである。何らかの義務や規制を課さないかぎり、お題目にとどまる。第1節でみたように、日本の消費者契約法や消費者基本法には、明確性や平易性を要求する表現が挿入された。しかし、作文法などの具体的な指示はなく、義務や規制もない。これだけでは目にみえる成果をのぞむことはむずかしい。

## 3. ニューヨーク州・〈やさしい英語〉法と消費者契約書改訂

### ニューヨーク州・〈やさしい英語〉法とは

1978年は、アメリカにおける、〈やさしい英語〉運動（Plain English Movement）にとって、画期となる年であった。ひとつはニューヨーク州で〈やさしい英語〉法（Plain English Act）とよばれる州法が発効したから。同法は他州にも波及効果をおよぼした。もうひとつは、同年に〈やさしい英語〉に関するカーター大統領の大統領令が発令されたから。以後、何人かの大統領が、行政文書の平易化をすすめることになる（くわしくは、次の第8章を参照）。両者は〈やさしい英語〉運動の出発点になった。

ニューヨーク州で、1978年に一般債務法の一部として発効したのは、「消費者契約における〈やさしい言語〉の使用要請」という条項である。これは「ニューヨーク州・〈やさしい英語〉法」、あるいは成立の中心的人物であった州議員の名前にちなんで「サリバン法」とよばれる。

同法の内容は、きわめてシンプルである。5万ドル以下の家屋賃貸借契約や個人取引に関する消費者契約について、次のことをもとめる。

1. 常識的かつ日常的な意味の単語をもちいて、明確で筋のとおったやり方で書くこと
2. セクションごとに適切に区切って見出しをつけること

これに違反した貸借者や事業者に損害プラス50ドルの罰金を命じる。ただし、集団訴訟については1万ドルをこえない、という条件がある。

カーリー・ニューヨーク州知事は、法律の施行にさきだち、1977年8月に

知事メッセージを発表した。問答形式のメッセージは、法案の内容をこう説明する。

この法案は、何のためのものか
—法案はあらゆる消費者契約に次のことを要求する
a.〈やさしい英語〉(plain English) で書かれること
b.適切に分割されていること
c.うまく見出しがつけられていること
消費者契約とは何か
—消費者契約とは、5万ドル以下の、金銭、製品、サービスに関する契約 (agreement) のことである。

法律にある「常識的かつ日常的な意味 (common and every day meaning)」「明確で、筋のとおった (clear and coherent) やり方」という表現は、知事メッセージにおいては「やさしい英語 (plain English) で」といいかえられている。これは〈やさしい英語〉という表現が公式に初登場したという点でも注目される。

## 成立の経緯

ニューヨーク州・〈やさしい英語〉法が成立した直接の契機は、1975年のニューヨーク・シティバンクの「ローン契約書 (promissory note)」の書きかえである。全米第2位の大手銀行シティバンクは、ネーダー・ラルフなどの消費者運動のターゲットになり、利子の決定やその開示などについて批判をうけていた (ネーダー・ラルフ2013)。同行はまた、支払いを滞納するローン契約者を相手に、多数の訴訟をおこしていた。その結果、ニューヨークで3番目に訴訟の多い企業という不名誉な称号をつけられていた。これらの対策のため、同行はチームをつくってローン契約書の改訂に着手したのである。

第6章第1節で紹介したようにそれまでのローン契約書は、すべて大文字で、一文は長く、専門用語が多数登場するという、実に読みにくいものであった。その改善のため、コミュニケーション・コンサルタント会社に相談した (その会社のスタッフのひとりは、フレッシュであった)。文章は短く、受動態は能動態に、重文や複文は単文に、といった具合に書式の変更をおこなった結果、ローン契約書は、画期的に読みやすいものになった。

シティバンクの書式改訂はマスコミで大きく報道され、世間の注目をあつめた。しかしそれは、一銀行のローン契約書にとどまる。これを消費者契約書一般にひろげるべきだという主張があらわれた。地元で州議会の下院議員をつとめるサリバン・ピーターは、そのひとりである。サリバンは州の消費者契約書をシティバンク様式に変更するべきだとして、これをモデルとする法案を州議会に提案した。しかし１回目の提案は、多くの企業や法学者から反対をうけ、挫折した。そこでサリバンは前記（149頁）のような２項目に単純化した議案を再提出し、成立にこぎつけたのである。法律の発効をうけ、金融機関、小売業者、土地貸借者などは、1978年11月までに書式の改訂をせまられることになった。

この法律の規定はきわめてシンプルである。具体的な作文法については、日常的な単語の使用、セクションごとの区切り、見出しをつけることといった大雑把な指示しかない。〈やさしい英語〉の推進者たちからすれば、よりこまかなガイドラインが必要だということになる。しかし、改訂されたシティバンクのローン契約書という絶好のモデルがあった。マグヌソン・モス保証法に付随した執筆ルールもあった。こうした資料を横目に、企業家たちは消費者文書の書きかえをおこなった。

## その成果

では、実際にこれはどのくらい成果があったのであろうか。1979年４月１日のニューヨーク・タイムズ紙に「〈やさしい英語〉がもたらしたもの―サリバン法を企業は注視、大衆はあくび」という見出しの一文がある（シーゲル・アラン1979）。1979年３月に実施された調査会社の調査によると、ニューヨーク州で活動する企業の四分の三が書式をすでに改訂したか、あるいは改訂中だということである。内容を検証する必要はある。しかし形式上は、大半の企業が法令を順守したことになる。庶民の関心はひくかったが、企業の関心はたかかった。シーゲルは、心配されていた「訴訟の洪水」はおこっておらず、他の法律上の問題も指摘されていないとする。同法の成立に協力した弁護士のフェルゼンフェルド・カールは「サリバン法はまったく成功したというべきである」と結論している（フェルゼンフェルド・カール1991: 16）。

この成功には、いくつかの理由がかんがえられる。ニューヨーク州の法律の条文が単純で対応が容易だったこと、すでにマグヌソン・モス保証法やシティバンクのローン契約書という前例があったこと、そして何よりも罰金規定があったこと、などである。

## 他州への影響

ニューヨーク州の成功は、他州へも刺激をあたえた。アメリカでは州の独立性がたかく、商法では連邦に対する州の優先権がある。しかし州同士は決して無関係ではなく、ある州の立法がしばしば他州に影響をあたえる。とくにニューヨーク州やカリフォルニア州といったリーダー州は、他州への影響が大きい。こうした現象は「政策波及（policy diffusion）」とよばれる（伊藤修一郎2015: 258）。

ニューヨーク州・〈やさしい英語〉法につづいて26州で、つまり全米の半数以上にあたる州で消費者契約に〈やさしい英語〉を導入する議案が州議会にはかられた。しかし成立したのは、ニューヨーク州をふくめて８州にとどまる（ニューヨーク、コネティカット、ハワイ、メーン、ミネソタ、ニュージャージー、ウェストヴァージニア、ペンシルヴェニア）。不成立が多かった原因は、「固陋（ころう）な法律家や企業家による反対」があったから、とされる（フェルゼンフェルド・カール1991: 17）。罰金制度など、企業の利害がかかわる場合には、〈やさしい英語〉の法制化はむずかしくなる。

州のなかには、〈やさしい英語〉に関して、客観的な定義を採用した州もある。コネティカット州では1979年に「消費者取引の言語について」という州法が成立した。同法は第２条で「あらゆる消費者契約は〈やさしい言語〉で書かれなければならない」とする。それにはふたつの条件があり、どちらかに適合しなければならない。ひとつは、短文、短いパラグラフ、日常的な用語、人称代名詞の使用といったガイドライン。もうひとつは、１文あたりの平均単語数22語以下、１パラグラフあたりの平均単語数50語以下、１単語あたりの平均音節数1.55以下、といった、こまかな数値基準。どちらもフレッシュの主張を具体化したものである。

こうした例外があるものの、他州へのひろがりは少数にとどまった。ニューヨーク州をはじめとして、消費者契約法がわかりやすく改訂される州がある一方、旧態依然のままの州も多いという不調和がのこることになった。

これらの事例から、ふたつのことがいえる。ひとつは、罰金というムチが、文書の平易化の促進には有効だということ。もうひとつは、明確化・平易化の判定基準として、ガイドラインとともに、数値基準もありうるということ。コネティカット州の例は、その先駆である。次節にみる生命健康保険では、「フレッシュ・読みやすさ公式による得点」が数値基準として設定されることになる。

## 4. 生命健康保険約款・言語簡明化モデル法と約款改訂

### 約款・言語簡明化モデル法とは

ニューヨーク州・〈やさしい英語〉法の他州へのひろがりは限定的であった。しかし、分野によっては、州から全米に〈やさしい英語〉が普及していったものもある。そのひとつが生命健康保険である。

保険契約に際して、消費者は契約事項のさまざまな条件を記した約款(policy)をただしく理解しなければならない。しかし生命健康保険などにはむずかしい表現が多く、契約数が拡大するとともに、不満や訴訟がふえていった。アメリカでは保険業はおもに州政府が監督規制をおこなう。州保険局の長官は保険監督官、その全国組織は全米保険監督官協会(NAIC: National Association of Insurance Commissioners、以下ではNAICと略記)とよばれる。

NAICは、その時々の社会的課題にこたえるモデル法をつくり、各州に採用をはたらきかける。保険約款への不満や訴訟の増加という社会情勢に対して、NAICは約款を読みやすくするための作業チームをつくった。その検討結果にもとづいて1978年「生命健康保険約款・言語簡明化モデル法(Life and Health Insurance Policy Language Simplification Model Act)」を採択した。

モデル法に特徴的なことは、「フレッシュ・読みやすさ公式」を約款の判定基準として採用したことである。第5条は「約款言語簡明化の最低基準」として、次の基準をみたさないかぎり、どの約款も許認可しないとする。

テキストは「フレッシュ・読みやすさテスト」における40点以上の成績、

もしくはC項にかかげる他の同種のテストで同等の成績を獲得すること

第6章図表6-2をみればわかるように、「フレッシュ・読みやすさ公式」における40点は、通算学年13-16年、つまり大学生に相当するレベルであり、決して「やさしい」とはいえない。これを目標にせざるをえないほど、当時の約款が難解であったということであろう。

ニューヨーク州では、1978年に改正された一般債務法（〈やさしい英語〉法をふくむ）は、生命健康保険に適用されなかった。そのため、1980年にNAICの提案したモデル法に準じた再改正がおこなわれた。フレッシュの得点については、モデル法よりもさらにたかい45点を基準として設定した。

その後1980年代には、ニューヨーク州以外の州でもモデル法の採用が相次ぎ、35州が同様の法律を制定するにいたった（小松原章2007: 15）。採用しなかった州でも、保険会社はおなじ約款を使用することが多く、実質的にはほぼアメリカ全土で約款の簡明化が実現したことになる。

## 改訂による成果

その改訂はどのくらい成果をあげたのか。ある調査会社が1982年に500社を対象にして実施した調査によると、90%以上の企業がNAICモデルの基準にしたがった約款を発行していた。平均得点は57点（高校生レベル）である。州法が要請していない州においても、95%以上の企業が読みやすく改訂した約款を使用していた。同年に全米生命保険協議会が実施した調査によると、保険約款を読むことにかなりの困難を感じていた人の割合は1975年の43%から1982年には33%に減少していた（商務省1984: 72）。

これらの数字からみるかぎり、生命保険や健康保険の約款については、成果があがっていたことになる。もちろんフレッシュの平均得点が57点というのは、標準得点（60-70点）には達していない。約款を読むことに困難を感じる人が、減少したとはいえ、まだ33%もいることは、改善の余地がある。しかし、約款の明確化・平易化が一定程度すすんだことは、まちがいない。

NAICのモデル法は「フレッシュ・読みやすさ公式」を標準的な公式として採用したが、これは、フレッシュの公認化に大きな意味をもった。作文法をといたフレッシュの著作は、大衆に人気を博していた。前節でみたように、法律や規則の明確化に彼が現場で協力し、徐々に影響力を拡大していた。しかし法曹界においては、依然として無視された存在であった。保険業界が「フレッシュ・読みやすさ公式」を採用するにおよんで、フレッシュの公式は社会的に公認されたのである。

もうひとつ注目すべきは、許認可制度の導入である。NAICのモデル法は、フレッシュの読みやすさ公式で40点を最低基準に設定していた。これはモデル法であり、各州で点数は変動した（ニューヨーク州は45点である）。ともかくも、最低基準に達していなければ州の保険監督官の許認可がうけられなくなった。当然、保険会社は法令にしたがわざるをえない。文章の平易化条件として監督機関の許認可をもちだした点に、約款改訂の特徴がある。

## 5. SEC・〈やさしい英語〉開示規則と証券目論見書改訂

### SEC・〈やさしい英語〉開示規則とは

アメリカでは1980年代から90年代にかけて、銀行預金から投資信託に資金をうつす「投信ブーム」がおきた。1981年から1993年にかけて、投資業界の運用資金は21倍、投資信託は7倍に増加するという急激な市場拡大がみられたのである（米山徹幸2011: 80）。これは、投資信託をめぐる訴訟を多発させることにもなった。たとえば、メトロポリタン保険が販売した、看護師用年金の保険加入の説明書には専門用語が多く、また契約までは加入者にみせないという慣行があったため、返戻金が少ない仕組みについて、加入直後から苦情が殺到した（同上書: 77）。同時期には、証券業界でトラブルやスキャンダルも相つぎ、社会からの批判にさらされた。

証券取引委員会（SEC : Securities and Exchange Commission。以下ではSECと略記）は、アメリカ連邦政府が管轄し、証券取引を監督・監視する機関である。1993年、SECの委員長に就任したレビット・アーサーは、いくつかの改革方針をうちだした。そのひとつが投資信託の目論見書（prospectus）をわかりやすくすることである。目論見書には、信託の条件や投資先の事業に関する重要な情報がふくまれている。「個人投資家の擁護こそ、SECの第一のミッションである」

というのが、レビットのかんがえであった。

1993年、SECはいくつかの企業に目論見書を〈やさしい英語〉で書くことを要請するパイロット・プログラムに着手した。プログラムは全体として成功におわり、それをふまえて1998年「〈やさしい英語〉開示規則（Plain English Disclosure Rule）」を採択した。規則は、目論見書の表紙、要約、リスク要因などを〈やさしい英語〉で書くことを証券会社にもとめる。目論見書がこの規則で作成されていなければ、書きなおしをさせる。依然として明確性が欠如し、さらに法令順守の意思にも欠けると判断すれば、申請を認可しない。それは証券会社に多大の損出をあたえることになるはずである（セラフィン・アンドリュー 1998: 702）。

SECは「〈やさしい英語〉開示規則」を採択する1週間前に、「〈やさしい英語〉ハンドブック―明確なSEC開示文書の作成法（A Plain English Handbook : How to create clear SEC disclosure documents）」を発表した。ハンドブックは77ページにおよぶ。〈やさしい英語〉とは何かからはじまって、読者や開示に必要な情報の調査、文書の組織化、執筆、デザイン、時間の節約、読みやすさの公式、文書の評価といった章からなる。内容は懇切丁寧で、実にわかりやすい。これは現在もweb上で公開され、証券会社のみならず、ビジネス文書に関心をもつ一般読者にもひろく利用されている（証券取引委員会1998）。

このハンドブックの付録に「〈やさしい英語〉規則の要約」がある（同上書 : 65）。それは〈やさしい英語〉の基本原則として、短文・日常的なことば・能動態を使用する一方、専門用語やビジネス用語などは使用しないことをあげる。これらの原則は、いうまでもなくフレッシュのガイドラインにそったものである。

ただし「フレッシュ・読みやすさ公式」については1章があてられているものの、数値基準に関する記述はない。規則を制定する途中で基準の採用もかんがえられたようだが、ハンドブックでは削除されている。むしろ「フレッシュの公式は絶対的ではない。アインシュタインの相対性理論も5年生レベルと判定されてしまう」という否定的な表現もみられる。これらから判断すると、SECはフレッシュの公式よりもガイドラインの順守をより重要視しているようである。

### その成果

ではSECの開示規則は、はたして成果があったのであろうか。全体を概観した数量的な調査はみあたらないが、目論見書の改訂前／改訂後を調査したものが何点かある（野村亜紀子2001）。それによると、ページ数、1ページあたりの単語数は減少していた。また、図表やレイアウトも改善され、全体として大幅に読みやすくなっていた。「成果は着実にあがっている」とするウォール・ストリート・ジャーナル紙をはじめ、主要紙の評価もある。許認可がかかっているということで、証券各社も積極的な対応をはからざるをえなかったのであろう。

## 6. 諸事例からの発見事項

### 消費者文書の平易化

ここまで4種類の消費者文書を順にみてきた。耐久消費財、消費者契約、保険、証券といった商品の登場は、同時に製品保証書、消費者契約書、約款、目論見書といったあらたな文書の発生をともなった。消費者からの問題提起に対して、対応したのは企業や州政府や監督機関である。フレッシュの作文法がガイドラインとして利用された。規制には強制力をともなう場合もあれば、そうでない場合もあった。消費者文書の平易化を、規制主体、規制のあり方、作文法の基準（フレッシュ）についてまとめると、図表7-1になる。

**図表7-1　消費者文書の平易化（まとめ）**

| 法律等の名称 | 文書の種類 | 規制主体 | 規制のあり方 | 基準（フレッシュ） |
|---|---|---|---|---|
| マグヌソン・モス保証法 | 製品保証書 | 連邦取引委員会（FTC） | なし | ガイドライン |
| NY州・〈やさしい英語〉法 | 消費者契約書 | 州政府 | 罰金 | ガイドライン（?） |
| 生命健康保険約款・言語簡明化モデル法 | 生命健康保険約款 | 州政府 | 許認可 | 得点 |
| SEC・〈やさしい英語〉開示規則 | 証券・目論見書 | 証券取引委員会（SEC） | 許認可 | ガイドライン |

NY州：ニューヨーク州

ここから発見事項として、次の4点があげられる。

① 消費者文書の明確化・平易化の起点として、消費者による訴訟を確認できる。

② 訴訟に対して、企業、州政府、監督機関は、文書の明確化・平易化という対応策をとった。

③ 罰金や許認可という規制が準備された場合には、実際の改訂がすすんだ。これらがない場合には実効性がなかった。

④ 文書の改訂に際しては、フレッシュのガイドラインや読みやすさ公式による得点が採用された。

### 起点としての消費者訴訟

①から④を順に説明していくことにする。まず第1に、消費者文書の起点になったのは、消費者の訴訟であった。文中でふれたどの文書についても、その不備を問う訴訟がおこっている。本章ではとりあげなかったが、1970年代には、耐久消費材の取扱説明書をめぐって、企業に製造物責任を問う訴訟も頻発した。そこでは、取扱説明書の記述が争点のひとつになり、記載内容とともに、読みやすさの度合も判断の基準になった。読者のレベルにあっていなければ、取扱説明書は不備だとされ、製造者の責任が問われたのである（松本俊次1987）。

個々の訴訟は小さなものかもしれない。しかし、訴訟社会といわれるアメリカにおいてその総量は膨大なものになる。製造物責任訴訟の件数は、日本では製造物責任法施行後も、年に数十件にとどまった。これに対してアメリカでは、1990年の段階で年に数十万件にもおよんでいた（小林秀之2002: 81）。さらにクラス・アクション（集団訴訟）になると、賠償額は甚大である。その総和は、日本とはくらべものにならないほど大きい。

訴訟のバックアップとして、消費者団体が活躍したこともある。消費者運動家のひとり野村かつは、1967年に起きたガルマン事件を紹介している（野村かつ1971: 80-82）。これは、文字の読み書きが十分ではない夫妻が、債務の支払いが遅れた結果、契約書の内容をよく理解していなかったため、家財道具を次々にうられて窮地にたったという事件である。夫妻の窮状に対して、運動団体がピケを張るなどの行動をおこし、その結果、裁判所が家財の返却をみとめることになった。

しかし、消費者運動の資料をしらべても、こうした事例はほとんどないのが実情である。むしろ個別の訴訟が大きな意味をもったものとかんがえられる。社会運動には、大きな運動団体が議会をうごかすというケースがある。しかし、無数の訴訟が企業をうごかすというケースもある。それらは蟻のように小さな打撃だったかもしれないが、企業のボディをうちつづけたのである。

## 企業と州政府の対応

第2に、消費者からの訴訟に対して、企業は対応をはかった。第3節ではシティバンクによるローン契約書の改訂をとりあげた。それはニューヨーク州・〈やさしい英語〉法につながったが、同時に他の企業にも影響をおよぼし、消費者文書の自発的な改訂をうながした。商務省（1984）は『ビジネスにおける〈やさしい英語〉の活用―12の事例研究』と題して、1980年前後における、いくつかの企業の〈やさしい英語〉の活用事例を報告している。このなかには、ファイザー製薬、シェル石油といった著名な企業もふくまれている。

こうした対応は、企業の社会的責任の遂行という名目がある。しかし、訴訟対策という一面もあった。たとえば、製品の取扱説明書については、ガニング・フォッグ指標（Gunning Fog Index）という尺度が利用される。杉山晴信（2003）によると、裁判で消費者文書の難易度を判定する際に、一般消費者製品については小学校高学年レベル、産業用生産財については初等教育8年程度が基準になるということである（杉山晴信2003: 70）。この基準をクリアーすることは、企業の社会的責任をはたすと同時に、賠償などの責任をのがれる基準にもなるのである。

個別企業ばかりでなく、州政府や業界の監督機関が対応をはかった場合もある。ニューヨーク州は消費者契約法や生命健康保険約款・言語簡明化法を他州にさきがけて成立させ、リーダー州としての面目をほどこした。連邦取引委員会（FTC）や証券取引委員会（SEC）といった監督機関が規制主体になったケースもある。これらは、消費者訴訟に対する、企業と行政の共同的対応であったといえる。

## 何が成否をわけたか

第3として、法律や規則の明確性・平易性基準は、成果があがった場合もあれば、そうでなかった場合もある。マグヌソン・モス保証法のように、文言をもりこむだけでは十分ではなかった。ニューヨーク州・〈やさしい英語〉法は、罰金制度を導入した。生命健康保険約款・言語簡明化モデル法やSEC・〈やさしい英語〉開示規則は、業界団体による許認可制度を導入した。こうした場合には、成果がみられた。つまり強制力をともなう場合にはじめて、消費者文書の平易化は一定の成果をみたのである。

法律や規則へのガイドラインや読みやすさ公式の導入は、それが煩雑なものにならないかぎり、大きな問題は生じない。一方、罰則や許認可については、企業の利害がからむこともあって、導入は決して簡単ではない。ニューヨーク州・〈やさしい英語〉法の議会審議においては、「訴訟の洪水がおきる」という反対論で、1回目の議案は廃案においこまれている。強制力をもたせる法律や規則の導入は成果が期待できる一方、成立に困難をともなう。

ニューヨーク州・〈やさしい英語〉法の場合には、州議会議員のリーダーシップがあった。証券目論見書の場合には、SECの委員長のリーダーシップがあった。保険約款の改訂の場合には、保険業界の協力態勢があった。有効な規制は、そうした条件にめぐまれた場合に実現したのである。

## フレッシュの利用

第4に、州政府や監督機関は消費者文書の明確化・平易化を法律や規則にもりこむ際に、作文のためのガイドラインを提示した。さらに進んで、コネティカット州やNAICの法律のように、数値基準を指定するケースもあった。

その際に最もよく利用されたのが、フレッシュ・ルドルフである。本章でとりあげた法律や規則は、いずれもフレッシュを何らかの形で参照している。これらは具体的な手引やガイドとしては、便利である。

日本でも1960年代から「リーダビリティ研究」といわれる読みやすさ研究がおこなわれている[(1)]。漢字かなまじりという表記体系をもつため英語よりもむずかしいものの、コーパスやコンピュータの活用によって、精緻化された測定式がいくつか提案されている。しかし、まだ決定的な公式はない。内容に批判はあるものの、「フレッシュ・読みやすさ公式」という定番があったことが、アメリカで消費者文書の平易化をすすめるひとつの要因になった。

他のガイドラインや尺度がいくつもあるなかで、フレッシュがえらばれたということは、これに権威をあたえた、消費者文書にかぎらず、民間のビジネス文書作成指針として、〈やさしい英語〉の地位は、現在でも絶対的なたかさをほこる（浅井満知子2020など）。その原因は、消費者文書の改訂にフレッシュがかかわり、企業文化のなかで次第に権威化されていったからである（同様のプロセスは行政文書でもみられる。次の第８章を参照）。

## 7. おわりに――〈やさしい英語〉の限界①

### 受け手の多様性

最後に、〈やさしい英語〉の限界についてふれておきたい。前節でみたように、フレッシュによる〈やさしい英語〉のガイドラインや「読みやすさ尺度」は、多いに役だった。それは平易な文章をつくる際の手引として、あるいは数値目標として機能したのである。しかし、それに限界があることも留意しなければならない。

スラッシュ・エミリーは「第２言語としての英語」を研究し、その教育現場にかかわっている研究者である。スラッシュは〈やさしい英語〉における「用語いいかえ」の問題点を指摘している（スラッシュ・エミリー 2001）。第５節で代表的なガイドラインのひとつとして、アメリカ証券取引所の「〈やさしい英語〉の手引き」をとりあげた。ここには、難語とその代替語のリストがあげられている。たとえば「complete → fill in, comply with → keep to, delete → cross out」といったたぐいである。このリストについて、スラッシュは、成句やイディオムはやさしいようにみえて実は第２言語として英語をまなぶ者にとってはむずかしい、とする。これは、英語をまなぶ私たちにも納得のいく指摘である。

さらに、スラッシュは英語学習者の母語のちがいによって難易度が異なる例もあげている。たとえば、カナダ識字事務局の「〈やさしい言語〉いいかえ集」には「facilitate → make easier, locality → place, utilize → use」などといった例がある。これらはラテン系（ロマンス系）単語のゲルマン系（サクソン系）単語へのいいかえである。一般的に〈やさしい英語〉では、「ロマンス系よりサクソン系の単語を選べ」とされる（浅井満知子2020: 93）。その方がシンプルだからである。しかし、スペイン語などラテン系を母語とする人たちにとっては、いいかえ前の単語の方が理解しやすい。スラッシュはフランス語話者とドイツ語話者のテストをおこなって、このことを実証している。

つまりアメリカ証券取引所のリストにしても、カナダ識字事務局にしても、単語の難易度をさげることが平易化につながるという発想でつくられているが、それは言語少数者の英語教育を担当する現場の知を反映していない。問題は、〈やさしい英語〉が受け手の言語的多様性を考慮しているのか、彼らと関連づけられているのか、ということである。〈やさしい日本語〉も同様のことがいえる[(2)]。

## 標準的読者とは

もう一点、受け手の多様性と関連する〈やさしい英語〉の限界を指摘しておきたい。フレッシュの読みやすさ尺度における標準得点（60-70点）が、作文の目標になっていることからもわかるように、〈やさしい英語〉のターゲットは、学年でいえば中学生程度の識字能力をもった読者である。〈やさしい英語〉のテキストとして有名なカッツ・マーティン（2013）のガイドラインも、「人々の平均的な読書年齢は13歳ぐらいであることを記憶しておきなさい」としている（第6章資料6-2、No.10を参照）。

しかし、非識字者とか低識字者といわれる、平均点以下の読者も多数存在しているはずである。図表6-2の成人人口比は1949年当時のものであり、ふるすぎる資料だが、当時でも60-70点の標準に達しない人が、17%いた。その後、義務教育の就学率は上昇したが、移民の増加によって英語能力が十分でない人たちもふえたはずである。これらの人々にとっては、〈やさしい英語〉でリライトされた文章は、決して「やさしく」はない。

さらに生命健康保険の約款にいたっては、NAICが目標にしたのは、フレッシュの読みやすさ尺度による45点である。図表6-2の得点の通算学年をみればわかるように、これは大学生レベルである。人口比でいえば、33%にすぎない。たとえこの要求水準がみたされたとしても、のこりの三分の二の人口にとっては、約款は依然として読みにくいままである（もちろん消費者文書の種類によっては、小学校高学年レベルなど、平均以下の難易度を基準にしているものもあるが)。

つまり、〈やさしい英語〉がターゲットとしているのは、多少の上下はあるものの、基本は中学生程度の識字能力をもった読者である。ともかくも平均的読者にわかるまで文書の難易度を「レベルダウン」することが、〈やさしい英語〉の基本的なスタンスなのである。

序章でのべたオバマケアもそうだが、「LEPのための〈やさしい英語〉」といわれることがある。たしかにLEPにとっては、一般的な英語よりも〈やさしい英語〉の方がわかりやすいであろう。しかし、それは必要条件であっても、十分条件ではない。英語能力が平均的レベルにまで達していないLEPにとって、〈やさしい英語〉は理解可能な英語水準としては不十分なのである。

おなじ理由で、非識字者や低識字者、あるいは多様なコミュニケーション・ニーズをもつ人に対しても、〈やさしい英語〉は対応力をもっていない。彼らには別のコミュニケーション・メディアが提供されないかぎり、消費者の権利は保障されないはずである。アメリカにおける消費者文書の明確化・平易化は、一定の進歩があった。その過程で〈やさしい英語〉は役割をはたした。しかしそれは、平均的な識字能力をもつ英語能力者に対してであって、LEPや多様なコミュニケーション・ニーズをもつ人に対して効果は限定的であり、依然として課題をのこしたままなのである。

**注**

(1) こうした研究は、日本では「リーダビリティ研究」とよばれる。しかし「リーダビリティ」という非日常的な英語よりも、「読みやすさ」／「よみやすさ」という日本語の方が、日本語の一般読者にわかりやすいはずである。何のため、だれのための「リーダビリティ研究」なのであろうか。

(2) かつて私はローマ字を主として日本語表記の手段にする「ローマ字日本語人」の存在をとりあげた(角知行2017a)。〈やさしい日本語〉のルールでは、ローマ字使用はさけるべきだとされる。しかし、日本語のかなや漢字の知識がほとんどない非漢字圏出身者にとっては、ローマ字の方がわかりやすい文字である。逆に中国などの漢字圏学習者にとっては、ひらがなよりも漢字の方が読みやすいかもしれない。〈やさしい日本語〉も、ひとつである必要はない。

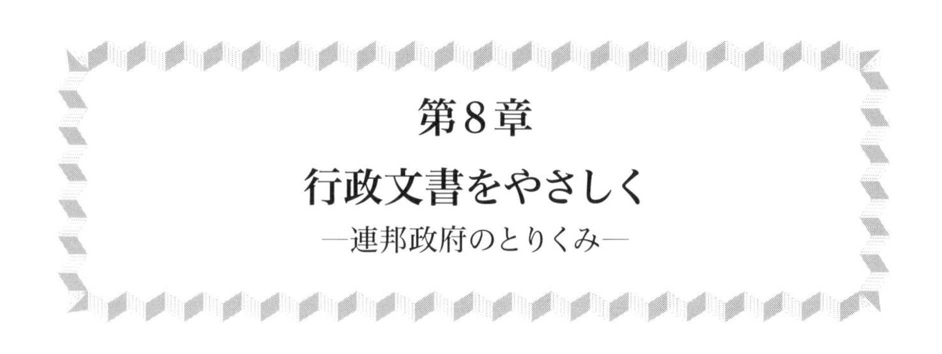

# 第8章 行政文書をやさしく
## ―連邦政府のとりくみ―

## 1. はじめに

法律文書とならんで、行政文書も難解である。「役所ことば」は英語では「オフィシャリーゼ (officialese)」といわれるが、さらに強烈に揶揄（やゆ）することばに「ゴブルディグック (gobbledygook)」がある。「ゴブル (gobble)」とは七面鳥の鳴き声。「グック (gook)」とは汚物、ドロ。文字通りには、「七面鳥の鳴き声のようなクソことば」ということになる。英和辞典には、「難解な役所ことば」という訳があたえられている。これが誕生したいきさつはおもしろい（ヒュー・ローソン 2005）。

テキサス州選出の議員をつとめていたマーベリック・モーリーは、政府からおくられてくる行政文書のわかりにくさに普段から嫌気がさしていた。ある日（1944年3月30日ということだが）の会議の席上、こうした文書をさして「これはもう、七面鳥のクソことば (gobbledygook) じゃないか」とさけんだというのである。マーベリックの脳裏には、故郷テキサスでブツブツと鳴いている七面鳥があった。このエピソードはニューヨーク・タイムズ紙でニュースになり、たちまち人気を博した。それだけ行政文書に難儀する人がおおかったということであろう。いまでは「ゴブルディグック」は、本書のようなテーマの本や論文にしばしば登場する「専門用語」になった。

行政文書を平易にする実践は、日本でもおこなわれてきた。たとえば、東京都杉並区は、公用文の見直しをおこない、『外来語・役所ことば言い換え帳』という本にまとめている（杉並区役所区長室総務課 2005）。ほかにも同様の実践をしている自治体がある。そうしたとりくみは貴重ではあるが、まだ地域的、一時的にとどまる。

アメリカのとりくみは、より大規模かつ持続的である。シティバンクとニューヨーク州に端を発した〈やさしい英語〉運動は、州や分野をこえてひろがりをみせ、連邦政府にも影響をあたえた。それ以前にも行政文書を平易にしようといううごきはあった。しかし、本格化するのは、消費者文書の場合とおなじく、1970年代後半からである。これ以降、連邦政府は平易な文書作成のための大統領令、大統領覚書、法律を策定した。現在では、各省庁は毎年のレポート提出をもとめられている。政権によってゆりもどしはあるが、連邦政府の大勢は文書の平易化を推進してきたといえる。

本章では、とくに実績のあった3人の大統領、カーター、クリントン、オバマをとりあげ、それぞれの政権がとった政策の背景、内容、成果をみていきたい。連邦政府における〈やさしい英語〉を論じた日本語の先行研究はいくつかある。しかし、その動機は十分に解明されてこなかった。言及のある場合でも、「大統領の強い関心とリーダーシップによる」とか「移民や貧困に熱心な民主党の政策による」といった具合に、大統領の個人的資質や政党の政策に原因が帰せられてきた。しかし理念にとどまらず、利害にかかわる、より根本的な動機があったのではないか。それを探求することが以下の目的になる。

## 2. カーターの大統領令12044（1978年）

### 大統領令の発令

1977年1月、カーター・ジミーは第39代大統領に就任した。ウォーターゲート事件以降、社会には共和党に対する不信が蓄積していた。それまで全国的には無名であったカーターはブームをひきおこし、共和党の前大統領フォード・ジェラルドをやぶって、見事に当選をはたしたのである。

カーターは、〈やさしい英語〉という用語がはじめて政府文書に登場したことで有名な「大統領令12044—政府の諸規制の改善について」を1978年3月に発令した。「大統領令（executive order）」とは憲法、条約、法律を施行し、もしくはそれらの細則をさだめるために大統領の発する命令の一種で、日本の「政令」にあたる。「規制（regulation）」とは、行政機関がさだめる、ある分野に関する「規則（rule）」のひとかたまりをいう。この大統領令の第2条d項（5）に、「規制は〈やさしい英語（plain English）〉で書かれ、これにしたがう人にわかりやすいものとする」という文言がみられる。たしかにここには〈やさしい英語〉という用語が登場し、規制の作成基準として導入することが指示されている。

大統領令の全体をみると、第1条は、規制はできるだけシンプルかつクリアーでなければならず、その立法の目的を効果的かつ効率よく実現しなければならない、とある。第2条は、各省庁は規制を制定する過程の点検・みなおしをおこない、この命令の方針に一致し、書類作成の最小限化にかなうようにすること、と記している。第3条は規制の分析、第4条は既存の規制の評価、第5条は実行、第6条は命令の適用範囲（除外規定）とつづく。この大統領令は規制の効率化や削減をうたい、そのための点検をもとめたものである。〈やさしい英語〉は、書類作成の効率化をはかる文脈のなかに位置づけられている。

## もうひとつの大統領令

カーターは、翌1979年にも「書類作成事務（Paperwork）について」と題された「大統領令12174」を発令した。内容からいえば、先の第12044号の続編といってよい。これは、とくに「書式（form）」をあつかう書類事務をとりあげる。第1条は、各省庁は政府外部の人々に要求する書類作成の時間やコストを最小限にする努力をすべきであるとし、書式はできるだけシンプルでわかりやすい様式にするべきだ、とする。第2条は立法や規制から生じる省庁の書式使用や書類作成負担を最小限にすることを要求している。

規制と書式という文書形態にちがいはあるものの、それぞれのコストを最小限にすることと、そのための点検をもとめる点で、ふたつの大統領令は共通する。書式については、〈やさしい英語〉という用語こそないものの、省庁にも利用者にも負担にならない、シンプルでわかりやすい様式が必要だとしており、方向性はおなじである。つまり、どちらも連邦政府の書類作成の合理化、コスト削減という意図があり、そのなかで規制や書式の平易化をもとめているのである。

## 動機としての行政改革

連邦政府の書類作成事務の増大はかねてより問題になっていた。とくに

1970年代になって、政府の肥大化とともに、各種申請、確定申告、国勢調査、社会保険などの書類作成の煩雑さに対する市民からの反発がたかまっていた（岡本哲和2003: 64）。前任のフォード大統領は、1975年に「連邦の書類作成事務に関する委員会（Commission on Federal Paperwork）」を設置し、書類作成事務削減の検討を指示していた。

フォードが辞任し、カーターに大統領がかわった1977年2月、委員会は報告書を政府に提出した。この報告書は書類作成の費用削減と、文書の平易なことばへの書きかえをもとめている。とくに後者は「報告書のもっとも強いメッセージのひとつであった」とされる（レディッシュ・ジャニス1985: 129）。カーターは報告書の提言の多くを採用し、1980年には「書類作成事務削減法（Paperwork Reduction Act）」に署名をした。先にとりあげたふたつの大統領令は、書類作成事務の削減に関する報告書がでて、それが法制化される途中で、大統領が発したメッセージだったのである。

カーターは行政改革に強い意欲をもっていた。ジョージア州知事時代には州の300の機関のうち278を廃止した、と豪語していたそうである（堀江正弘1978: 58）。大統領に就任した連邦政府においても、実績をもつ行政改革は論陣をはりやすいテーマであった。それは1980年代にイギリスやアメリカで出現した「小さな政府」をめざす本格的な行政改革とは質が異なる（砂田一郎1999: 110）。しかし、ムダをなくし経費を削減するという志向性は共通している。このなかで〈やさしい英語〉は、規制や書式などの文書の削減・平易化の一環として位置づけられたのである。

## 大統領令の成果

カーターによる行政命令は、実際、どのくらい成果があったのだろうか。そのひとつとして「文書デザインセンター（Document Design Center）」の設立があげられる。教育省は公文書における明快な文章やデザインの普及をうながすため「文書デザインプロジェクト」をたちあげ、1979年「文書デザインセンター」を設立した。センターは、以後20年にわたって活動をつづけた。とくに『文書デザイナーのためのガイドライン』という刊行物は、政府関係者が重宝する手引書となった。

しかし、一部でこうした実践がみられたものの、政府部内のひろがりという点からすると、カーターの大統領令の成果は限定的であった。ボーエン・ベスティらは、「カーターの大統領令に、広範な反響はあらわれなかった」と結論づけている。その理由として、〈やさしい英語〉に明確な基準がなかったこと、官僚の意識が依然としてひくかったこと、各機関が無関心だったこと、ビジネス界に関心をひきおこさなかったこと、などをあげる（ボーエン・ベスティほか 1991: 20-21）。

第7章で、消費者文書の平易化を最初に指示した「マグヌソン・モス保証法」をとりあげた。それは製品保証書を平易にするガイドラインをしめしながらも、罰則や許認可といった義務化をともなわず、実際にはほとんど成果がみられなかった。第1回目の試行は失敗におわることが多い。カーターの大統領令も、おなじ宿命をたどったといえる。

カーターは任期が1期にとどまり、1981年に大統領を辞任した。その後をひきついだレーガン大統領は、即位まもない同年2月、「連邦の規制（Federal regulation）について」というタイトルをもつ「大統領令12291」を発令した。これはレーガンが独自の行政改革を宣言し、規制の制定や評価の再検討を省庁に指示したものである。最後の第10条には、「大統領令12044と大統領令12174は廃止する」という一文がそえられている。廃止されるのは、先ほどみたカーターのふたつの大統領令である。レーガン政権は、「小さな政府」を実現するべく、規制や書式の見直しをすすめた。しかし、文書の平易化に関する問題意識はなかった。文書作成の指針は各省庁の判断にまかされることになり、〈やさしい英語〉への連邦政府のうごきは、一時、頓挫するのである。

## 3. クリントンの大統領覚書（1998年）

### 大統領覚書

レーガンとブッシュ（父）による共和党政権が3期12年つづいたあと、1993年1月に民主党に政権をとりもどしたのが、クリントン・ビルである。クリントンは、ふたたび文書の平易化をとりあげた。それが1998年6月に発表された「政府の文章作成における〈やさしい言語〉について」と題された「覚書

(memorandum)」である。クリントンは、政府文書の平易化に再度、スイッチをいれたといってよい。

大統領覚書は、通し番号はなく、官報にも掲載されないという点で大統領令と異なるが、両者の効力はほぼおなじである。この覚書は、連邦政府の文章作成は〈やさしい言語〉でなければならないと明言する。〈やさしい言語〉は、政府の行動、要求、サービスについて明確なメッセージをおくることができ、時間や費用の節約を可能にする。作文ルールもいくつかあげ、日常的なことば、「you」などの代名詞、能動態、短い文章などの使用をすすめる（これらはフレッシュのガイドラインとかなり一致している）。そして、規制以外の新規文書は1998年10月までに、官報に記載される規則は1999年1月までに、〈やさしい言語〉を使用することを指示する。ガイドラインや時期がしめされている点で、カーターの大統領令にくらべて、内容はより具体的である。なお、覚書が〈やさしい英語 =plain English)〉ではなく、〈やさしい言語 =plain language〉という用語をもちいている点も注目される（このあと、後者の用法が一般化する）。

## ゴア・レポート

クリントンがこの覚書をだしたのは、政権2期目である。実は1期目にも、〈やさしい言語〉ということばこそないものの、政府文書の平易化をもとめる大統領令をだしている。

クリントンは大統領に就任すると、副大統領のゴアに、連邦政府の現状を点検しその再生ビジョンを報告書として提出するように命じた。ゴアは250人もの職員からなるチームを結成し、半年後の9月に『よりよく機能し、費用のかからない政府の創造―国家業績審査（官僚主義から結果主義へ）』（以下、『ゴア1993』と略記）を刊行した。翌1994年には、1年後の実施状況の報告をふくむ『よりよく機能し、費用のかからない政府の創造―国家業績審査（状況報告）』（『ゴア1994』）を、さらにその翌年には『常識的政府―よりよく機能し、費用のかからない』（『ゴア1995』）を刊行している。いずれも短期の準備期間にもかかわらず、200ページ前後のボリュームをもつ報告書である。これらは実力派副大統領といわれたゴアの力量と意気ごみをしめすものといってよい。

クリントンにとって、連邦政府の膨張した財政赤字の削減はさしせまった課題であった。就任した年に発表された『ゴア1993』は、連邦職員25万人、連邦支出1,080億ドルの削減という大胆な提言をおこなった。また、政府の体質を「企業政府（entrepreneurial government）」というべき効率よいものにかえるため、政府再生の4つの柱をうちだしている。すなわち、「官僚主義の打破」「顧客第一主義」「結果主義にむけた権限移譲」「基本への回帰」である。この4つの方針は、1980年代以降に各国にあらわれた「新公共管理論（NPM=New Public Management）」とよばれる行政改革と共通性をもつ（大山耕輔1999: 26）。クリントンは民主党の中道左派といわれるが、その政策においては、レーガンやブッシュ（父）の推進した新自由主義を継承した。財政改革については第3章でふれたが、行政改革についても「小さな政府」を志向するという共通性をもっていたのである。

4つの柱のひとつ、「官僚主義の打破（Cutting Red Tape）」をのべた章の第1節は「過剰な規制の除去」というタイトルである。それは、時代おくれの何千もの規制がのこっていると指摘し、みなおしを提起する。そして「大統領は、この3年間に50%の規制を廃止することを各省庁にもとめる指令をだすべきである」という具体的な数値目標をかかげる（ゴア・アル1993: 32-33）。1993年の9月、『ゴア1993』の発表に際して、クリントンとゴアはホワイトハウスの庭に膨大な政府書類の山をつみあげ、いかに無駄な書類（規制）があるかというパフォーマンスまでしてみせた。

この報告書をうけて、同年10月にクリントンは「大統領令12866—規制の企画と見なおしについて」を発令した。これは、規制の制定方針を指示したものである。第1条b項は、各省庁は難解さから生じる訴訟の可能性を少なくするために、できるだけシンプルでわかりやすく規制を作成しなければならない、とする。ここには〈やさしい言語〉という用語こそないものの、実質的には覚書とおなじ内容が表現されている。

ゴア・レポートにも同様の記述がみられる。たとえば『ゴア1995』の第2章は、「企業家やその他の人々がうけとる情報が〈やさしい言語〉で書かれているときにだけ、情報への正当なアクセスが彼らに正当なことをするのを容易にする」という一文がある（ゴア・アル1995: 49）。これは、〈やさしい言語（plain language）〉という用語を使用して、規制の平易化を訴えたものである。

クリントン政権は発足時から官僚主義の打破をかかげ、規制改革に積極的であった。それは規制や文書の削減とともに、文書の平易化という方向性もふくむものであった。〈やさしい言語（英語）〉は、こうした行政改革の文脈のなかで登場したのである。

## 「プレイン」というNPO

ここでひとつの疑問が生じる。就任時の1993年に「大統領令12866」で指示していた規制削減と平易化の方針を、なぜ就任5年後の1998年に覚書という形で、再度、提示したのだろうか。1997年、クリントンは大統領に再選された。そのながれのなかで、文書の削減と平易化の再確認のために覚書をだしたというのも、ひとつの理由かもしれない。

しかし、当時の政治状況をみると、もうひとつ別の理由があった。それは「プレイン」という〈やさしい言語〉を推進するNPOが政府部内に設立されたことである。「プレイン（PLAIN）」とは「Plain Language Action and Information Network」の頭文字をとって命名された組織である。役所ことばや法律ことばに疑問をもつ連邦政府の職員は、1996年4月、その改善を訴えるフォーラムを開催した（キンブル・ジョゼフ2012: 80-81）。反響は大きく、中心メンバーは会議を継続し、組織を設立することを決意した。これが同年のプレインの結成につながった。プレインはいまも存続し、〈やさしい言語〉にむけた文書校正、研修会の開催、ガイドラインの紹介といった活動をつづけている。

クリントン政権はこのうごきに注目した。ゴアは、プレイン代表者のチーク・アネッタを国家業績審査チームにひきいれ、政府部内での〈やさしい言語〉の推進をうながした。ゴアは、1998年6月に「ノー・ゴブルディグック賞（No Gobbledygook Awards）」という賞をもうけて、職員の意識向上にもつとめている。

クリントンの覚書がだされた背景には、プレインという組織に連帯を表明するという象徴的な意味があった。また、文書の削減・平易化にプレインと連携するという実際的な目的もあった。覚書発表の翌月に「〈やさしい言語〉に関する大統領覚書の順守について」というガイダンスがだされている。これは覚書の内容に関連して、各省庁に担当者の指名、アクション・プランの設定、文書の作成法などを具体的に要求するものである。このなかにプレインの名前が登場する（当初はPLAN=Plain Language Action Networkという名称だったようであり、

文中ではプラン =PLAN になっている)。

ガイダンスは、〈やさしい言語〉の基準づくりをする委員会として、プレインを指名する。行政改革以後、政府はNPOをパートナーとして位置づけるようになった。そのひとつの事例がここでもみられる。クリントンがあらためて〈やさしい言語〉の指令を発し、覚書という形をとったことは、政府部内にNPOが結成され、それと連携をはかるという事情があった。

## その成果

クリントンの覚書によって、〈やさしい言語〉は、政府部内でどのくらい浸透したのであろうか。成果を客観的に調査した研究はみあたらず、『ゴア1994』『ゴア1995』にある実施状況の報告によるしかない。ゴアは1993年に「ハンマー賞」という賞をもうけ、クリントンの4つの方針(「官僚主義の打破」「顧客第一」「結果主義にむけた権限移譲」「基本への回帰」)に合致した政府内の先進的なとりくみに、賞をあたえている。先に紹介した「ノー・ゴブルディグック賞」(1998年制定)とあわせて、これらの授賞記録も参考になる。

まず『ゴア1995』には、連邦規制の点検結果を円グラフにした資料がのせられている(ゴア・アル1995: 40)。それをみると、連邦政府にある規制のうち、39,000件(45%)がそのままのこっているものの、31,000件(36%)がシンプルに改訂され、16,000件(19%)が廃棄された。数字からみるかぎり、改革が画期的にすすんだことがわかる。同書には、規制の改訂もしくは廃棄が、環境保護省では85%、住宅都市開発省では65%にのぼるといった、先進的な例の紹介もある(同上書 : 58-59)。

次に授賞記録から受賞者を二、三紹介すると、1995年にハンマー賞を受賞したのは鉱物管理局(MMS:Mineral Management Service)であった。MMSは、〈やさしい英語〉チームを結成し、何千ページにもおよぶ文書をみなおした。この改訂は、顧客に法令順守をうながし、ミスや誤解の可能性をへらし、政府に対する信用や信頼をふやすであろう、という賛辞をうけている[(1)]。ハンマー賞の受賞機関・チームは1,400におよぶ。文書平易化の例は、一部にすぎないが、受賞しなかった機関・チームもふくめて、同様のとりくみは、いくつもあったとおもわれる。

「ノー・ゴブルディグック賞」は制定時期が1998年とおそく、件数は十数件にとどまる。1999年3月の受賞者は、食品・医薬品局（Food and Drug Administration）である。同局は、市販薬のラベルの説明書を、クリアーでわかりやすくする規約改正をした。ゴアは授賞式で「これからは、わかりやすく薬を手にいれられるようになり、辞書をひいて注意書を読む必要もなくなるだろう」とのべた(2)。同局は、2000年10月にも受賞している。この時は、食品ラベルの栄養成分の記述に関する、わかりやすいパンフレット作成に対してであった。同局の受賞はあわせて4回におよび、最多を記録する。

これらの報告や授賞記録は、いずれも優秀な事例だけをピックアップしているという限界はある。しかし、各省庁にガイドラインや具体的指示がだされたこと、クリントンの在任期間が2期にわたったことなどをかんがえれば、政府文書の平易化の成果は、カーター政権時よりも一定の進展があったと推測できる。

## 4. オバマの「やさしい作文法」（2010年）

### 「やさしい作文法2010」の内容

クリントンのあと、共和党のブッシュ・ジョージ・W（息子）が2期8年間、大統領職にあった。この間、みるべき進展はない。その後2009年、ふたたび民主党が政権をとりもどし、オバマ・バラクが大統領に就任した。オバマは、翌2010年、「やさしい作文法2010（Plain Writing Act of 2010）」に署名した。ここに、政府文書の平易化は、第3のステージをむかえたといえる。注目されるのは、「法（act）」という形態である。法は、議案が上院と下院の承認によって議会を通過し、大統領が署名して成立し、大統領令や大統領覚書よりも上位に位置する。

「やさしい作文法」の概要は次のとおり。第1条は、法律の名称を記す。第2条「法律の目的」は、人々が理解し利用しやすい、政府のクリアーな情報伝達をうながすことで、連邦政府の効率や責任を改善することが本法の目的である、とする。第3条では用語の定義がなされる。「該当する資料」は手紙、刊行物、書式、告知、指示などをふくむが、規制はふくまない。また「やさしい作文」とはクリアーで簡潔でよく組織された作文を意味する、とある。第4条「連邦省庁の責任」は、法律の制定後1年以内に、各省庁は「該当する資料」に「やさしい作文」を採用することとのべる。第5条「議会への報告」では、法律が制定されてから18か月以内に、以降は毎年、各省庁はこの法律の順守に関する「年次・法令順守レポート」をださねばならない、とする。

## 制定の経緯

この法律の制定の経緯は、カーターやクリントンの場合とは事情が異なっている。大統領ではなく、〈やさしい言語〉をかかげるNPOが主導したのである。前節で、1996年に連邦政府内にプレインというNPOが設立されたことをのべた。プレインは政権がかわってからも活動をつづけていたが、2003年、連邦政府だけでなく外部の有識者や企業にも対象をひろげた別組織をたちあげることを決定した（キンブル・ジョゼフ2012: 79-80）。こうして設立されたのが、「〈やさしい言語〉センター（Center for Plain Language）」である。同センターは、シンポジウムや研修会の開催、コンサルタントの派遣、ガイドラインや資料の提供といった活動をいまもおこなっている。2010年からは、〈やさしい言語〉についてすぐれた実践をした機関に「クリアーマーク」を、ひどい実践にとどまる機関に「ワンダーマーク」をおくるという授賞活動もはじめた。

〈やさしい言語〉センターの創立メンバーのひとりに、前節で紹介したチーク・アネッタがいる。プレインの代表者でもあり、クリントン政権にあっては〈やさしい言語〉の専門家として活躍した。覚書の作成にも協力したともいわれる。彼女は「やさしい作文法」成立の経緯を記録にのこしている（チーク・アネッタ2011）。それによると、同法は以下のような経過をたどって成立した。

〈やさしい言語〉センターができて数年たったころ、センターはひとつの挑戦をきめた。それは、〈やさしい言語〉採用を政府にもとめる法案を提案するという挑戦である。協力者をさがしたところ、弁護士経験をもち、〈やさしい言語〉に賛同する、民主党の代議士ブレイリー・ブルース（Braley, Bruce）がみつかった。さらに、中小企業連合会、消費者組合、傷病退役軍人会、アメリカ外科学会などの賛同を得た。そして議案を作成し、2008年に議会にはかった。下院では376対1で通過したが、上院では、議事にかけられなかった。1回目のチャレンジは失敗におわったのである。

2009年、ふたたび議会にはかったところ、下院では386対33、上院では満場一致で通過し、議案は成立した。チークはその時の感激を「なんという勝利！4年間のキャンペーンをへて、わたしたちは連邦政府の〈やさしい言語〉を支援する法律を手にいれたのである」と、つづっている。

議案が議会を通過するには、背後で議員にはたらきかけるロビイングがおこなわれるのが常である。これまでは業界団体や労働組合など、圧力団体とよばれる既成の団体がその代表であった。しかし、最近のあたらしい形は、「草の根ロビイスト」とよばれるNPOである。草の根ロビイストは、社会的弱者やマイノリティの権利擁護などの「アドボカシー」を中心的なテーマにして、ロビイングをすすめる（明智カイト2015）。そのひとつである〈やさしい言語〉センターによるロビイングが功を奏したこと、カーター以来の〈やさしい言語〉に関する実績が政府内にあったこと、さらには、議員自身にもやさしい文書が手にできるという便宜が予測できたこと、などがこの法案を圧倒的多数で成立させた要因だと思われる。

## 成果はあったのか

2010年に成立した「やさしい作文法」は、その後、どのような成果をうみだしたのか。各省庁には、年に一度の法令順守レポートと、それをウェブ上に掲載することが義務づけられている。インターネット上では、レポートをいくつかみることができる。1ページだけのものから、10ページをこえるものまでさまざまである。〈やさしい言語〉センターは、各省庁の順守状況について、大学の成績評価のようにAからFの評価づけをし、その結果をセンターのホームページ上で公開している。各省庁からすれば、成績評価とその公表をともなうレポートの提出を毎年課せられて、気がぬけないことになる。

一例として、社会保障局（Social Security Administration）の「やさしい作文・法令順守レポート（2014年度）」をみてみよう[3]。同局は、内部に退職者・障害者室もあって認識がたかいのか、何度も高評価を獲得している。1年間の実績として、ウェブサイトでの〈やさしい言語〉ページの維持、「スタイル・ライター」という編集ソフトの局内への配布、やさしい作文のための研修会やキャンペーンの実施、文書へのやさしい作文ガイドラインの適用、局内でのやさしい作文賞の選定基準の策定などをあげる。つづいて、局内の各室においてどのような文書改訂や研修が実施されたのか、記録が列挙されている。改訂された文書の種類は、多種多様である。研修は、1年間に14,261名が受講した、とある。全体として、充実した実践記録がみられる。

もっともこうした実践は一部にとどまる。ステイブラー・レイチェル（2013）は、法律施行の3年後に、各省庁がどの程度、「年次・法令順守レポート」を提出したのかを調査した。それによると、3回とも提出したのは46%と半数にみたない。2回が17%、1回が11%、0回が26%である。省庁や機関によってバラツキがあることがわかる。その後、連邦政府が発表する文書においても、依然として〈やさしい言語〉のガイドラインにしたがっていないものがみられる。ステイブラーは、監視と強制のシステムがないことがこの法律の欠点であるとしている（同上書：316）。

## 5. 〈やさしい英語〉採用の背景と成果

### 連邦政府における行政文書の平易化

ここまで、カーター、クリントン、オバマという3人の大統領による〈やさしい英語〉のとりくみを概観してきた。これをまとめると、図表8-1になる。

カーターとクリントン（第1期）は、行政改革が主要な動機であった。クリントン（第2期）とオバマは、〈やさしい言語〉を推進するNPOの存在が大きかった。アメリカ連邦政府による文書平易化の背景にあるのは、ひとつには行政改革、もうひとつにはNPOだったことになる。

図表8-1　行政文書の平易化（まとめ）

| 大統領名 | 法律の種類 | 主たる動機 | ガイドライン | 省庁への指示 | 成果 |
|---|---|---|---|---|---|
| カーター | 大統領令 | 行政改革 | なし | なし | × |
| クリントン | 大統領覚書 | 行政改革・NPO | あり | ガイダンス<br>褒章制度 | △ |
| オバマ | 法（やさしい作文法） | NPO | あり | 法令順守レポート | △ |

第2節でフォード大統領の名がでてきたように、行政改革における書類作成削減方針は、共和党政権にもあった。すでに1970年代に、ニクソン大統領は「官報は素人ことば（layman's terms）で記されるべきである」という通達をだしている（ロック・ジョアン2004）。また「やさしい作文法」が、1回目の議会提案時（2008年）に成立していれば、それはブッシュ共和党政権のもとで、ということになったはずである。そうした意味で、連邦政府における〈やさしい英語〉政策が、民主党とむすびつけられるのは、正確ではない。同様に、NPOが推進母体になったケースもあることから、「大統領の熱意による」とも一概にいえないことになる。

## 動機としての行政改革

カーターもクリントンも行政改革の一環として、文書の平易化を位置づけていた。文書作成の事務量をへらすことはもちろん、文書に対する苦情や対応がへることが、経費節減につながる。連邦政府以外でも、ワシントン州、ニューヨーク州、カリフォルニア州などでは〈やさしい英語〉の実践がみられる。カリフォルニア州ロサンゼルス郡という地方自治体の例になるが、節約効果を具体的な数字で実証している例がある（ウィップ・ジャパン2013: 30）。それによると、同郡は健康パンフレットを〈やさしい英語〉で刊行した結果、22,320ドルの節約を達成した。またアドバイスや情報の書かれた消費者問題のパンフレットを〈やさしい英語〉で作成したところ、苦情の電話が30%へり、年間で56,100ドルの節約になったということである。

書類作成事務の削減の一環として文書の平易化がとりあげられるのは、アメリカにかぎらない。OECD（経済協力開発機構）の調査によると、〈やさしい言語〉による法律の作成については、30か国の加盟国の過半数がおこない、16か国ではガイダンスの刊行や研修プログラムも実施している（OECD2002: 70）。サービス向上のための顧客憲章も、過半数で作成されている（OECD 2005=2006: 56）。つまり、政府が行政改革における規制の透明化やアクセス改善の手段の一環として〈やさしい言語〉を採用するという現象は、OECD加盟国の多くに共通してみられるのである。

## 動機としてのNPO

連邦政府において文書平易化をすすめたもうひとつの存在は、NPOである。クリントン政権時にはプレインが、オバマ政権時には〈やさしい言語〉センターが重要な役割をはたした。前者は行政官僚、後者はこれにくわえて、法律／行政文書の難解さに問題意識をもつ法学者、研究者、企業関係者などが参加している。両者とも会の活動には、研修会やシンポジウムの開催、リライト事業の引受・指導などがある。後者は、〈やさしい言語〉の実践に対する褒章制度ももつ。そして政府に対して政策や法制化のはたらきかけというアドボカシー活動もおこなっている。

OECD諸国に、行政改革の一環として文書平易化がみられるのと同様に、これらの国々には、文書平易化をめざすNPOが存在する。代表的な団体に、クラリティ（イギリス）とプレイン（カナダ）がある。イギリスでは「やさしい法律言語をめざす組織」として「クラリティ（Clarity）」が1983年に設立された。中心的メンバーは、法律家、弁護士、研究者、公務員などである。いまも学会的な活動とともに、啓発や提言をつづけている（次章を参照）。カナダには「プレイン（PLAIN=Plain Language Association International）」という、規模の大きなNPOがある（略記するとアメリカにあるプレイン〈PLAIN〉と同名になり、まぎらわしいが）。1993年に設立。その後に発展をつづけ、いまではイギリスのクラリティとならぶ二大NPOといわれる。2007年アムステルダム、2009年シドニー、2011年ストックホルムといった具合に、国際的な大会を開催し、活発な活動をつづけている。

〈やさしい言語〉の実現にむけて活動するNPOが政府の〈やさしい言語〉活動を推進するという構図も、アメリカにとどまらず、OECDのいくつかの国に共通してみられるのである。

## 成果について

3人の大統領が採用した〈やさしい英語〉政策は、連邦政府の各省庁がどの程度、それを順守するかによって成否がきまる。カーターの場合には、具体的な指示がなく、ほとんど成果がみられなかった。クリントンは、報告をもとめたり褒章制度をもうけたりすることで、進展をはかった。オバマは、法令順守レポートを義務づけ、より実質化をめざした。一部の省庁を中心に、研修会の開催や文書の改訂といった成果があがっている。しかし、省庁全体に趣旨はゆきわたっておらず、監視や強制のシステムが必要だという意見がある。さらに、「〈やさしい作文〉法」は、法律や規制といった文書には適用されないが、ここにまで範囲をひろげた新法を用意すべきだという声もある（いくつかの国ではそうした実績がある）。今後の進展に注目したい。

## 6. おわりに――〈やさしい英語〉の限界②

前章第7節で、SECのガイドラインなどを資料にして〈やさしい英語〉の限界を指摘するスラッシュの議論を紹介した。それは受け手の出身国や英語能力の多様性に対応していないという批判であった。もうひとつ別の視点からする〈やさしい英語〉批判を紹介しておきたい。

ここでとりあげるのは、カー・キャスリーン（2014）である。彼女はオバマによる「やさしい作文法2010」を対象にした調査をおこない、学位論文にまとめた。調査は連邦政府職員と、行政文書を利用する市民とに対するインタビューによるものである。そのインタビュー記録から「やさしい作文法2010」のもつ問題点を列挙している。連邦職員についてのインタビューから、「この法律の存在を知っているのはたった50％である」（同上書：83）といった興味ぶかい事実もわかるが、ここでは市民のインタビューにしぼって、調査結果をみてみたい。

登録や証書の取得に政府書類を利用する際に、どのような問題があるのかを利用者は具体的にかたっている。文書自体の難解さと同時に、オンラインにアクセスできない、書類の所在がわからない、役所へいく手段がない、活字が小さくてよめない、電話相談につながらない、時間がない、といった事情である。そしてだれもが、相談したり書類をみてくれたりする助言者の存在を希望している。

ここであきらかになるのは、文書の難解さ以上に、日常生活におけるその利用の仕方に問題があるということである。いくら文書が平易になったところで、利用が容易になるのでなければ、言語アクセスは改善されない。大事なことは、テキストをふくむコンテキストだということになる。カーは、情報にいかにアクセスし、読み書きし、利用するのか、といった一連のプロセスこそが重要であるとする。そして、読みやすさ尺度にかえて、「利用可能性／利用しやすさ(usability)」という尺度を提案する。「利用可能性という尺度こそ、政府のコミュニケーションの効率をはかる、よりよい尺度である」と主張する(同上書：170)。ただし、それがどのような変数によって決定されるのか具体的な説明はなく、実用化は今後の課題にとどまる。

コンテキストというのは、LEPの生活世界のことである。経済的、社会的にも不利な条件におかれたLEPにとって、有効な言語サービスをいかに実現していくかを問わなければならない。前章でみたスラッシュと同様、カーが強調するのは受け手の視点である。

本書でみてきたような、アメリカにおける消費者文書や行政文書の平易化は、制度化、法制化の参考になると同時に、〈やさしい言語〉の限界をかんがえるための素材も提供している。

**注**

(1) http://www.boem.pov/BOEM-Newsroom/Press-elease/1995/50093.aspx (アクセス: 2016.8.24)

(2) http://www.plainlanguage.gov/examples/award (アクセス: 2016.8.24)

(3) https://www.ssa.gov/agency/plain-language/pdf/PlainWrtngRpt2014.pdf. (アクセス: 2016.8.24)

# 第9章（付章）<br>イギリスにおける〈やさしい英語〉運動

## 1. はじめに

### イギリスの英語改良運動

ここまでアメリカに焦点をあわせて論をすすめてきたが、本章ではイギリスに目を転じることにする。イギリスは、アメリカとならんで〈やさしい英語〉運動の二大発祥地といってよい国である。第二次世界大戦後に、時をおなじくして〈やさしい英語〉（plain English）の主張があらわれ、具体的な成果をうみだしてきた。アメリカとは相違もあれば共通点もある。イギリスの例は、〈やさしい英語〉とは何かを複数の視点からかんがえるうえで、貴重な素材を提供してくれる。

英語史をひもとくと、英語は、いくつもの外国語が流入してきた歴史がある。法律英語は、11世紀のノルマン・コンクエスト（ノルマンディー公ウィリアムによるイングランド征服）以降、フランス語やラテン語に支配され、冗長さ・不明瞭さなどもあいまって、市民には理解しにくいものになっていった。一般的な英語の表記についても、表音文字である英語は、時間の経過とともに綴りと発音のズレが次第に大きくなり、綴り字学習に困難をもたらしている。こうした不合理を解消するため、英語の改良運動がうまれた。20世紀における代表的なものを3つあげれば、綴り字改革運動、ベーシック・イングリッシュ、〈やさしい英語〉がある。

綴り字改革とは、表音原則に反する不規則性の高い英語の表記を、より規則的で表音的なものにしようという運動のことである。読み書き教育の効率化、国際語としての英語をおもな動機とする。外国語として英語をまなんだ経験をもつ者はだれしも、スペルの難解さに苦労させられた記憶がある。運動は20世紀中葉にピークをむかえ、1949年には「綴り字改革法案」が、1953年には「簡略綴り字法案」が議会に提案された（山口美知代2009）。

ベーシック・イングリッシュは、ケンブリッジ大学のオグデン・チャールズ・ケイによって1930年代に発表された簡易英語で、「British、American、Scientific、International、Commercial」の頭文字をとってつけたといわれる。つかえる単語の数を850字に制限して、とくに外国人の英語学習を容易にすることをめざす。発表後に大きな反響をよんだ。10年ほどのあいだに約30か国に普及組織がうまれ、活発な活動がみられた（相沢佳子2013）。

〈やさしい英語〉は、専門用語はなるべくつかわない、単語や文章は短くするといったガイドラインにもとづいて作文される平易な英語のことである。難解な法律や公文書の改善を初発の動機とする。ガワーズ・アーネストが提唱し、1970年代にイギリスでも〈やさしい英語〉運動といわれる草の根運動がおこった。

## 英語改良運動の成否

これら3つの英語改良運動は、それぞれ注目をあびて一時代を画した。しかし、その後の展開をみると、明暗がわかれる。綴り字改革については、議会に上程された最初の改革案は、わずか3票差ではあったが、否決された。第2の改革案は、議案自体がひきさげられた。1960年代には英語学習を容易にするため、多くの小学校に初期指導用アルファベットが導入されたものの、その後、撤退を余儀なくされた。この撤退は19世紀以来の綴り字改革運動にひとつの決着がついたこと、つまりそれが失敗におわったことを意味する（山口美知代2009: 343）。

ベーシック・イングリッシュは、外国語としての英語教育について、一定の影響をあたえたが、第二次世界大戦後に大きな発展はみられず、1950年代に尻すぼみになったとされる（カッツ・マーティン2013: xxix）。最近では、グロービッシュ（Globish）、ベーシック・グローバル・イングリッシュ（Basic Global English）といったあたらしい簡易英語もあらわれ、さらに影がうすくなっている。

これらふたつとくらべると、〈やさしい英語〉には、一定の成果がみられる。

運動をうけて、1980年代にイギリス政府による大規模な行政書式のみなおしが実施された。1990年代には、公共サービスにおける〈やさしい英語〉の使用が奨励されるようになった。1995年以降、税法や民事裁判手続き規則の〈やさしい英語〉による改訂がおこなわれている。〈やさしい英語〉による法律文書作成のための解説書も版をかさねている（アスプレイ・ミッシェル2010、ガーナー・ブライアン2013など）。いまや〈やさしい英語〉は社会のなかで一定の承認を得ているといえる。

では、綴り字改革やベーシック・イングリッシュとちがって、〈やさしい英語〉はなぜ成果を得ることができたのだろうか。言語改良運動が成功するには、運動体の力だけでなく、政府、企業など他機関の協力が必要になる。以下では、1970年代〜90年代のイギリスに焦点をあて、初期の〈やさしい英語〉運動がどのように社会をまきこんで発展していったのか、その経緯と要因を検証することにしたい。

## 2. 〈やさしい英語〉運動のはじまり

### ガワーズと〈やさしい英語〉

イギリスで〈やさしい英語〉が人口に膾炙（かいしゃ）するようになったのは、ガワーズ・アーネストの著作によってである。彼は、アメリカでいえばフレッシュ・ルドルフに相当する人物だといえる。

ガワーズはイギリスの上級官僚で、第二次世界大戦前から、いろいろな委員会のトップをつとめた経歴をもつ。実務家として法律／行政英語の難解さに疑問をもっていたガワーズは、上司にすすめられ、1948年に『やさしいことば（Plain Words）』を、1951年に『やさしいことばABC（The ABC of Plain Words）』を、1954年に両者をあわせた『合本・やさしいことば（The Complete Plain Words）』を刊行した。とくに合本はロングセラーになり、2014年にも新版がでている。

ガワーズは、わかりやすい文章をつくる方策を提案した。それは、「短く、シンプルに、そして人間的に（Be short、be simple、be human）」という3原則である（ガワーズ・アーネスト2014: 34）。公的な手紙を書くという状況を例に、これを具体化した13のガイドラインを列挙し解説している（同上書: 18-32）。「文章は短く」「専門用語はシンプルな用語に」「非日常的なことばより、日常的なことばを」といった提言が、そこにはみられる。

〈やさしい英語〉に厳密な規則はなく、作文のためのガイドラインがあるだけだといわれる。その後、さまざまな個人や機関が〈やさしい英語〉のガイドラインを発表してきた。ガイドラインの数はさまざまであるが、25から50くらいの間におさまる（キンブル・ジョゼフ2012: 22）。ガワーズの提案は、その原型になった。

## マーハ・クリッシーとカッツ・マーティン

イギリスでは1950年代、60年代とガワーズの著作が読みつがれ、〈plain English〉という用語の認知とともに、支持者もひろがってきた。しかし、法曹界や行政においては、伝統的な表現への固執もつよかった。文章に句読点をふることは「女性的」であり、有能な書き手はそれらなしに意図を表現するべき、とされたのである（メリンコフ・デイビッド1963: 367）。〈やさしい英語〉は幼稚で愚劣なレベルに法律をおとしめることだ、という反対論もあった（レチェ・ポール2002: 22）。その根強さは、裁判官や弁護士がいまだにかつらをつけるイギリス法廷の権威主義を想起するだけでよい。

このような状況を打破し、〈やさしい英語〉を推進するきっかけになったのは、低識字者による草の根運動であった。その中心人物がマーハ・クリッシー（Maher, Chrissie）である。マーハは1938年リヴァプールうまれの女性。家庭の事情により十分な初等教育をうけられなかったマーハが識字能力を身につけたのは、10代なかば。就職先の経営者の紹介で夜間学校にかよってからである。しかし、多少の読み書きをおぼえても、専門用語にみちた新聞は、むずかしい。そこで「はじめてのコミュニティ新聞」といわれる『チューブルック・ビューグル』を発刊した。さらに自分とおなじような低識字者のために、やさしく編集された新聞『リヴァプール・ニュース』も発刊した。この時の編集に協力した人物が、カッツ・マーティン（Cutts, Martin）である。カッツは心理学、イタリア語などの学位をもつインテリで、こののち、マーハとともに運動をになうことになる。

ふたりは新聞の編集をつづけながら、失業給付などの公的な申請書類の記入が困難な人たちのために、支援活動をはじめた。そして読み書きの不自由になやむ人々がかなりいること、申請書類の難解さがさらなる悲惨をまねいていることに気づいた。

先進国といわれる国々においては、読み書きの問題はすでに解決したとかんがえがちである。しかし、実際には社会生活に十分に適応できるだけの識字能力をもっていない人がかなりいる。1994年から95年にかけて実施されたOECD調査によると、イギリスで文書リテラシーがレベル1の人口比は、23%にのぼる（OECD1997: 151）。文書リテラシーのレベル1は、文書の処理能力を調査する500点満点のテストで225点以下しか獲得できない、5段階評価の最低レベルである。「名前を書く」「免許証の期限がわかる」「会議時間をさがしだす」「円グラフから所定のクルマのタイプをみつける」といったごく初歩的な能力しかもたないか、それをもちあわせていない人々がここに属する。イギリスにおいても、低識字者とか機能的非識字者といわれる層が、いまも一定の割合で存在する。

## 〈やさしい英語〉キャンペーンの設立

マーハとカッツは、1979年、公文書の平易化をもとめる団体「〈やさしい英語〉キャンペーン」（Plain English Campaign）を設立した。結成趣旨は、最初のリーフレットに次のようにのべられている（カッツ・マーティン／マーハ・クリッシー 1986: 11）。

> 〈やさしい英語〉キャンペーンは複雑な書式によってひきおこされる困難、混乱、浪費に反対する。あらゆる公的な書類やリーフレットは、やさしい、シンプルな英語で書かれるべきである。（中略）すべての政府機関、地方議会、企業は、書式や手紙や契約を書きあらためる〈やさしい英語〉組織をたちあげるべきである。

彼らは、議会や政府に書式の改訂をもとめたが、事態の改善がなかなかすすまなかった。そこで、同年7月ロンドンにおもむき、パフォーマンスを実行した。それは国会議事堂前の広場で、役所ことばにみちた公文書をシュレッダーできりきざむという行動である。この行動はかけつけた警官によって退去を命じられたが、あらかじめ連絡していた新聞、ラジオ、テレビによって全国に報道され、注目をあつめることになった。〈やさしい英語〉キャンペーンが設立され、その行動が耳目をひいた1979年は、イギリスにおける〈やさしい英語〉運動の起点として記憶されている。

〈やさしい英語〉キャンペーンは、いまも政府から独立したNPOとして存続し活動をつづけている。文書の校正サービス、〈やさしい英語〉研修の実施、認証マーク(クリスタル・マーク)の授与、ニュースレターの発行といったことが、おもな活動内容である。毎年、〈やさしい英語〉のすぐれた実践をした個人や機関に「〈やさしい英語〉大賞」を、ひどい文章を発表した個人や機関に「〈やさしい英語〉ブービー賞」をおくるという企画も実施している。日本で年末に発表される「流行語大賞」と同様に、これはマスコミが注目する年中行事になっている。〈やさしい英語〉キャンペーンは、政府や企業に圧力をかける有力な圧力団体といわれることもあれば、「言語にもっとも影響力をあたえた草の根運動」と評されることもある。

マーハと共同して運動をすすめていたカッツは、理由はわからないが、1988年に〈やさしい英語〉キャンペーンと決別した。そして1994年、あたらしい組織「やさしい言語委員会(プレイン・ランゲージ・コミッション)」をたちあげた。活動内容は〈やさしい英語〉キャンペーンと似ており、文書の校正サービス、研修会の実施、認証マークの授与、ニュースレターの発行などである。ただちがうのは、この組織は「会社」として、営利を前面におしだしていることである。具体的な顧客対象として、政府の各部署、地方組織、金融事業者、年金機構など、さまざまな組織があげられている。〈やさしい英語〉が普及した結果、いまやそれはビジネスとして成立するようになった。

## クラリティの活動

イギリスには、もうひとつ大きな組織がある。1983年にウォルトン・ジョン(Walton, John)を中心とするイギリスの法律家たちがたちあげた団体「クラリティ(Clarity)」である。「クラリティ」は「やさしい法律言語〈plain legal language〉の促進をめざす専門家による国際的ネットワーク」と自己を規定している。メンバーの職業は、法律家、判事、公務員、学者、教師など。会は拡大をつづけ、2016年2月現在、50か国、650人のメンバーをかかえるにいたった。支部は30か国におよぶ。2010年リスボン、2012年ワシントン、2014年ベルギーといった具合に、2年に1度、国際会議を開催している。また年に2回、50ページ前後のボリュームをもつ機関紙『クラリティ』を発行する。

イギリスでは近年、法律を平易に改訂する作業がおこなわれている。1995年、政府は税法(国内歳入法)を〈やさしい英語〉に書きかえるプロジェクトを開始した。それは6,000ページにおよぶ大事業になり、2010年にやっと完結した。1996年には民事訴訟の簡素化をもとめるウルフ・レポートがだされた。これにもとづいて民事手続き規則が改訂され、新法として1998年に公布された。あたらしい規則では、民事訴訟に関する難解な用語がやさしくあらためられている(例:plaintiff〈原告〉→ claimant、writ〈訴状〉→ claim form など)。

「クラリティ」は、こうした法律改正に内部、外部からかかわってきた。『クラリティ』誌上では、改正の内容や方向性がしばしば論じられている。〈やさしい英語〉による法律英語の改訂に、この団体がはたした直接的、間接的貢献は大きい。〈やさしい英語〉キャンペーンや、やさしい言語委員会は健在であるが、実務的・専門的な分野では、「クラリティ」の存在感が大きくなっている。国際大会の開催にみられるように、その影響力は海外にもおよぶ。

## 3. イギリス政府の対応――サッチャーとメイジャー

### サッチャーと〈やさしい英語〉

〈やさしい英語〉運動に、イギリス政府はどのように対応したのか。ひとことでいえば、それは肯定的、積極的な対応だった。政府は、はやい段階で理解をしめし、運動体と協力して書式や文書の平易化にとりくんだのである。

〈やさしい英語〉運動がおこった1979年は、くしくもサッチャー・マーガレットが首相に就任した年でもあった。労働党から政権をとりもどした保守党のサッチャーは、これ以降、サッチャリズムといわれる新自由主義的な改革をすすめていくことになる。国営企業の民営化、公的支出のカット、規制緩和、マネタリズムの採用などが、これにあたる。

サッチャーは、「小さな政府」をめざして行政改革にも手をつけた。1979年、官邸に能率室（Efficiency Unit）を創設し、レイナー・デレック（Rayner, Derek）を室長にむかえた。レイナーは小売業マークス＆スペンサーで経営部長をつとめ、管理改革に成功した人物である。彼はレイナー監査（Rayner scrutiny）とよばれる、行政手続きの合理化を目的とした監査を実施した。1983年に職を辞するまで、それは130にもおよぶ（谷藤悦史2001: 5）。

レイナー監査のひとつとして、政府の行政書式の点検もおこなわれた。1981年、8つの部署からメンバーをあつめて「文書検討チーム」が結成された。その報告にもとづき、1982年に白書『政府の行政書式（Administrative Forms in Government）』が刊行された。ここには、行政文書は政府の顔であり声であるにもかかわらず難解であり、わかりやすい英語に改訂されるべきだ、という提言がある。この白書は「イギリス政府による〈やさしい英語〉宣言」と評される（イーグルソン・ロバート1991: 33）。あるいは、この年が「イギリス政府が政府書式のために〈やさしい英語〉政策を採用した年」といわれる（アスプレイ・ミッシェル2010: 69）。

白書の刊行後、各部署で発行される書式の評価、テスト、検討がおこなわれた。結果については毎年報告書を提出し、指導や督促をうけた。こうした作業の結果、1985年にいたる3年間に、65,000の書式が点検され、そのうち15,700が廃棄、21,300が改訂されるという成果をあげた（カッツ・マーティン／マーハ・クリッシー1986: 20）。すくなくとも政府の行政書式については、短期間のうちに、大胆な改革が実行されたのである。

この過程で注目されるのは、文書の改訂作業にマーハやカッツなどの〈やさしい英語〉キャンペーンのメンバーが参加していることである。1981年、はじめて作業に参加する日、レイナーが彼らを出むかえた。それは「〈やさしい英語〉キャンペーンが歓迎されて政府の建物にはいった、はじめての機会」になったのである（同上書: 18）。その後、コンサルタントとして各部署に配属され、書式の評価、テスト、検討といった作業を共同でおこなっている。

〈やさしい英語〉キャンペーンが政府文書のみなおしに協力したのはこれだけではない。イギリス政府が設立した機関に「英国消費者協会（National Consumer Council）」がある。第7章でみたように、1970年代、アメリカでは消費者からの訴訟をきっかけに、〈やさしい英語〉による消費者契約文書のみなおしが進行していた。これに刺激され、イギリスでも同様の点検がはじまった。1980年頃から〈やさしい英語〉キャンペーンは協力をもとめられ、表現やデザインの観点から、消費に関する何千枚もの書式の点検をおこなった。その結果については、『ゴブルディグック(gobbledygook)』(1980)、『消費者のためのやさしいことば(Plain Words for Consumer)』(1984)、『法律家のためのやさしい英語(Plain English for Lawyers)』(1984)といった報告書にまとめられている。『法律家のためのやさしい英語』の冒頭には、協力者としてマーハとカッツに対する謝辞がみられる(英国消費者協会1984: 2)。

政府と〈やさしい英語〉キャンペーンというNPOとの協力関係には、あたらしさが感じられる。これまでの運動体には、批判・要求型が多かった。しかしここでは協働型ともいうべき姿がみられるからである。第5章のサンフランシスコの例でみたように、新自由主義的政策は、準市場を機能化すべく、NPOを活用した官民協働を推進する。のちに政権を奪還した労働党のブレアは、イコール・パートナーとしてNPOを位置づけ、この姿勢をより鮮明にする。サッチャーのとった対応は、その先駆とみることができる。

## メイジャーと〈やさしい英語〉

1990年サッチャーは辞任し、おなじく保守党のメイジャー・ジョンが首相に就任した。メイジャーは、基本的にはサッチャーの改革政策を踏襲した。書式や文書の改訂という政策についても、おなじことがいえる。サッチャーによる行政書式の削減・改訂は、行政改革と同時に、市民に対する行政サービスの改善という側面をもつ。後者にとくに力をいれて継続をはかったのが、メイジャーである。

メイジャーは1991年、「市民憲章(Citizen's Charter)」を発表した。サッチャーによる民営化や「小さな政府」政策がサービスの低下にならないようにするための政策であった。それは同時に、改革に対してひろがっている国民の反感や不信感をやわらげるための政策でもあった、といわれる(安章浩1998: 161)。

市民憲章とは、医療、教育、交通、就労といった公共サービスの向上をめざす宣言のことである。そこにはサービスの基準、情報の公開、情報の質、選択の余地、差別の禁止、アクセスの改善、申立の確保といった原則があげられている（コマンド・ペーパー1599、1991: 5）。3番目にある情報の質に関しては、こうのべられている。

> どのようなサービスが提供されるのか、十分な、正確な情報が「やさしい言語」で提供されねばならない。その目標達成度についても、達成結果に関する十分な、吟味された情報とともに、公にされなければならない。

つまりサービスの選択を可能にするような情報が、だれにもわかるように〈やさしい言語〉で提供されなければならないというわけである（イギリスでもこの頃から〈やさしい英語〉にかわって〈やさしい言語 = plain language〉が一般化する）。

〈やさしい英語〉による商品情報の提供については、先ほどのべた英国消費者協会と〈やさしい英語〉キャンペーンが協力して実施した消費に関する文書の点検が意味をもっていた。そうした実績のつみかさねが、消費者の目線にたって、公共サービスにおける情報の質の重要性を意識することにつながったといえる。

市民憲章をうけて、各省庁で「患者憲章」「親憲章」「乗客憲章」「求職者憲章」「賃貸人憲章」「地下鉄利用者憲章」といった40にのぼる下位憲章（ミニ憲章）がつくられた。たとえば「地下鉄利用者憲章」には「電車がおくれた場合にはそれを知らせる最善の努力をする」、「工事で運行ができないときには、あらかじめ告知する」、「問い合わせには7日以内に返答する」といった具体的な目標がかかげられている（シーリー・アントニー／ジェンキンス・ピーター 1995: 31）。

下位憲章のなかには、情報の質にふれたものもある。たとえば「賃貸人憲章」の第2項のタイトルは、「利用できるサービスについての、〈やさしい言語〉による明快な情報提供」。ここでは、修繕や継続に関する賃貸条件を知る権利、大家や地方局がもつ情報を知る権利などが、あげられている（同上書: 31）。

市民憲章の実施状況については、点検をうけて基準をクリアーしているものには「憲章マーク」が授与される、といった奨励策がとられた。これを通して、乗客、納税者、賃貸人、求職者、患者といった立場にたつ市民へのサービスの改善がはかられた。もっとも、強制をともなわない宣言であったため、実際上の効果については限界があったとされる（岡山勇一ほか2001: 62）。

市民憲章の成立に〈やさしい英語〉キャンペーンは直接に関与していない。しかし、毎年恒例の「〈やさしい英語〉大賞」に、わかりやすい憲章を作成した機関をえらぶなど、側面から支援した形跡がみとめられる。たとえば、1991年はミッドランド銀行の「銀行業務憲章(Business banking charter)」に、1993年は就労局の「求職者憲章(Job seeker charter)」に、「〈やさしい英語〉大賞」が授与されている。

レイナーによる行政書式のみなおしは、政府部内の文書にとどまっていた。これに対して、市民憲章は、医療、交通、納税、求職といった広範な市民生活にかかわる文書にまで〈やさしい英語〉を拡大したといえる。実際の公共機関でそれがどこまで浸透したのか、あるいは民間企業にどこまでひろがったのか、不明ではある。しかしすくなくとも、社会生活の諸分野における公認イデオロギーとして、〈やさしい英語〉は位置づけられることになったのである。

## 4. 政府と運動体の利害の一致

サッチャー首相は、公文書の平易化に賛同し、〈やさしい英語〉キャンペーンのサポーターであることを公言していた。1985年、〈やさしい英語〉キャンペーンは内閣府と協力して、「〈やさしい英語〉展」を開催した。展示会には、政府の各部署や保険会社などによってやさしく改訂された文書やリーフレットと、いまだにわかりにくい薬品ラベルや手引書などが展示された。この開会式にサッチャーは出席し、展示物の見学もおこなっている。

元来の政治的図式からいえば対極にあるサッチャーが、〈やさしい英語〉運動に賛同したのはどうしてなのか。それはサッチャーが低識字者の問題提起に共感したからではなく、彼女の政治的利害と〈やさしい英語〉キャンペーンの利害とが一致したから、というのが真の理由であろう。

サッチャーの命令をうけておこなわれたレイナー監査の目的は「浪費、官僚機構、肥大政府の縮小」である。政府の各部署は、毎年、業務内容の点検、その単純化の方策、不要な業務の除去などの報告をもとめられた(ロウ・ロドニー 2011: 250)。その結果は、ポスト、人員、経費の大胆な削減につながった。1983年までに約16,000のポストが廃止された(谷藤悦史 2001: 5)。公務員の数は1989

年までに73万人から57万人に減少した(沖部望2003: 4)。国家監察局は、1983年までに表面上は4億2,000万ポンド、実質的には1億7,000万ポンドの節約がおこなわれた、と計算している(ハドン・キャサリン2012: 6)。

つまりサッチャーにとっては、行政書式の削減、見直しというのは、「小さな政府」を実現する行政改革の一環だったのである。行政の合理化という点で、業務も文書もかわりはない。内容を吟味し、不適切なものは改善し、不要なものはカットするという手法は、両者に共通する。もちろん、低識字者の知る権利に配慮するという意識もあったかもしれない。しかしサッチャーによる当時の文書や手紙をみてもそうした発言はみることができず、あくまでもそれは二次的であったとおもわれる。

メイジャーのおこなった市民憲章についても、同様のことが指摘できる。メイジャーは数多くの職歴や病気をかさねた苦労人であった。失業や医療における公共サービスの問題点を実際に体験したことが、市民憲章の制定につながったとされる(梅川正美ほか2010: 191-192)。しかしより大きな観点からいえば、市民憲章とは経済政策の一環に位置づけられるものである。

サッチャー以降の改革路線は、「新公共管理(New Public Management=NPM)」とよばれる。それは民営化や市場原理の導入にとどまるものではない。分権化の推進、成果志向、顧客主義といったこともふくまれる。このうち顧客主義というのは、顧客を第一とするサービス提供をいう。従来、公的部門における公共サービスは、画一的、独占的なものになりがちであった。一方、私的部門においては企業が質をきそう競争的、顧客選択的なサービスが実施されている。新公共管理は、公的部門においても、私的部門と同様の競争的、顧客選択的なサービスを導入しようとするものである。

市民憲章にある、サービスの基準、情報の公開、情報の質、選択の余地、差別の禁止、アクセスの改善、中立の確保といった諸原則は、まさに顧客へのサービスの改善をめざしたものである。情報の質に関しても、わかりやすい情報を提供することが競争的、選択的サービスの前提として重要になってくる。市民憲章やその下位憲章に〈やさしい英語〉が導入されたことは、こうした文脈で理解すべきである。

〈やさしい英語〉運動は、さまざまな情報にアクセスする権利、「知る権利」

とつながりがある。市民憲章のなかにも「知る権利」という用語が登場する。そもそも「市民憲章」という用語自体、ピューリタン革命における「人民憲章」の使用に由来するもので、人権擁護の宣言にあたる（岡山勇一ほか2001: 61）。しかし、メイジャーのいう市民憲章は、より本質的にはサッチャーにはじまる行政改革を、消費者の目線から下支えするという目的をもつものであった。その意味では、市民憲章は、人権という法律の観点よりはサービスという経済の観点からとらえるべきであり、正確には、「顧客憲章」「消費者憲章」とよぶべきものである（安章浩1997b: 175）。

メイジャーはサッチャーよりも運動に共感をもっていたかもしれないが、市民憲章は彼らのためというよりは、みずからの新自由主義的な改革を実行する一環にすぎなかった。かくして文書やリーフレットの平易化をもとめる〈やさしい英語〉運動は、市民憲章において政府と2回目の利害の一致をみたのである（1回目とちがって、表面に出ない形ではあったが）。

## 5. おわりに

1979年イギリスではじまった〈やさしい英語〉運動は、サッチャーやメイジャーのすすめる政策と利害が一致し目的を共有した結果、初期からめざましい成功をおさめた。マーハたちの動機において、〈やさしい英語〉運動とは、低識字者の情報アクセスの改善をもとめる人権運動であった。それが、保守的志向をもつ政権と「奇妙な」連携をはたし、多大の成果を手にしたのである。

イギリスやフランスの言語政策史を研究するエイジャー・デニスは、1980年代、90年代にみられるイギリス政府と〈やさしい英語〉キャンペーンとの協力について、前者を「右翼的」、後者を「左翼的」としたうえで、こうのべている（エイジャー・デニス1996: 133）

> 効率とか規制緩和といった本質的に右翼的な目的が、ここにおいて、権利付与とか人権といった本質的に左翼的な目的と出あったのである。

本章では、サッチャーのすすめる文書の削減・改訂が行政書式の平易化という一面をもっていたこと、メイジャーの提唱した市民憲章にある情報の質の確保が公共文書の〈やさしい英語〉化と共通点をもっていたこと、この2点から両者の「出会い」をみてきた。

〈やさしい英語〉キャンペーンにとって政府は都合のいい存在であった。小さな力しかもたない自分たちの運動に具体的な形をあたえてくれる庇護（ひご）者だったからである。政府にとっても〈やさしい英語〉キャンペーンは都合がよかった。それは行政の合理化という「苦い」現実に、人権擁護という「美しい」装いをあたえてくれるからである。双方は、「改革」をこばむ公務員という共通敵に対して、手をたずさえるべき（あるいは、利用するべき）相手としてあらわれた。かくして、エイジャーのいう「右翼的目的と左翼的目的の出あい」が実現したのである。

〈やさしい英語〉運動の立場からいえば、行政内部に理解者がおり、共同戦線を結成できたことが、運動の成果につながったといえる。「構造改革者」「新自由主義者」「右翼」などとラベルはさまざまであるが、それは問題ではない。重要なことは、その理解者が「鉄の女」などとよばれる大きな政治力のもちぬしだったことである。主義や思想はちがっても、目的を共有できる有力な政治家との連携が、運動の前進につながる。これは言語改良運動へのひとつの教訓といえる。

1997年イギリスではメイジャーが退任し、かわって労働党のブレア・トニーが首相の座についた。ブレアは保守党の改革路線を修正したものの、一部は継続した。彼はアメリカのクリントンと同様に、新自由主義の継承者といわれる。市民憲章における「顧客主義」は、「サービス第一主義（Service First）」と名前をかえてうけつがれた。運動の側でも、法律の専門家集団である「クラリティ」などの活動もさかんになってきた。イギリスの〈やさしい英語〉運動は、政権党がかわってからも、さらに発展をつづけていくことになる。

# 終章
# 言語サービスと日本

## 1. 言語サービスの相互関係

### ふたつの省庁レポート

本書もようやく、終章にたどりついた。アメリカを対象に、第Ｉ部では多言語サービスをとりあげた。投票、医療、行政などの分野で、少数言語によるサービスが実現していた。言語少数者やLEPに対する連邦政府の基本政策は財政支援を欠く不十分なものであるが、それはパッチワーク状に、独自の多言語社会を形成している。第Ⅱ部では〈やさしい英語〉サービスをみた。連邦政府や一部の企業は、積極的に〈やさしい英語〉を採用し、講演会やトレーニングをとおして、文書を平易にする実績をかさねていた。「役所ことば」や「法律ことば」の改善も、徐々にすすんでいる。

ところで、ふたつの言語サービスは具体的な場面でどのように関連しているのだろうか。序章でものべたが、言語アクセス権は、選挙権、患者の権利、消費者の権利など、諸権利の一部である。LEPが生活する現場において、多言語サービスと〈やさしい英語〉サービスの相互関係を検証しなければならない。

連邦政府の各省庁は、第３章でみたように、多言語サービスに関する「LEPガイダンス（プラン）」を作成し、それを定期的に更新することを要求されている。また第８章でみたように、〈やさしい英語〉サービスに関する「法令順守レポート」を毎年、ウェブ上に公開することも課せられている。現場のニーズをかかえる省庁は、これらの義務を忠実にはたしているところが多い。ふたつの省庁レポートを比較すれば、特定の分野における言語サービスの実施状況が対比できる。

ここでは一例として、国土安全保障省（Department of Homeland Security）の一部署である連邦緊急事態管理庁（FEMA: Federal Emergency Management Agency）をとりあげることにする。

## FEMAにみる言語サービス

連邦緊急事態管理庁（以下ではFEMAと略称）は、国土安全保障省の管轄下にあって、洪水・地震・ハリケーンなどの自然災害や原子力発電所事故などへの対応にあたる省庁である。日本とおなじく、アメリカでも近年、自然災害が多発している。移民国家にあっては、当然のことながら、言語少数者やLEPへの配慮がもとめられる。

多言語サービスについては、2016年に発表されたFEMAの「言語アクセス計画（Language Access Plan）」という文書をウェブ上でみることができる[(1)]。ここには、29ページにわたって、LEPに対するFEMAの方針、実績等がまとめられている。方針としては、LEPコミュニティの人口や言語の調査、言語サービスの告知、主要な情報の翻訳、スタッフの教育・研修、バイリンガル職員の確保、言語サービスのモニタリングと評価などがある。

実績には、近年の災害時における対応がまとめられている。たとえば、災害への準備・対応・復旧を記した資料を21か国語でサイトに掲載していること、サンディー、イレーヌ、アイザックと命名されたハリケーンの来襲時には主要20か国語でチラシや冊子を配布し、50か国語以上で電話相談に応じる態勢で対応したこと、などである。付録には、一例としてアルバニア語に翻訳したパンフレットや53言語別の電話コール回数が付されている。

分量は少ないが、盲人・視覚障害者や〈ろう者〉・聴覚障害者への言及があることも注目される。たとえば、「20言語ならびに拡大文字や点字をふくむ代替的フォーマットへの翻訳」とか「（ハリケーン来襲時における）アメリカ手話通訳者の提供」といった記述がある。拡大文字、点字、手話といったコミュニケーション手段も多言語のひとつとしてカウントされているのであろう。

もう一方の〈やさしい英語〉サービスについては、FEMAは2017年に「〈やさしい言語〉法令順守レポート2016-2017」を発表した。これもウェブ上でみることができる[(2)]。このレポートは国土安全保障省が一括して発表したもので、FEMAはその一部分をなす。分量は2ページたらず。内容としては、国家緊急時管理システム（NIMS）の〈やさしい言語〉への変更の更新、いくつかの部署によるウェブ・コンテンツの〈やさしい言語〉への改訂、研修会の開催（6回）などである。

ここには、知的障害者等への言及がある。たとえば、「認知的、知的障害をもち、アクセスや機能上のニーズをもつ人たちが理解できるように資料の改訂をおこなった」という記述がある。〈やさしい言語〉と「わかりやすい（easy-to-understand）言語」とは関連があり、ここでとりあげたものとおもわれる。

### 中心と周辺

FEMAによるふたつのサービスを比較すると、レポートのボリュームからもわかるように、多言語サービスが〈やさしい英語〉サービスを圧倒している。前者は、LEPのニーズに即した具体的で多彩な計画や実行がみられるのに対して、後者はいくつかの文書の改訂にとどまる。災害については、事前の準備、発生時の対応、その後の復旧といった一連のながれのなかで、多様な言語的背景をもつ被災者への対応がもとめられるからであろう。

医療を管轄する保健福祉省などでも、同様の事態が確認できる。第4章でみたように、医療現場で実現しているのは、多言語による多彩な通訳翻訳サービスであった。すべての省庁を確認できていないが、LEPに対する言語サービスとしては多言語サービスが中心をしめ、〈やさしい英語〉サービスは周辺にとどまる、というのがアメリカの現実である。

いうまでもないが、LEPにとっては自分たちが話している少数言語こそがもっとも理解しやすい言語である。いくら平易になっているとはいえ、〈やさしい英語〉は第2言語であって、その理解や使用には限界がある。多言語サービスは言語少数者による下からの運動として実現してきた。少数言語の使用拡大をもとめる移民やその支援団体の要求が、多言語サービスの拡大をプッシュしてきたにちがいない。それがこうした結果につながっているのであろう。

## 2. 日本の言語サービス

### 多言語サービス

最後に、日本の言語サービスにふれておきたい。近年、多言語サービスの必要性が、日本でも認識され推進されるようになってきた。総務省は2006年に「地域における多文化共生推進プラン」と題した文書を発表した。ここでは、「国際交流」「国際協力」にかわって、「多文化共生」を今後の方向性として提起している（改正入管法の成立をうけて2018年に策定された「外国人人材の受入れ、共生のための総合的対応策」もこの方向性を踏襲する）。

このプランの第3項「地域における多文化共生の推進に係る具体的な施策」のひとつは、コミュニケーション支援である。多文化共生のひとつのキーワードとして、多言語サービスが位置づけられている。ここには、（ア）多様な言語、多様なメディアによる行政・生活情報の提供、（イ）外国人住民の生活相談のための窓口の設置、（ウ）NPO等との連携による多言語情報の提供、（エ）地域の外国人住民の相談員、などが列挙されている。ほかに医療、保健、福祉、防災などの分野における多言語化の必要性の指摘もある。

総務省の発表をうけて各地で「多文化共生プラン」が策定された。地方自治体には、災害情報、生活ガイドブック、施設利用案内などを多言語で刊行するところがふえている。一般財団法人・自治体国際化協会（クレア）のサイトには、こうした事例があつめられており、多言語サービスのひろがりがわかる[(3)]。ただし、多言語政策を条例や指針として法制化している自治体は、ほとんどない。全国1,747自治体の例規を掲載した「条例webアーカイブデータベース」というサイトがある。ここで「多言語」を検索しても、外国人観光客を対象とした多言語化事業の補助金の交付要綱といったものばかりである[(4)]。外国人観光客の便宜をはかることは大切であるが、日本に生活の拠点をおいている外国人住民への多言語サービスこそ、まず優先すべきではないか。

条例化や指針化が確認できるのは、神奈川県と神奈川県川崎市だけである。神奈川県は2006年に「外国籍住民への情報提供に関する基本方針」を、川崎市は1998年に「外国人市民への広報に対する考え方」を策定した。

言語サービスは首長や担当者がかわってサービスが後退することがあってはならない。また真にニーズにかなっているかどうか、たえず確認されなければならない。これらのためには、情報の種類、翻訳通訳の対象となる言語、対応する行政機関、モニター方法などを法律、条例として法制化する必要がある。これにより、言語サービスは、より一般的、持続的なものになりうる。

アメリカでは、クリントンの大統領令が医療、保健、行政といった個別分野の多言語サービスを推進し拡大するうえで、重要な役目をはたした。またサンフランシスコの事例でみたように、地方自治体の言語アクセス条例が、地方のニーズに即した具体的サービスの展開のうえでこれを補完する。報告書提出の義務化やNPOとの協働といった、事後の監視、運営システムも構築されている。

一方で、アメリカの連邦政府は、移民政策を地方や民間に丸なげして、十分な援助をしてこなかった。それが地域や階層による格差をうみだしていることは、医療においてみてきたとおりである。移民や外国人住民を、単なる「人材」や「労働力」ではなく、生活者としての権利を保障し多言語サービスを展開するためには、財政上の支援が必要である。財政危機にあることは日本も同様であるが、たとえば医療においては国民皆保険制度といった財産もある。それらを活用することによって、あたらしい支援制度が構築できるはずである。

かつて『エスニック・アメリカ』をあらわした越智道雄は、「文化多元主義政策実施のコストも当然のこととして受け入れざるをえない日が、遠からずわが国にやってくることは、火をみるよりも明らかである」とのべた。そして、日本では革新政党ですら、これを綱領にかかげていないことをなげいている（越智道雄1995: 231）。この本の刊行からすでに25年がたつが、いまだに日本の政治状況がここから変化していないことには、暗澹（あんたん）たる気持ちにならざるをえない。

多言語教育を研究する中島和子は、「多言語主義は多文化主義がどれほど徹底して実践されるか、あるいはそれが便宜的な政策にすぎないかを測るバロメーターになる」とのべている（カミンズ・ジムほか1995=2005, 訳者解説 : 175）。「多文化共生」は「多言語共生」でなければならない。その実質化のための法整備や財政支援がもとめられている。

### 〈やさしい日本語〉サービス

1995年の阪神淡路大震災を契機として、災害情報を平易にする〈やさしい日本語〉のとりくみがみられるようになった。震災時には多言語情報の提供がむずかしいため、「日本でくらして１年ぐらいの外国人でも瞬時に理解できる」日本語の表現法が案出された。これが〈やさしい日本語〉である。多くの地方自治体などでは、災害にとどまらず、広範な分野で外国人むけの文書作成の方法として、その利用がひろがっている。

佐藤和之（2016: 254-261）による〈やさしい日本語〉ガイドライン（表現法）は、次のようになっている。

- ・難語をさけ、簡単な語をつかう。
- ・一文を短くして、文の構造を簡単にする。
- ・文末表現はなるべく統一する。
- ・二重否定の表現はさける。
- ・あいまいな表現はつかわない。
- ・動詞を名詞にしたものはできるだけ動詞文にする。
- ・外来語には注意する。
- ・擬音語や擬態語はさける。

日本語表記についての記述もあり、漢字にふりがなをふる、ローマ字はつかわないといった注意点があげられている。第6章に、フレッシュ・ルドルフとカッツ・マーティンの〈やさしい英語〉ガイドラインをのせた。これらと比較すればわかるように、文章の短縮、平易な語彙の選択など、いくつかの共通点がある。〈やさしい日本語〉の実践のひろがりは、〈やさしい英語〉と同様に、難解な行政文書の平易化に寄与するはずである。

第Ⅱ部でみたように、アメリカでは〈やさしい英語〉は、ガイドラインにとどまらず、尺度や公式が一般化している。また、〈やさしい英語〉の利用をうながすため、法律や規則とともに、罰則・許認可制度、法令順守レポートの提出といった、仕組みも存在する。多言語サービスと同様に、日本ではこうした法律や制度がまだみられない。消費者文書にしても行政文書にしても、ガイドラインとして存在するだけでは、十分な実行につながらないことは、みてきたとおりである。今後はそうした法制化や制度化がもとめられる。

### 〈やさしい日本語〉の限界

同時に、言語少数者にとって〈やさしい日本語〉には限界があることも指摘しておかねばならない。なぜなら、語感のよさもあって、〈やさしい日本語〉が過大に評価される傾向があるからである。

日本で〈やさしい日本語〉が提案されたのは、阪神淡路大震災であった。それは、一般的な日本語よりも在留外国人にわかりやすいことはまちがいない。しかし、外国語あるいは少数言語もふくめて比較するとどうであろうか。言語少数者に対する災害時の情報提供として、①「〈やさしい日本語〉だけによる」、②「主要な少数言語＋〈やさしい日本語〉による」というふたつのモデルをくらべた場合には、どちらの方が減災に役だつだろうか。いうまでもなく、②であろう。言語少数者にとって、〈やさしい日本語〉よりも、自分たちの母語でコミュニケーションするほうが理解しやすく、安心できることはいうまでもない。FEMAのレポートでみたように、アメリカの災害対策の中心は、多言語による情報提供である。ハリケーン来襲時における20か国語でのチラシや冊子の配布、50か国語以上での電話相談といった対応を、FEMAはとっていたのである。

もちろんこのためには、災害時に多言語サービスをたちあげるのではなく、事前に、資料の翻訳、バイリンガル・スタッフや通訳の確保、多言語による相談窓口（電話回線）の開設、各地のNPOやボランティアとの協力体制の構築といった準備をしておかなければならない。人命をまもるための手間や費用をおしむべきではない。こうした言語の多数化の努力こそ、多言語主義の本質のはずである。

災害対策にかぎらず、言語少数者に対する言語サービスとしては、多言語サービスが優先されるべきである。いくつもの言語があることは、より利用者のニーズによりそうことになる。ユニバーサルデザインとは、唯一のデザインに集約することではなく、多様なデザインをできるだけ準備することである。あべ・やすしの表現をかりれば、ユニバーサルデザインとは「たし算の思想」なのである（あべ・やすし2010: 31）。多様なコミュニケーション・ニーズをもつ人への対応もふくめて、できるだけ多数の言語を準備することが、言語のユニバーサルデザイン（あるいはユニバーサルサービス）につながる。

〈やさしい日本語〉は、言語少数者にとって、一般的な日本語よりも容易かもしれないが、自分たちの母語よりは難解である。言語少数者に対する〈やさしい日本語〉サービスは、多言語サービスの補助、あるいはその一つとしての位置づけにとどめるべきであろう。もし、〈やさしい日本語〉サービスが多言語サービスの代替や補償であると主張するならば、あるいはそれがどの外国語よりも有効な言語サービスであると主張するならば、それは多言語主義ではなく、単一言語主義（英語や日本語を唯一の言語とする）の側にたつことになる[(5)]。

## 3. 言語サービス研究の課題

言語サービスに関する日本の研究は、1996年に平野桂介が「言語政策としての言語サービス」という論文を発表してはじまった（平野桂介1996）。2000年代には、各自治体の事例を紹介した研究書が何点か出版されている（河原俊昭2004、河原俊昭／野山広2007など）。それは日本における言語サービス研究というあたらしい地平をひらくものであった。2010年以降も、多言語社会をテーマとする研究書のなかに、日本の言語サービスをとりあげたものがいくつかみられる（多言語化現象研究会2013、平高史也／木村護郎クリストフ2017など）。

日本に在留外国人（移民）が増加するにつれ、言語サービス研究のニーズもたかまっていくはずである。今後の日本の言語サービス研究に必要だとおもわれるテーマがいくつかある。本書をふまえて、3点だけ列挙すれば次のようになる。

第1に、言語少数者の抽出。日本にも外国人住民がふえてきた。実質的には移民とよぶしかない長期滞在者も増加している。望月優大の整理によれば、2018年6月時点で、永住権をもった「永住移民」が109万人、これをもたない「非永住移民」が153万人、帰化者や国際児など「移民背景をもつ国民」が131万人。前二者のカテゴリーを合計しただけでも、262万人に、アメリカの統計のようにすべてを合計すると400万人に達する（望月優大2019: 74-81）。

日本に滞在する外国人は、行政、医療、司法、生活など、さまざまな日常的場面で言語サービスを必要としている。しかし日本では国勢調査のなかに言語関連項目はなく、識字調査もながらくおこなわれていない。「限定的日本語能力者（LJP: Limited Japanese Proficiency）」という用語が使用されることもあるが、いまのところ、実態のない用語といわなければならない。序章でのべたように、

LEPという概念自体に限界もある。日本における言語少数者の適切な定義、そしてそれを抽出するための調査方法の検討が必要である。なぜなら、言語少数者の正確な把握こそが、言語サービス（研究）の出発点になるからである。

第2に、言語少数者のコンテキストの研究。第6章で〈やさしい言語〉を批判するカー・キャスリーンを紹介した。カーの主張は、〈やさしい言語〉の文体よりも、利用者の利用実態こそが究明されるべきということである。情報にいかにアクセスし、読解し、利用をはかっているのか、そのプロセスこそが問題になる。カーはこの尺度を「利用可能性（usability）」と表現していた。

識字研究においても、よく似た提案がある。これまでの識字研究は、メディア（文字／声）による認知パターンや識字能力といった、個人の意識や能力に特化したものであった。しかし近年、社会のなかでの識字の実践を研究しようという「社会的実践研究」が提案されている。「読み書きイベント」「読み書き実践」「社会的ネットワーク」といった概念によって、非識字者や少数言語者の日常をエスノグラフィとしてえがこうというわけである（角知行2012）。言語少数者のコンテキストや社会的実践をあきらかにすることは、その生活者をとりまく政治や社会や制度的差別にも関係する。これは言語少数者の生活から、言語サービスを反照することにつながるはずである。

第3に、海外の言語サービスの研究。本書ではアメリカの事例をいくつか紹介してきた。多言語サービスを展開する国は、ほかにも多くある。〈やさしい言語〉についても、イギリス、カナダ、オーストラリアなどでは、NPOや政府による運動や実践がある。日本の多言語サービス、〈やさしい日本語〉サービスは、そのあり方においても、研究においても、国際的な場にひらかれていなければならない。日本も今後、移民の増加が展望され、言語サービスの拡大は必須である。移民をうけいれてきた国々の研究は、貴重な参照事例を提供するにちがいない。

これら3つのテーマは、本書にのこされた今後の課題でもある。

**注**

（1）https://www.dhs.gov/sites/default/files/publications/FEMA%20Language%20Access%20Plan.pdf

（2）https://www.dhs.gov/sites/default/files/publications/DHS_2016-2017_Compliance_Report.pdf

（3）http://www.clair.or.jp/j/multiculture/shiryou/jigyo-genre.html

（4）https://jorei.slis.doshisha.ac.jp/search?rows=50&start=0&simple=%E5%A4%9A%E8%A8%80%E8%AA%9E

（5）日本で〈やさしい日本語〉を提案した佐藤和之は、〈やさしい日本語〉の意義を強調する一方、それは多言語のひとつとかんがえるべきだとして、役割を限定している（佐藤和之2009: 183-184）。

率直にいえば、言語サービスの研究をはじめた当初、私は〈やさしい日本語〉や〈やさしい英語〉の意義を過大に評価していた。しかし、アメリカの多言語サービスをまなぶなかで、その評価は徐々に変化していった。現在の立場は、本文のとおりである。

## 参考文献／参考サイト

## 索引

# 参考文献／参考サイト（著者等・五十音順）


あいざわ・よしこ：相沢佳子（2013）『英語を850字で使えるようにしよう―ベーシック・イングリッシュを活用して』文芸社

アウ・メラニー／テイラー・エリン・フリーズ／ゴールド・マーシャ：Au, Melanie, Taylor, Erin Fries and Gold, Marsha（2009）"Improving Access to Language Services in Health Care: A Look at National and State Efforts",（ウェブサイトより取得）

アカー・フィリップ／ディーソン・ルチンダ：Aka, Philip and Deason, Luchinda M.（2011）"Culturally and Linguistically Competent Public Services in an Era of English-Only Laws", *International Journal of Public Administration*, 34, 291-306

あかし・のりお／いいの・まさこ：明石紀雄／飯野正子（2011）『エスニック・アメリカ―多文化社会における共生の模索（第3版）』有斐閣選書

あけち・カイト：明智カイト（2015）『誰にでもできるロビイング入門―社会を変える技術』光文社新書

あさい・みちこ：浅井満知子（2020）『伝わる短い英語―新しい世界基準Plain English』東洋経済新報社

アジア・たいへいようけい・アメリカじん・ほうりつ・センター：アジア太平洋系アメリカ人・法律センター＝Asian Pacific American Legal Resource Center, http://aparc.umn.edu/

アスプレイ・ミッシェル：Asprey, Michele（2010）*Plain Language for Lawyers*（4th ed.）, The Federation Press

あべ・やすし（2010）「日本語表記の再検討―情報アクセス権／ユニバーサルデザインの視点から」,『社会言語学』10, 19-38

―――（2015）『ことばのバリアフリー―情報保障とコミュニケーションの障害学』生活書院

あまの・たく：天野拓（2009）『現代アメリカの医療改革と政党政治』ミネルヴァ書房

―――（2013）『オバマの医療改革―国民皆保険制度への苦闘』勁草書房

あめいろぐ（2014）『アメリカでお医者さんにかかるときの本―在米日本人のための必携医療マニュアル』保健同人社

アメリカン・だいがく・ワシントン・ほうがくぶ／ディー・シー・げんご・アクセス・れんごう：アメリカン大学ワシントン法学部／DC言語アクセス連合＝American University Washington College of Law and DC Language Access Coalition（2012）

"Access Denied:The Unfilled Promise of the D.C. Language Access Act",（ウェブサイトより取得）

アラネン・ジュリア: Alanen, Julia (2009) "Language Access is an Empowerment Rights: Deprivation of Plenary Language Access Engenders an Array of Grave Rights Violations", *Internal Legal Studies Program*, 1, 93-118

アルノー・アリエル: Arnau, Ariel (2018) *Suing for Spanish: Puerto Ricans, Bilingual Voting, and Legal Activism in the 1970s*, (Dissertation, The City University of New York)

アンデルセン・クリスティ: Andersen, Kirsti (2010) *New Immigrant Communities: Finding a Place in Local Politics*, Lynne Rienner Publishers

あんどう・つぎお: 安藤次男 (2000)「1965年投票権法とアメリカ大統領政治」,『立命館国際研究』12 (3), 175-191

———(2002)「1965年投票権法の意味—アメリカ1960年代論との関わりで」,『立命館国際研究』15 (1), 1-6

イーグルソン・ロバート: Eagleson, Robert D. (1991) "The Plain English Movement in Australia and the United Kingdom", スタインバーグ・アーウィン: Steinberg, Erwin R. (ed.) *Plain Language: Principles and Practice*, Wayne State University Press, 30-42

いおり・いさお: 庵功雄 (2016)『やさしい日本語—多文化共生社会へ』岩波新書

いおり・いさお／イ・ヨンスク／もり・あつし: 庵功雄／イ・ヨンスク／森篤嗣 (2013)『「やさしい日本語」は何を目指すか—多文化社会を実現するために』ココ出版

いおり・いさお／いわた・かずなり／さとう・たくぞう／やなぎだ・なおみ: 庵功雄／岩田一成／佐藤琢三／柳田直美 (2019)『〈やさしい日本語〉と多文化共生』ココ出版

いがらし・ゆかり／かいはら・かず: 五十嵐ゆかり／貝原加珠 (2017)「Massachusetts General Hospital (MGH) における医療通訳サービスの現状」,『聖路加国際大学紀要』3, 52-57

イシ・アンジェロ (2007)「言葉の壁を乗り越えて—外国籍住民と情報提供をめぐる多様な模索の必要性と可能性」,『都市問題研究』59 (11), 56-69

いしざき・まさゆき／ボルグマン・パトリシア／にしの・かおる: 石崎正幸／ボルグマン・パトリシア／西野かおる (2004)「米国における医療通訳とLEP患者」,『通訳翻訳研究』4, 121-138

いじゅうしゃと・れんたいする・ぜんこく・ネットワーク: 移住者と連帯する全国ネットワーク編 (2019)『外国人の医療・福祉・社会保障相談ハンドブック』明石書店

いじゅう・せいさく・きょうかい: 移住政策研究所＝Migration Policy Institute (MPI),

http://www.migrationpolicy.org/
いといがわ・みき: 糸魚川美樹 (2017)「多言語化の多面性―言語表示から通訳ボランティアまで」, かどや・ひでのり／ましこ・ひでのり編『行動する社会言語学―ことば／権力／差別Ⅱ』三元社, 205-224
いとう・ケリー: 伊藤ケリー (1994)『プレイン・イングリッシュのすすめ』講談社現代新書
―――(2014)『ケリー伊藤のプレイン・イングリッシュ講座』研究社
いとう・しゅういちろう: 伊藤修一郎 (2015)「公共政策管理のシステム―政策を提供するしくみや制度はどのようなものか?」, あきよし・たかお: 秋吉貴雄他編『公共政策学の基礎 (新版)』有斐閣, 251-268
いとう・まさみ／きのした・つよし: 伊藤正己／木下毅 (2012)『アメリカ法入門 (第5版)』日本評論社
いのうえ・たくや: 井上拓也 (2005)「アメリカにおける消費者団体の歴史的展開」,『茨城大学人文学部紀要・社会科学論集』42, 21-38
いまむら・つなお: 今村都南雄編 (2005)『公共サービスの揺らぎ―第19回自治総研セミナーの記録』公人社
いわた・かずなり: 岩田一成 (2016)『読み手に伝わる公用文―〈やさしい日本語〉の視点から』大修館書店
イングリッシュ・プラス・じょうほう・センター: イングリッシュ・プラス情報センター = English Plus Information Clearinghouse, http://www.idra.org/resource-center/english-plus-information-clearinghouse/
ウィップ・ジャパン: WIPジャパン (2013)『定住外国人施策ポータルサイト掲載におけるやさしい日本語の活用に関するPlain English (平明な英語) についての調査』(ウェブサイトより取得、2016.9.20)
ウィリアムズ・アシュリー: Williams, Ashley M. (2006) *Bilingualism and the Construction of Ethnic Identity among Chinese Americans in the San Francisco Bay Area*, (Dissertation, University of Michigan)
ウィルソン-ストロンクス・アミィ／ガルベス・エリカ: Wilson-Stronks, Amy and Galvez, Erica (2007) "Hospitals, Language, and Culture: A Snapshot of the Nation", (ウェブサイトより取得)
ウォン・ドリーナ: Wong, Doreena (2010) "How California Can Pay For Language Assistance Services: Recommendations from the Medi-Cal Language Access Services Task Force", (ウェブサイトより取得)
うしだ・ちづる: 牛田千鶴 (2010)『ラティーノのエスニシティとバイリンガル教育』明

石書店
うしろ・ふさお: 後房雄 (2009)『NPOは公共サービスを担えるか―次の10年への課題と戦略』法律文化社
うちだ・まこと: 内多允 (2014)「人口規模を拡大する米国のヒスパニック」,『季刊　国際貿易と投資』95, 162-176
うちなみ・あやこ: 打浪文子 (2018)『知的障害のある人たちと「ことば」―「わかりやすさ」と情報保障・合理的配慮』生活書院
うめかわ・たけし: 梅川健 (2016)「大統領制―議会との協調から単独での政策形成へ」, やまぎし・たかかず／にしかわ・まさる: 山岸敬和／西川賢編『ポスト・オバマのアメリカ』大学教育出版, 20-42
うめかわ・まさみ／さかの・ともかず／りきひさ・まさゆき: 梅川正美／阪野智一／力久昌幸編著 (2010)『イギリス現代政治史』ミネルヴァ書房
えいこく・しょうひしゃ・きょうかい: 英国消費者協会 = National Consumer Council (1984) *Plain English for Lawyers:Some Guidelines on Writing and Designing Legal Documents*, NCC
エイジャー・デニス: Ager, Dennis (1996) *Language Policy in Britain and France:The Processes of Policy*, Cassell
エリオット・デイビット: Elliot, David (1992) "Legislating plain language", (ウェブサイトより取得)
エル・イー・ピー・ドット・ガブ: LEP.gov. (A Federal Interagency Website), https://www.lep.gov/
エレクションライン・ドット・オルグ: electionline.org, http://electionline.org/
オー・イー・シー・ディー: OECD (1997) *Literacy Skills for the Knowledge Society: Further Results from the International Adult Literacy Survey*, OECD
――― (2002) *Regulatory Policies in OECD Countries: From Interventionism to Regulatory Governance*, OECD
――― (2003) *From Red Tape to Smart Tape: Administrative Simplification in OECD Countries*, OECD
―――(2005) *Modernizing Government: The way Forward*, OECD= ひらい・ぶんぞう: 平井文蔵訳 (2006)『世界の行政改革―21世紀政府のグローバル・スタンダード』明石書店
―――(2013) *OECD Skills Outlook 2013: First Result from the Survey of Adult Skills* = やぐら・みどり／いなだ・ともこ／きだ・せいいちろう: 矢倉美登里／稲田智子／来田誠一郎訳 (2014)『OECD成人スキル白書―第1回国際成人力調査

(PIAAC) 報告書』明石書店
おおいずみ・こういち／うしじま・たかし: 大泉光一・牛島万編 (2005)『アメリカのヒスパニック＝ラティーノ社会を知るための55章』明石書店
おおかわら・まみ: 大河原眞美 (2009)『裁判おもしろことば学』大修館書店
おおくぼ・ただとし: 大久保忠利 (1959)「法令用語を診断すれば—構文法からみた法律文章のわかりにくさの分析」,『法律セミナー』2月号, 54-57
おおやま・こうすけ: 大山耕輔 (1999)「クリントン政権の行政改革とNPM理論」,『季刊行政管理研究』85, 24-31
おかだ・きちじろう: 岡田吉治郎 (2003)「Plain Language Movementについて—各国の取り組み」,『日本英語コミュニケーション学会紀要』12 (1), 121-133
おかべ・かずあき: 岡部一明 (2000)『サンフランシスコ発：社会変革NPO』御茶の水書房
おかべ・ろういち: 岡部朗一 (1983)「アメリカの『英語簡略化法』について—消費者とのよりよいコミュニケーションを目指して」,『時事英語学研究』22, 40-56
おかもと・てつかず: 岡本哲和 (2003)『アメリカ連邦政府における情報資源管理政策—その様態と変容』関西大学出版部
おかやま・ゆういち／とざわ・けんじ: 岡山勇一／戸澤健次 (2001)『サッチャーの遺産—1990年代の英国に何が起こっていたのか』晃洋書房
おきべ・のぞむ: 沖部望 (2003)「英国における公務員を巡る議論と我が国への示唆」,『平和研レポート』298J, (ウェブサイトより取得)
おくだいら・やすひろ: 奥平康弘 (1979)『知る権利』岩波書店
オコナー・カレン／エプスタイン・リー: O'Connor, Karen and Epstein, Lee (1988) "A Legal Voice for the Chicano Community: The Activities of the Mexican American Legal Defense and Educational Fund, 1968-1982", ガルシア・クリス: Garcia, Chris (ed.) *Latinos and the Political System*, University of Notre Dame Press, 255-268
オセイア: OCEIA (Office of Civic Engagement and Immigrant Affairs, City and County of San Francisco), http://sfgov.org/oceia/
——— (2016) *Language Access Ordinance Annual Summary Compliance Report*, (ウェブサイトより取得)
おだ・ゆきこ: 織田有基子 (2011)「医療通訳の普及に向けて—外国人患者の権利保護の観点から」,いわた・ふとし: 岩田太編『患者の権利と医療の安全—医療と法のあり方を問い直す』ミネルヴァ書房, 116-135
おち・みちお: 越智道雄 (1990)『英語の通じないアメリカ』平凡社
———(1995)『エスニック・アメリカ—民族のサラダ・ボウル、文化多元主義の国から』明石書店カー・キャスリーン: Kerr, Kathleen T. (2014) *A Study of Plain Writing Act of 2010: Federal Agency, Writer, and User Appropriations of U.S. Plain Language Policy*, (Dissertation, Virginia Polytechnic and State University)

ガーナー・ブライアン: Garner, Bryan A. (2013) *Legal Writing in Plain English: A Text with Exercises* (2nd ed.), The University of Chicago

カイザー・いいんかい: カイザー委員会= Kaiser Commission (2012) "Overview of Health Coverage for Individuals with Limited English Proficiency", (ウェブサイトより取得)

かいほ・ひろゆき: 海保博之 (2002)『くたばれマニュアル！─書き手の錯覚、読み手の痛痒』新曜社

かがわ・まり: 賀川真理 (2005)『カリフォルニア政治と「マイノリティ」─住民提案に見られる多民族社会の現状』不磨書房

───(2011)『カリフォルニア政治とラティーノ─公正な市民生活を求めるための闘い』晃洋書房

かしわぎ・ひろし: 柏木宏 (2008)『NPOと政治─アドボカシーと社会変革の新たな担い手のために』明石書店

かたぎり・やすひろ: 片桐康宏 (1998)「『多元性』と『統合』のはざまで─現代アメリカにおける英語公用語論争」,『文明研究』16, 57-83

がっしゅうこく・こうみんけん・いいんかい: 合衆国公民権委員会= U.S. Commission on Civil Rights (2001) "A Bridge to One America: The Civil Rights Performance of the Clinton Administration", (A Report of the Unite States Commission on Civil Rights, ウェブサイトより取得)

───(2004) "Toward Equal Access:Eliminating Language Barriers from Federal Programs", (Draft Report for Commissioner's Review, ウェブサイトより取得)

がっしゅうこく・こくせい・ちょうさ・きょく: 合衆国国勢調査局= U.S. Census Bureau, https://www.census.gov/

がっしゅうこく・こくりつ・こうぶんしょ・きろく・かんり・きょく: 合衆国国立公文書記録管理局=The U.S. National Archives and Records Administration, https://www.archives.gov/

がっしゅうこく・せいふ・かんさ・いん: 合衆国政府監査院= U.S. Government Accountability Office (GAO) (2010) *Language Access: Selected Agencies Can Improve Services to Limited English Proficient Persons: Report to Congressional Requesters*, (ウェブサイトより取得)

カッツ・マーティン: Cutts, Martin (2013) *Oxford Guide to Plain English* (4th ed.),

Oxford University Press
カッツ・マーティン／マーハ・クリッシー：Cutts, Martin and Maher, Chrissie (1986) *The Plain English Story*, British Library Cataloguing in Publication Data
かどや・ひでのり／あべ・やすし編 (2010)『識字の社会言語学』生活書院
かどや・ひでのり／ましこ・ひでのり編 (2017)『行動する社会言語学―ことば／権力／差別Ⅱ』三元社
カプロウィッツ・クレイグ：Kaplowitz, Craig A. (2005) *LULAC: Mexican Americans and National Policy*, Texas A&M University Press
カマロタ・スティーブン／ザイグラー・カレン：Camarota, Steven and Zeigler, Karen (2014) "One in Five U.S. Residents Speaks Foreign Language at Home, Records 61.8 Million", (ウェブサイトより取得)
カミンズ・ジム／ダネシ・マルセル：Cummins, Jim and Danesi, Marcel (1995) *Heritage Languages: The Development and Denial of Canada's Linguistic Resources*, Our Schools/Our Selves = なかじま・かずこ／たかがき・としゆき：中島和子／高垣俊之訳 (2005)『カナダの継承語教育―多文化・多言語主義をめざして』明石書店
カリフォルニア・しゅう・けんさ・いん：カリフォルニア州検査院= California State Auditor (1999) "Dymally-Alatorre Bilingual Services Act: State and Local Government Do More to Address Their Clients' Needs for Bilingual Services", (ウェブサイトより取得)
―――(2010) "Dymally-Alatorre Bilingual Services Act: State Agencies Do Not Fully Comply With the Act, and Local Government Could Do More to Address Their Clients' Needs", (ウェブサイトより取得)
カリフォルニア・はん・エスニック・ほけん・ネットワーク：カリフォルニア・汎エスニック保健ネットワーク= California Pan-Ethnic Health Network, https://cpehn.org/
―――(2009) "A Blueprint for Success: Bringing Language Access to Millions of Californians", (ウェブサイトより取得)
ガルザ・ロドルフォ／デシピオ・ルイス：Garza, Rodolfo O. and DeSipio, Louis (1993) "Save the Baby, Change the Bathwater, and Scrub the Tub:Latino Electoral Participation After Seventeen Years of Voting Rights Act Coverage", *Texas Law Review*, 71, 1479-1539
ガルシア・クリス：Garcia, Chris F. (ed.) (1988) *Latinos and the Political System*, University of Notre Dame Press
ガルシア・ジョン：Garcia, John A. (1986) "The Voting Rights Act and Hispanic Political Representation in the Southwest", *Publius:The Journal of Federalism*, 16, 49-66

———(2017) *Latino Politics in America: Community, Culture, and Interests* (3rd ed.), Rowman & Littlefield

ガルシア・ジョン／アルセ・カルロス: Garcia, John A. and Arce, Carlos H. (1988) “Political Orientation and Behaviors of Chicanos:Trying to Make Sense Out of Attitudes and Participation”, ガルシア・クリス: Garcia, Chris (ed.) *Latinos and the Political System*, University of Notre Dame Press, 125-151

カレイラ・まつざき・じゅんこ: カレイラ松崎順子 (2015)「アメリカにおける言語格差と双方向バイリンガル教育」, すぎの・としこ／はら・たかゆき: 杉野俊子／原隆幸編『言語と格差―差別・偏見と向き合う世界の言語的マイノリティ』明石書店, 105-118

ガワーズ・アーネスト: Gowers, Ernest (2014) *The Complete Plain Words* (3rd ed.), Penguin

かわぐち・ひろひさ: 川口博久 (2000)「合衆国における言語政策とその社会的背景」,『亜細亜大学国際関係紀要』9 (1・2), 385-415

かわしま・まさき: 川島正樹 (2014)『アファーマティヴ・アクションの行方―過去と未来に向き合うアメリカ』名古屋大学出版会

かわた・じゅんいち: 河田潤一 (2013)「アドボカシー―アメリカ政治の一断面」,『現代の図書館』51 (3), 167-171

かわね・たくろう: 河音琢郎 (2018)「トランプ共和党統一政府下の政策形成―オバマケアの撤廃・代替立法を事例として」,『大阪経大論集』69 (2), 107-129

かわはら・としあき: 河原俊昭編 (2004)『自治体の言語サービス―多言語社会への扉をひらく』春風社

かわはら・としあき／のやま・ひろし: 河原俊昭／野山広編 (2007)『外国人住民への言語サービス―地域社会・自治体は多言語社会をどう迎えるか』明石書店

かわはら・としあき／やまもと・ただゆき: 河原俊昭／山本忠行編 (2004)『多言語社会がやってきた―世界の言語政策Q&A』くろしお出版

キーサー・アレキサンダー: Keyssar, Alexander (2009) *The Rights to Vote: The Contested History of Democracy in the United States* (Revised Edition), Basic Books

きたの・せいいち: 北野誠一 (2000)「アドボカシー (権利擁護) の概念とその展開」, かわの・まさてる／きたの・せいいち／おおくま・ゆきこ: 河野正輝／北野誠一／大熊由紀子『講座　障害をもつ人の人権 (3) ―福祉サービスと自立支援』有斐閣, 142-159

きどう・よしゆき: 貴堂嘉之 (2012)『アメリカ合衆国と中国人移民』名古屋大学出版会

きのした・さとし: 木下智史 (1995)「合衆国における人種的少数者の投票権保障 (1)」,

『神戸学院法学』25（3）, 83-132
キブビー・ダグラス: Kibbee, Douglas A. (2016) *Language and the Law: Linguistic Inequality in America*, Cambridge University Press
きむら・ごろう・クリストフ: 木村護郎クリストフ（2020）「障害学的言語権論の展望と課題（改訂版）」,『社会言語学・別冊Ⅲ』, 15-33
キンブル・ジョゼフ: Kimble, Joseph (2012) *Writing for Dollars, Writing to Please: The Case for Plain Language in Business, Government, and Law*, Carolina Academic Press
グイニア・ラニ: Guinier, Lani (1994) *The Tyranny of the Majority: Fundamental Fairness in Representative Democracy*, The Free Press= しだ・なやこ／もりた・せいや: 志田なや子監修、森田成也訳（1997）『多数派の専制―黒人のエンパワーメントと小選挙区』新評論
クラリティ: Clarity, https://clarity-international.net/
グリーンバーグ・ジャック: Greenberg, Jack（1994）*Crusaders in the Courts: How a Dedicated Band of Lawyers Fought for the Civil Rights Revolution*, Basic Books
クリントン・ビル／ゴア・アル: Clinton, Bill and Gore, Al (1992) *Putting People First: How We Can All Change America*, Times Books= とうごう・しげひこ: 東郷茂彦訳（1993）『アメリカ再生のシナリオ』講談社
———(1997) *Blair House Papers: National Performance Review*,（Reprinted from the Collection of the University of Michigan Library）
クロフォード・ジェームズ: Crawford, James (1992a) *Hold Your Tongue: Bilingualism and the Politics of "English Only"*, Addison-Wesley= ほんな・のぶゆき: 本名信行訳（1994）『移民社会アメリカの言語事情―英語第一主義と二言語主義の戦い』ジャパンタイムズ
———(ed.) (1992b) *Language Loyalties: A Source Book on the Official English Controversy*, The University of Chicago Press
———(1999) *Bilingual Education: History, Politics, Theory and Practice*, Bilingual Educational Services
———(2000) *At War with Diversity: US Language Policy in an Age of Anxiety*, Multilingual Matters
———(2006) "Frequently Asked Questions about Official English",（ウェブサイトより取得）
———(2008) *Advocating for English Learners: Selected Essays*, Multilingual Matters
ゴア・アル: Gore, Al (1993) *Creating A Government That Works Better and Costs*

*Less: From Red Tape to Results: Report of the National Performance Review*, Times Books

———(1995) *Common Sense Government: Works Better and Costs Less*, Random House

こいけ・おさむ: 小池治(1995)「クリントンと行政改革—ナショナル・パフォーマンス・レビューの概要と意義」, ふじもと・かずみ: 藤本一美編『クリントンとアメリカの変革』東信堂, 95-113

ごうどう・きこう: 合同機構= The Joint Commission (2010) "Advancing Effective Communication, Cultural Competence, and Patient- and Family-Centered Care", (ウェブサイトより取得)

こが・たかし: 古賀崇(2000)「アメリカ連邦政府における情報資源管理政策の変遷—書類作成軽減の手段から電子政府の基盤へ」,『レコード・マネジメント』40, 9-16

コゾル・ジョナサン: Kozol, Jonathan (1985) *Illiterate America*, Anchor Press/Doubleday=わきはま・よしあき: 脇浜義明訳(1997)『非識字社会アメリカ』明石書店

ごとう・まきのり: 後藤巻則(2007)「消費者問題とは何か」,ごとう・まきのり／むら・ちずこ／さいとう・まさひろ: 後藤巻則／村千鶴子／斉藤雅弘編『アクセス消費者法(第2版)』日本評論社, 1-25

こばやし・ひでゆき: 小林秀之(2002)『新版　PL訴訟』弘文堂

こばやし・ひろみ: 小林宏美(2008)『多文化社会アメリカの二言語教育と市民意識』慶應義塾大学出版会

こまい・ひろし: 駒井洋(2016)『移民社会学研究—実態分析と政策提言1987-2016』明石書店

こまい・ひろし／なかがわ・ふみお／たじま・きゅうぞう／やまわき・ちかこ: 駒井洋監修、中川文雄・田島久蔵・山脇千賀子編(2010)『ラテンアメリカン・ディアスポラ』明石書店

こまつばら・あきら: 小松原章(2007)「米国生保の保険約款簡明化への対応」,『ニッセイ基礎研REPORT』12月号, 14-19

コマンド・ペーパー1599: Command Paper 1599 (1991) *The Citizen's Charter: Raising the Standard*, HMSO

コリンズ・カレン・スコット: Collins, Karen Scott (2002) "Diverse Communities, Common Concerns: Assessing Health Care Quality For Minority Americans: Findings From the Commonwealth Fund 2001 Health Care Quality Survey", (ウェブサイトより取得)

ゴンザレス・マニュエル: Gonzales, Manuel (1999) *Mexicanos: A History of Mexicans in the United States*, Indiana University Press= なかがわ・まさのり: 中川正紀訳 (2003)『メキシコ系米国人・移民の歴史』明石書店

ゴンザレス・ロザン・ドゥエニャス: González, Roseann Dueñas (2000) "Introduction", ゴンザレス・ロザン・ドュエニャス: González, Roseann Dueñas (ed.) *Language Ideologies: Critical Perspectives on the Official English Movement* (vol.1), NCTE/LEA

――― (2001) "Introduction", ゴンザレス・ロザン・ドュエニャス: González, Roseann Dueñas (ed.) *Language Ideologies: Critical Perspectives on the Official English Movement* (vol.2), NCTE/LEA

ゴンザレス・ロザン・ドゥエニャス/バスケス・ビクトリア/ミケルソン・ホーリー: González, Roseann Dueñas, Vasquez, Victoria F. and Mikkelson, Holly (2012) *Fundamentals of Court Interpretation: Theory, Policy, and Practice*, Carolina Academic Press

こんどう・あつし: 近藤敦 (2019)『多文化共生と人権―諸外国の「移民」と日本の「外国人」』明石書店

こんどう・なおき: 近藤尚己 (2016)『健康格差対策の進め方―効果をもたらす5つの視点』医学書院

サーンストローム・アビゲイル: Thernstrom, Abigail M. (1987) *Whose Votes Count? Affirmative Action and Minority Voting Rights*, Harvard University Press

さいとう・けんじ/たなか・よしひこ/みうら・よしふみ: 斉藤憲司/田中嘉彦/三浦良文 (1996)「アメリカにおける政府の情報収集と国民の書類作成負担―1995年書類作成軽減法制定の意味」,『レファレンス』46 (8), 29-86

さかもと・はるや: 坂本治也 (2012a)「地方政府に対するNPOのアドボカシーと協働―『新しい公共』の実証分析」,『政策科学』19 (3), 65-94

――― (2012b)「政治過程におけるNPO」, つじなか・ゆたか: 辻中豊編『現代日本のNPO政治』木鐸社, 109-148

さかもと・はるや: 坂本治也編 (2017)『市民社会論―理論と実証の最前線』法律文化社

さくらい・じゅん: 櫻井潤 (2016)「医療保障政策―市場に潜む不安定性と『リヴァイアサン』」, かわね・たくろう/ふじき・たけやす: 河音琢郎/藤木剛康編『オバマ政権の経済政策―リベラリズムとアメリカ再生のゆくえ』ミネルヴァ書房, 111-137

さとう・かずゆき: 佐藤和之 (1999)「震災時に外国人にも伝えるべき情報―情報被災者を一人でも少なくするための言語学的課題」,『言語』28 (8), 32-41

――― (2009)「生活者としての外国人へ災害情報を伝えるとき―多言語か『やさしい

日本語』か」,『日本語学』28（6）, 173-185
———（2016）「外国人被災者の負担を減らす『やさしい日本語』―在住1年の外国人にもわかる表現で伝える」, のむら・まさあき／きむら・よしゆき: 野村雅昭／木村義之編『わかりやすい日本語』くろしお出版, 245-275
さとう・ちあき: 佐藤智晶（2011）『アメリカ製造物責任法』弘文堂
さとう・なつき: 佐藤夏樹（2008）「非合法移民問題と『ヒスパニック』コミュニティ―『ヒスパニック』組織LULACのコミュニティの再定義」,『アメリカ史評論』26, 26-49
———（2011）「投票権法改定とヒスパニック組織―公的な『人種』イメージの創造」, やすはら・たけし／うしだ・ちづる／かとう・たかひろ: 安原毅／牛田千鶴／加藤隆浩編『メキシコ―その現在と未来』行路社, 67-86
———（2014）「エスニック・マイノリティ『ヒスパニック』の創出―1970年センサスとOMB指令第15号」,『西洋史学』255, 1-21
さるはし・じゅんこ: 猿橋順子（2007）「共同作業としての言語サービス―川崎市の事例から」, かわはら・としあき／のやま・ひろし: 河原俊昭／野山広編『外国人住民への言語サービス―地域社会・自治体は多言語社会をどう迎えるか』明石書店, 47-65
サントロ・ウェイン: Santoro, Wayne A. (1999) "Conventional Politics Takes Center Stage: The Latino Struggle against English-Only Laws", *Social Forces*, 77 (3), 887-909
シー・エー・エー：CAA (Chinese for Affirmative Action), http://www.caasf.org/
———(2004) *The Language of Business: Adopting Private Sector Practices to Increase Limited English Proficient Individuals' Access to Government Services*, (Report, ウェブサイトより取得, 2018.2.20)
———(2005a) *Bridging the Language Gap: An Overview of Workforce Development Issues Facing Limited English Proficient Workers and Strategies to Advocate for More Effective Training Programs*, (Report, ウェブサイトより取得, 2018.2.20)
———(2005b) *No Parents Left Behind: Ensuring Opportunities for Involvement of Limited English Proficient Parents in the Education of California's Children*, (Policy Paper and Recommendations, ウェブサイトより取得 , 2018.2.20)
———(2006) *Lost Without Translation: Language Barriers Faced by Limited English Proficient Parents with Children in the San Francisco Unified School Districts*, (Report, ウェブサイトより取得, 2018.2.20)
———(2009) *Access Deferred: Progress, Challenges and Opportunities: A Report on Language Access and San Francisco Unified School District, Police Development and One Stop/Career Link Centers*, (Report, ウェブサイトより取得, 2018.2.20)

———(2017) *Organization Report: 2016-17* (Report, ウェブサイトより取得, 2018.2.20)

シーゲル・アラン: Siegel, Alan (1979) "Plain English Results: Companies Heed Sullivan Law; Public Yawns", *New York Times* (1979.4.1)

シーリー・アントニー/ジェンキンス・ピーター: Seely, Antony and Jenkins, Peter (1995) *The Citizen's Charter (Research Paper 95/66)*, House of Commons

ジェイコブス・エリザベス/レオ・ジネル・サンチェス/ラトゥー・ポール/フ・ポール: Jacobs, Elizabeth, Leos, Ginelle Sanchez, Rathouz, Paul and Fu, Paul (2011) "Shared Network of Interpreter Services, At Relatively Low Cost, Can Help Providers Serve Patients with Limited English Skills", *Health Affairs*, 30 (10), 1930-1938

ジェイコブス・バーブ/ライアン・アン/ヘンリックス・キャサリーン/バイス・バリー: Jacobs, Barb, Ryan, Anne M., Hemrichs, Katherine S. and Weiss, Barry D. (2018) "Medical Interpreters in Outpatient Practice", *Annals of Family Medicine*, 16 (1), 70-76

ジェニングス・ジェイムズ: Jennings, James. (1998) "The Puerto Rican Community: Its Political Background", ガルシア・クリス: Garcia, Chris (ed.), *Latinos and the Political System*, University of Notre Dame Press, 65-80

ジェンセン・カリ: Jensen, Kali (2010) "The Plain English Movement's Shifting Goals", *The Journal of Gender, Race, and Justice*, 13 (3), 807-834

しがき・みつひろ: 志柿光浩 (2008)「アメリカ合衆国連邦制度とプエルトリコ住民の自決権—プエルトリコの地位に関する大統領直属調査委員会2005年報告書の意義」,『国際文化研究論集』16, 71-80

しがき・みつひろ/みやけ・よしこ: 志柿光浩/三宅禎子 (2010)「プエルトリコ人ディアスポラ」, こまい・ひろし/なかがわ・ふみお/たじま・きゅうぞう/やまわき・ちかこ: 駒井洋監修、中川文雄/田島久蔵/山脇千賀子編 (2010)『ラテンアメリカン・ディアスポラ』明石書店, 39-77

じちたい・こくさいか・きょうかい: 自治体国際化協会, http://www.clair.or.jp/

シトリン・ジャック: Citrin, Jack (1990) "The "Official English" Movement and Symbolic Politics of Language in the United States", *The Western Political Quarterly*, 43 (3), 535-559

しほう・しょう: 司法省= Department of Justice (2002) "Guidance to Federal Financial Assistance Recipients Regarding Title Ⅵ Prohibition Against National Origin Discrimination Affecting Limited English Proficient Persons", *Federal Register*, 67 (117), 41455-41472

しめむら・よういち: 示村陽一 (2006)『異文化社会アメリカ (改訂版)』研究社

シュミット・キャロル: Schmid, Carol (1992) "The English Only Movement: Social Bases of Support and Opposition among Anglos and Latinos", クロフォード・ジェームズ: Crawford, James (ed.) *Language Loyalties: A Sourcebook on the Official English Controversy*, The University of Chicago Press, 202-209

シュレジンガー・アーサー: Schlesinger, Arthur M. Jr. (1991) *The Disuniting of America: Reflection on a Multicultural Society*, Whittle Books= つる・しげと: 都留重人監訳『アメリカの分裂—多元文化社会についての所見』岩波書店

しょうけん・とりひき・いいんかい: 証券取引委員会= Securities and Exchange Commission (1998) "A Plain English Handbook:How to Create Clear SEC Disclosure Documents", (ウェブサイトより取得)

しょうじ・ひろし: 庄司博司 (2013)「多言語政策—複数言語の共存は可能か」, たげんごか・げんしょう・けんきゅうかい: 多言語化現象研究会編『多言語社会日本—その現状と課題』三元社, 58-72

しょうむしょう: 商務省=Department of Commerce, Office of Consumer Affairs (1984) "How Plain English Works for Business: Twelve Case Studies", (ウェブサイトより取得)

ジョーンズ-コレア・マイケル: Jones-Correa, Michael (2005) "Language Provisions Under the Voting Rights Act: How Effective Are They?", *Social Science Quarterly*, 86, 549-564

すえふじ・みつこ: 末藤美津子 (2002)『アメリカのバイリンガル教育—新しい社会の構築をめざして』東信堂

——— (2009)「アリゾナ州における英語公用語化運動—少数言語者の言語権に注目して」,『東京未来大学研究紀要』2, 41-50

——— (2018)「カリフォルニア州におけるバイリンガル教育の復活—提案227から提案58へ」,『東洋学園大学紀要』26 (2), 111-122

すぎうら・やすとも: 杉浦保友 (2009)『イギリス法律英語の基礎—コモン・ローから英文レター, 契約ドラフティングまで』雄松堂出版

すぎなみ・くやくしょ・くちょうしつ・そうむか: 杉並区役所区長室総務課 (2005)『外来語・役所ことば言い換え帳』ぎょうせい

すぎやま・はるのぶ: 杉山晴信 (2003)「"Plain English"の測定と評価の現状—既存英文難易度判定公式の検討を中心に」,『独協大学英語研究』57, 57-80

——— (2007)「"Plain English"に関する法令上の指針—Pennsylvania Plain Language Consumer Contract Actを中心に」,『独協大学英語研究』64, 27-41

すずき・としかず: 鈴木敏和 (1999)「カリフォルニア州民投票と言葉の権利について―提案227号をめぐって」,『立正法学論集』59, 47-77
スティーバーソン・ジャネット／ムンター・アーロン: Steverson, Janet W. and Munter, Aaron (2015) "Then and Now: Reviving the Promise of the Magnuson-Moss Warranty Act", *Kansas Law Review*, 63, 227-277
ステイブラー・レイチェル: Stabler, Rachel (2013) "What We've Got Here is Failure to Communicate: The Plain Writing Act of 2010," (ウェブサイトより取得)
すなだ・いちろう: 砂田一郎 (1999)『現代アメリカ政治―20世紀後半の政治社会変動 (新版)』芦書房
―――(2004)『アメリカ大統領の権力―変質するリーダーシップ』中公新書
スペクター・サラ・リヒトマン／ユーデルマン・マラ: Spector, Sara Lichtman and Youdelman, Mara (2010) "Analysis of State Pharmacy Laws:Impact of Pharmacy Laws on the Provision of Language Services", (ウェブサイトより取得)
スペクター・ラファエル: Spector, Rachel (2017) *Cultural Diversity in Health and Illness* (9th ed.), Pearson
すみ・ともゆき: 角知行 (2012)『識字神話をよみとく―「識字率99%」の国・日本というイデオロギー』明石書店
―――(2015)「『Plain English (やさしい英語)』再考―文書平易化運動の観点から」,『ことばと文字』4, 130-138
―――(2016a)「イギリスにおける『やさしい英語 (Plain English)』運動―その発展の経緯と要因」,『天理大学人権問題研究室紀要』19, 1-16
―――(2016b)「アメリカにおける〈やさしい言語 (Plain Language)〉運動―連邦政府のとりくみを中心に」,『社会言語学』16, 77-93
―――(2017a)「ローマ字日本語人とはだれか―日本語教科書の調査から」, J・マーシャル・アンガー／かやしま・あつし／たかとり・ゆき: J・マーシャル・アンガー／茅島篤／高取由紀編『国際化時代の日本語を考える―二表記社会への展望』くろしお出版, 89-106
―――(2017b)「読みやすい消費者文書表記に関する研究―アメリカにおける事例を題材にして」,『国民生活研究』57 (1), 61-80
―――(2017c)「アメリカにおける多言語サービスと言語アクセス法―クリントンの大統領令13166をめぐって」,『社会言語学』17, 1-17
―――(2018a)「米国の投票権法 (1975年修正) について―なぜバイリンガル投票制度が実現したのか」,『アメリカス研究』23, 1-18
―――(2018b)「NPOと言語アクセス条例―米国・サンフランシスコの事例から」,『社

会言語学』18, 1-18
スミス・やました・ともこ／うずはし・よしこ／おおたに・しんや: スミス山下朋子／埋橋淑子／大谷晋也 (2012)「アメリカ合衆国における医療通訳事情調査報告」,『大阪大学国際教育交流センター研究論集』16, 19-28
———(2014)「アメリカの医療通訳現場から学べること—総合病院でのビデオ通訳の試み」,『大阪薬科大学紀要』8, 67-73
スラッシュ・エミリー: Thrush, Emily A. (2001) "A Study of Plain English Vocabulary and International Audiences", *Technical Communication*, 48 (2), 289-296
せがわ・はずき: 牲川波都季編 (2019)『日本語教育はどこへ向かうのか—移民時代の政策を動かすために』くろしお出版
セラフィン・アンドリュー : Serafin, Andrew (1998) "Kicking the Legalese Habit: The SEC's Plain English Disclosure Proposal", *Loyola University Chicago Law Journal*, 29 (3), 681-717
ぜんべい・アカデミー・いがく・けんきゅうしょ: 全米アカデミー医学研究所= Institute of Medicine of the National Academies (2002) *Unequal Treatment:Confronting Racial and Ethnic Disparities in Healthcare*, The National Academies Press
ぜんべい・きょういく・とうけい・センター: 全米教育統計センター = National Center for Education Statistics (1993) *Adult Literacy in America:A First Look at the Result of the National Adult Literacy Survey*, Educational Testing Service
ぜんべい・ほけんほう・プログラム: 全米保健法プログラム= National Health Law Program (NHelp), https://healthlaw.org/
———(2010) "How Can States Get Federal Funds to Help Pay for Language Services for Medicaid and CHIP Enrollees?", (ウェブサイトより取得)
ゾン・ジェ／バタロワ・ジャンヌ／ハロック・ジェフリー: Zong, Jie, Batalova, Jeanne and Hallock, Jeffrey (2019) "Frequently Requested Statistics on Immigrants and Immigration in the United States", Migration Policy Institute, (ウェブサイトより取得)
タイテルバウム・ジョエル／カートライト-スミス・ララ／ローゼンバウム・サラ: Teitelbaum, Joel, Cartwright-Smith, Lara and Rosenbaum, Sara (2012) "Translating Rights into Access: Language Access and the Affordable Care Act", *American Journal of Medicine*, 38, 348-373
ダイヤモンド・リサ／ウィルソン-ストロンクス・アミィ／ジェイコブス・エリザベス: Diamond, Lisa C., Wilson-Stronks, Amy and Jacobs, Elizabeth A. (2010) "Do Hospitals Measure up to the National Culturally and Linguistically Appropriate

Services Standards? ", *Medical Care*, 48 (2), 1080-1087
たけうち・あきお: 竹内昭夫 (1995)『消費者信用法の理論　総論・各論』有斐閣
たけさこ・かずみ: 竹迫和美 (2013)「米国における医療通訳士の発展の軌跡から学ぶ」, なかむら・やすひで／みなみたに・かおり: 中村安秀／南谷かおり編『医療通訳士という仕事—ことばと文化の壁をこえて』大阪大学出版会, 98-114
———(2014) *Development of Medical Interpreting in the United States:From Oral Histories of Medical Interpreters*, (Dissertation, Osaka University)
———(2015)「米国における医療通訳と医療通訳者の職能団体IMIA」, り・せつこ: 李節子編『医療通訳と保健医療福祉—すべての人への安全と安心のために』杏林書院, 157-163
たげんごか・げんしょう・けんきゅうかい: 多言語化現象研究会編 (2013)『多言語社会日本—その現状と課題』三元社
タッカー・ジェイムズ: Tucker, James T. (2009) *The Battle Over Bilingual Ballots: Language Minorities and Political Access Under Voting Rights Act*, Routledge
たなか・しんや／きむら・てつや／みやざき・さとし: 田中慎也／木村哲也／宮崎里司編 (2009)『移民時代の言語教育—言語政策のフロンティア』ココ出版
たにはら・おさみ: 谷原修身 (1979a)「米国連邦マグヌソン・モス保証法と消費者訴訟 (1)」,『南山法学』3 (2), 21-48
———(1979b)「米国連邦マグヌソン・モス保証法と消費者訴訟 (2)」,『南山法学』3 (4), 41-77
たにふじ・えつし: 谷藤悦史 (2001)「英国における行政改革と公共サービス管理の変容—サッチャー政権からブレア政権の変革を中心に」,『季刊　行政管理研究』94, 3-21
タマシ・スーザン／アンティオー・ラモント: Tamasi, Susan and Antieau, Lamont (2015)*Language and Linguistic Diversity in the US: An Introduction*, Routledge
チーク・アネッタ: Cheek, Annetta L. (2011) "Getting Democracy to Work for You", *Michigan Bar Journal* (October), 52-53
チャン・スーチェン: Chan, Sucheng (1991) *Asian American: An Interpretive History*, Twayne Publishers= すみい・ひろし: 住居広士訳 (2010)『アジア系アメリカ人の光と陰—アジア系アメリカ移民の歴史』大学教育出版
チン・アリス／ユーデルマン・マラ／ブルックス・ジェイミー: Chen, Alice, Hm, Youdelman, Mara K. and Brooks, Jamie (2007) "The Legal Framework for Language Access in Healthcare Settings: Title VI and Beyond", *Journal of General International Medicine*, 22 (2), 362-367
チン・ミン・シュー: Chen, Ming Hsu (2011) *Regulatory Rights:Civil Rights Agencies*

*Translating "National Origin Discrimination" into Language Rights, 1965-1979*, (Dissertation, University of California).

つつみ・みか: 堤未果 (2014)『沈みゆく大国アメリカ』集英社新書

―――(2015)『沈みゆく大国アメリカ―逃げ切れ! 日本の医療』集英社新書

ティアルスマ・ピーター: Tiersma, Peter M. (1999) *Legal Language*, The University of Chicago

ディーシー・げんご・アクセス・れんごう: DC言語アクセス連合＝DC Language Access Coalition, http://www.dclanguageaccesscoalition.org/

デグラウ・エルス: De Graauw, Els (2008) "Nonprofit Organizations: Agents of Immigrant Political Incorporation in Urban America", ラマクリシュナン・カーシック／ブルームラード・アイリーン: Ramacrishnan, Karthick and Bloemraad, Irene (ed.) *Civic Hopes and Political Realities: Immigrants, Community Organizations, and Political Engagement*, Russel Sage Foundation, 323-350

―――(2016) *Making Immigrant Rights Real: Nonprofits and The Politics of Integration in San Francisco*, Cornell University Press

デコラ・アルバロ: Decola, Alvaro (2011) "Making Language Access to Health Care Meaningful: The Need for a Federal Health Care Interpreter's Statute", *Journal of Law and Health*, 58, 151-182

デビッドソン・チャンドラー／グロフマン・バーナード: Davidson, Chandler and Grofman, Bernard (ed.) *Quiet Revolution in the South: The Impact of the Voting Rights Act:1965-1990*, Princeton University Press

デュベイ・ウィリアム: Dubay, William H. (2007) *Smart Language: Readers, Readability, and the Grading of Text*, Impact Information

デレオン・リチャード: DeLeon, Richard (2003) "San Francisco: The Politics of Race, Land Use, and Ideology", ブラウニング・ルーファス／マーシャル・デール・ロジャース／タブ・デイビッド: Browning, Rufus P., Marshall, Dale Rogers and Tabb, David H. (ed.) *Racial Politics in American Cities* (3rd ed.), Longman

とみや・れいこ／うつみ・ゆみこ／さいとう・ゆみ: 富谷玲子／内海由美子／斉藤祐美 (2009)「結婚移住女性の言語生活―自然習得による日本語能力の実態分析」,『多言語多文化―実践と研究』2, 116-137

トラン・ヘレン／バッタライ・デオドン: Tran, Helen and Bhattarai, Deodone (2014) "From Lau v. Nichols to the Affordable Care Act:Forty Years of Ensuring Meaningful Access in Health Care for Limited English Proficient Asian Americans, Native Hawaiians, and Pacific Islanders", *Asian American Policy*

*Review*, 24, 7-23
ドリーチリン・ジャニス／ギルバート・ジャン: Dreachslin, Janice L. and Gilbert, Jean M. (2013) *Diversity and Cultural Competence in Health Care: A System Approach*, Jossey-Bass
なかじま・かずこ: 中島和子編 (2010)『マルチリンガル教育への招待―言語資源としての外国人・日本人年少者』ひつじ書房
なかじま・かずこ: 中島和子 (2016)『バイリンガル教育の方法―12歳までに親と教師ができること (完全改訂版)』アルク
なかじま・じょう: 中島醸 (2016)「移民政策―移民制度改革をめぐる党派対立と大統領令」, かわね・たくろう／ふじき・たけやす: 河音琢郎／藤木剛康編『オバマ政権の経済政策―リベラリズムとアメリカ再生のゆくえ』ミネルヴァ書房, 163-189
なかはら・りょうじ: 仲原良二 (2000)『知っていますか?　在日外国人と参政権一問一答』解放出版社
なかまさ・まさき: 仲正昌樹 (2008)『集中講義! アメリカ現代思想―リベラリズムの冒険』NHKブックス
なかむら・やすひで／みなみたに・かおり: 中村安秀／南谷かおり編 (2013)『医療通訳士という仕事―ことばと文化の壁をこえて』大阪大学出版会
ななみ・あきこ: 名波彰子 (2011)「NGO (非政府組織) のアドボカシーをめぐる環境」,『修道法学』33 (2), 1-22
なみかわ・しの: 並河信乃編 (2002)『検証　行政改革―行革の過去・現在・未来』イマジン出版
なんせいぶ・ゆうけんしゃ・とうろく・プロジェクト: 南西部有権者登録プロジェクト = Southwest Voter Registration Project (SVREP), http://svrep.org
にいかわ・たつろう: 新川達郎 (2005)「NPOのアドボカシー機能」, かわぐち・きよふみ: 川口清史ほか『よくわかるNPO・ボランティア』ミネルヴァ書房, 178-179
にしかわ・まさる: 西川賢 (2016)『ビル・クリントン―停滞するアメリカをいかに建て直したか』中公新書
にしむら・あきお: 西村明夫 (2009)『疑問・難問を解決! 外国人診療ガイド』メジカル・ビュー社
にしやま・たかゆき: 西山隆行 (2016)『移民大国アメリカ』ちくま新書
にへい・のりひろ: 仁平典宏 (2017)「政治変容―新自由主義と市民社会」, さかもと・はるや: 坂本治也編『市民社会論―理論と実証の最前線』法律文化社, 158-177
ネーダー・ラルフ: Nader, Ralph (2013) *Told You So: The Big Book of Weekly Columns*, Seven Stories Press

のむら・あきこ: 野村亜紀子 (2001)「効率的な情報開示を目指す米国投信業界」,『資本市場クォータリー』(冬号), 1-15

のむら・かつ: 野村かつ (1971)『アメリカの消費者運動』新時代社

のむら・かつ／あおやま・みちこ／やまて・しげる: 野村かつ／青山三千子／山手茂 (1971)『消費者問題』亜紀書房

のむら・まさあき／きむら・よしゆき: 野村雅昭／木村義之編 (2016)『わかりやすい日本語』くろしお出版

パーキンス・ジェーン／ユーデルマン・マラ: Perkins, Jane and Youdelman, Mara (2008) "Summary of State Law Requirements Addressing Language Needs in Health Care", (ウェブサイトより取得)

バーナム・ジューン／パイパー・ロバート: Burnham, June and Pyper, Robert (2008) *Britain's Modernized Civil Service*, Macmillan= いなつぐ・ひろあき／あさお・くみこ: 稲継裕昭／浅尾久美子訳 (2010)『イギリスの行政改革―「現代化」する公務』ミネルヴァ書房

バーマン・アリ: Berman, Ari (2015) *Give Us the Ballot: The Modern Struggle for Voting Rights in America*, Farrar, Straus and Giroux.

バーンシュタイン・ハムタル／ジェラット・ジュリア／ハンソン・デブリン／モンソン・ウィリアム: Bernstein, Hamutal, Gelatt, Julia, Hanson, Devlin and Monson, William (2014) *Ten Years of Language Access in Washington DC*, Urban Institute

ハイドゥク・ロン: Hayduk, Ron (2006) *Democracy for All: Restoring Immigrant Voting Rights in the United States*, Routledge

ハスナイン-ウイニア・ロマーナ／ヨネック・ジュリー／ピアス・デブラ／カン・レイモンド: Hasnain-Wynia, Romana, Yonek, Julie, Pierce, Debra and Kang, Raymond (2006) "Hospital Language Services For Patients With Limited English Proficiency: Results from a National Survey", (ウェブサイトより取得)

はせがわ・ちはる: 長谷川千春 (2010)『アメリカの医療保障―グローバル化と企業保障のゆくえ』昭和堂

パターソン・ジェイムズ: Patterson, James T. (2001) *Brown v. Board of Education: A Civil Rights Milestone and Its Troubled Legacy*, Oxford University Press= もろおか・ひろなり: 籾岡宏成訳 (2010)『ブラウン判決の遺産―アメリカ公民権運動と教育制度の歴史』慶應義塾大学出版会

パック・テレサ: Pac, Teresa (2012) "The English-Only Movement in the US and the World in the Twenty-First Century", *Perspectives on Global Development and Technology*, 12, 192-210

ハドン・キャサリン: Haddon, Catherine (2012) *Reforming the Civil Service: The Efficiency Unit in the early 1980's and the 1987 Next Steps Report*, Institute for Government

バルデス・グァダルーペ: Valdés, Guadalupe (2001) "Bilingual Individuals and Language-Based Discrimination: Advancing the State of the Law on Language Rights", ゴンザレス・ロザン・デュエニャス: Gonzáles, Roseann Dueñas (ed.) *Language ideologies: Critical Perspectives on the Official English Movement*, Vol.2, NCTE/LEA, 140-170

———(2006) "The Spanish Language in California", バルデス・グァダルーペ: Valdés, Guadalupe (ed.) *Developing Minority, Language Resources: The Case of Spanish in California*, Multilingual Matters, 24-53

はんざわ・ひろし: 半澤廣志 (2001)「消費者の権利と消費者運動―『消費者の自立』をめぐって」,『国民生活研究』41 (1), 14-30

ハンター・デイビッド: Hunter, David H. (1976) "The 1975 Voting Rights Act and Language Minorities", *Catholic University Law Review*, 250, 249-270.

ハンチントン・サミュエル: Huntington, Samuel P. (2004) *Who Are We ?: The Challenges to America's National Identity*, Simon & Schuster = すずき・ちから: 鈴木主税訳 (2004)『分断されるアメリカ―ナショナル・アイデンティティの危機』集英社

ピアット・ビル: Piaat, Bill (1990) *Only English ?: Law and Language Policy in the United States*, University of New Mexico Press

ヒーロー・ロドニィー: Hero, Rodney E. (1992) *Latinos and the U. S. Political System: Two-Tired Pluralism*, Temple University Press

ヒメネス・マーサ: Jiménez, Martha (1992) "The Educational Rights of Language-Minority Children", クロフォード・ジェームズ: Crawford, James (ed.) *Language Loyalties:A Source Book on the Official English Controversy*, The University of Chicago Press, 243-251

ヒュー・ローソン: Hugh, Rawson (2005) "Why do we say that ?", *American Heritage*, 56 (2), 20

ひらおか・とよふみ: 平岡豊文 (2014)「ビジネスにおけるPlain English Campaignについて」,『国際ビジネスコミュニケーション学会研究年報』73, 15-23

ひらたか・ふみや/きむら・ごろう・クリストフ: 平高史也/木村護郎クリストフ編 (2017)『多言語主義社会に向けて』くろしお出版

ひらの・けいすけ: 平野桂介 (1996)「言語政策としての多言語サービス」,『日本語学』

15 (13), 65-72
プーマー・エンリケ: Pumar, Enrique S. (ed.) (2012) *Hispanic Migration and Urban Development: Studies from Washington DC*, Emerald
フェルゼンフェルト・カール: Felsenfeld, Carl (1991) "The Plain English Experience in New York", スタインバーグ: Steinberg. E. R. (ed.) *Plain Language: Principles and Practice*, Wayne State University Press
フェルゼンフェルト・カール／シーゲル・アラン: Felsenfeld, Carl and Siegel, Alan (1981) *Writing Contracts in Plain English*, West Publishing
プエルトリコ・しゅっしんしゃ・ほうてき・べんご・および・きょういく・ききん: プエルトリコ出身者・法的弁護および教育基金= Puerto Rican Legal Defense and Education Fund (PRLDEF), http://latinojustice.org/
ふじい・こうのすけ: 藤井幸之助 (2013)「多言語サービス・多言語支援」, 多言語化現象研究会『多言語社会日本―その現状と課題』三元社, 73-88
ふじくら・こういちろう: 藤倉晧一郎 (1994)「〈書評〉記憶が歴史にかわる時: NAACP 訴訟基金の活動史」,『同志社アメリカ研究』31, 79-87
ふじもと・かずみ: 藤本一美編 (1995)『クリントンとアメリカの変革』東信堂
ふじもと・かずみ: 藤本一美 (2001)『クリントンの時代―1990年代の米国政治』専修大学出版局
ブラック・シンディー／フレイザー・アイリーン: Brach, Cindy and Fraser, Irene (2002) "Reducing Disparities through Culturally Competent Health Care: An Analysis of Business Case", *Qual Manag Health Care*, 10 (4), 15-28= (2016) *HHS Public Access Author Manuscript*, 1-19
ブリシェット・ロバート: Brishetto, Robert (1994) "Texas", デビッドソン・チャンドラー／グロフマン・バーナード: Davidson, Chandler and Grofman, Bernard (ed.) *Quiet Revolution in the South: The Impact of the Voting Rights Act,1965-1990*, Princeton University Press, 233-270
フレッシュ・ルドルフ: Flesch, Rudolf (1946) *The Art of Plain Talk*, Harper & Brothers
———(1949) *The Art of Readable Writing*, Harper & Row Publishers
———(1960) *How to Write, Speak, and Think more Effectively*, Harper & Brothers
———(1964) *The ABC of Style: A Guide to Plain English*, Harper & Row Publishers
———(1979) *How to Write Plain English: A Book for Lawyers and Consumers*, Harper and Row Publishers
プロイングリッシュ: ProEnglish, https://proenglish.org/
フローレス・ヘンリー: Flores, Henry (2015) *Latinos and the Voting Rights Act: The*

*Search for Racial Purpose*, Lexington Books
ベイリー・エドワード: Bailey, Edward P. (1997) *The Plain English Approach to Business Writing* (Revised ed.), Oxford University Press
ヘックラー・マーガレット: Heckler, Margaret M. (1986) *Report of the Secretary's Task Force on Black & Minority Health*, U.S. Department of Health and Human Services
ペレス・ミゲル/ルキス・ラフィー: Pérez, Miguel A. and Luquis, Raffy R. (2014) *Cultural Competence in Health Education and Health Promotion* (2nd ed.), JOSSEY-BASS
ペンマン・ロビン: Penman, Robin (1992) "Plain English: Wrong Solution to an Important Problem", *Australian Journal of Communication*, 19 (3), 1-18
ボーエン・ベスティ/ダッフィー・トーマス/スタインバーグ・アーウィン: Bowen, Besty A., Duffy, Thomas M. and Steinberg, Erwin R. (1991) "Analyzing the Various Approaches of Plain Language Laws", スタインバーク・アーウィン: Steinberg, Erwin R. (ed.) *Plain Language: Principles and Practice*, Wayne State University Press, 19-29
ホートン・ジョン/カルデロン・ホセ: Horton, John and Calderón, José (1992) "Language Struggles in a Changing California Community", クロフォード・ジェームズ: Crawford, James (ed.) *Language Loyalties: A Sourcebook on the Official English Controversy*, The University of Chicago Press, 186-194
ポトフスキー・キム: Potowski, Kim (ed.) (2010) *Language Diversity in the USA*, Cambridge University Press
ほりえ・まさひろ: 堀江正弘 (1976)「アメリカ合衆国における行政改革(I)」,『季刊行政管理研究』2, 57-80
ホリンガー・デイビッド: Hollinger, David A. (2000) *Postethnic America: Beyond Multiculturalism*, Basic Books = ふじた・ふみこ: 藤田文子訳 (2002)『ポストエスニック・アメリカ—多文化主義を超えて』明石書店
ほんな・のぶゆき: 本名信行 (1997)「アメリカの多言語問題—イングリッシュ・オンリーとイングリッシュ・プラスの運動から」, みうら・のぶたか: 三浦信孝編『多言語主義とは何か』藤原書店, 48-64
マーシャル・アンガー/かやしま・あつし/たかとり・ゆき: マーシャル・アンガー/茅島篤/高取由紀編 (2017)『国際化時代の日本語を考える—二表記社会への展望』くろしお出版
マーシャル・メリッサ/ラザフォード・アマンダ: Marshall, Melissa J. and Rutherford,

Amanda (2016) "Voting Rights for Whom?: Examining the Latino Political Incorporation", *American Journal of Political Science*, 66 (3), 590-606
マエダ・ダリル・ジョージ: Maeda, Daryl Joji (2012) *Rethinking the Asian American Movement,* Routledge
ましこ・ひでのり (2019)「『職業としての日本語教師』という問題設定から―書評『日本語教育はどこへ向かうのか』」,『社会言語学』19, 169-186
ますい・のぶたか: 増井伸高 (2019)『外国人診療で困るコトバとおカネの問題』羊土社
まちどり・さとし: 待鳥聡史 (2016)『アメリカ大統領制の現在―権限の弱さをどう乗り越えるか』NHK出版
まつもと・しゅんじ: 松本俊次 (1987)『外国人に通じる英文取扱説明書の書き方―商品トラブルを防ぐ表現例集』工業調査会
まぶち・まさる: 真渕勝 (1984)「ジミー・カーターの行政改革」,『阪大法学』130, 61-117
マンシーナ・ピーター: Mancina, Peter (2013) "The Birth of a Sanctuary-city: A History of Governmental Sanctuary in San Francisco", リッペルト・ランディー／リハーグ・ショーン: Lippert, Randy K. and Rehaag, Sean (ed.) *Sanctuary Practices in International Perspectives: Migration, Citizenship and Social Movement,* Routledge, 205-218
みうら・としあき: 三浦俊章編訳 (2010)『オバマ演説集』岩波新書
みうら・のぶたか: 三浦信孝編 (1997)『多言語主義とは何か』藤原書店
みずの・まきこ／ないとう・みのる: 水野真木子／内藤稔編 (2015)『コミュニティ通訳―多文化共生社会のコミュニケーション』みすず書房
みなみかわ・ふみのり: 南川文里 (2016)『アメリカ多文化社会論―「多からなる一」の系譜と現在』法律文化社
みのわ・やすひろ: 蓑輪靖博 (2003)「貸付真実法からみたアメリカ消費者信用法制について―わが国の消費者信用法制のあり方を考える手がかりとして」,『クレジット研究』31, 22-42
みやざき・さとし: 宮崎里司 (2009)「センサスに見る言語政策―外国人問題に対する行政課題」,たなか・しんや／きむら・てつや／みやざき・さとし: 田中慎也／木村哲也／宮崎里司編『移民時代の言語教育―言語政策のフロンティア』ココ出版, 184-211
みやざき・さとし／すぎの・としこ: 宮崎里司／杉野俊子編 (2017)『グローバル化と言語政策―サスティナブルな共生社会・言語教育の構築に向けて』明石書店
みやじま・たかし／すずき・えりこ: 宮島喬／鈴木江理子 (2014)『外国人労働者受け入れを問う』岩波ブックレット

むらた・かつゆき: 村田勝幸（2007）『〈アメリカ人〉の境界とラティーノ・エスニシティ―「非合法移民問題」の社会文化史』東京大学出版会

メイク・ザ・ロード・ニューヨーク: Make the Road New York, https://maketheroadny.org/

———（2012）"Rx for Safety: Safe Rx Recommendation for Clear and Accessible Prescription Medication",（ウェブサイトより取得）

メキシコけい・アメリカじん・ほうてき・べんご・および・きょういく・ききん: メキシコ系アメリカ人・法的弁護および教育基金= Mexican American Legal Defense and Education Fund (MALDEF), http://maldef.org/

メリンコフ・デイビッド: Mellinkoff, David（1963）*The Language of the Law*, Little Brown and Company

もちづき・ひろき: 望月優大（2019）『ふたつの日本―「移民国家」の建前と現実』講談社現代新書

ヤーボロウ・ラルフ: Yarborough, Ralph (1992) "Introducing the Bilingual Education Act", クロフォード・ジェームズ: Crawford, James (ed.) *Language Loyalties: A Source Book on the Official English Controversy*, The University of Chicago Press, 322-325

やさしい・えいご・キャンペーン:〈やさしい英語〉キャンペーン= Plain English Campaign, http://www.plainenglish.co.uk/

———"Born to crusade: One woman's battle to wipe out gobbledygook and legalese",（ウェブサイトより取得）

やさしい・げんご・こうどうと・じょうほう・ネットワーク:〈やさしい言語〉・行動と情報ネットワーク: The Plain Language Action and Information Network（PLAIN）, https://www.plainlanguage.gov/

やさしい・げんご・いいんかい:〈やさしい言語〉委員会= Plain Language Commission, https://www.clearest.co.uk/

———（2004）"Twenty-five years of battling gobbledygook",（ウェブサイトより取得）

やさしい・げんご・こくさい・きょうかい:〈やさしい言語〉国際協会= Plain Language Association International（PLAIN）, https://plainlanguagenetwork.org/

やさしい・げんご・こくさい・れんめい:〈やさしい言語〉国際連盟= International Plain Language Federation, https://www.iplfederation.org/

やす・あきひろ: 安章浩（1997a）「『市民憲章』（Citizen's charter）とイギリスの行政改革の動向―『ホワイトホール文化』から『マネージメント文化』へ」,『早稲田政治公法研究』54, 65-97

———(1997b)「イギリスにおける行政改革の政治的位相とその問題点—『市民憲章』(Citizen's charter) 実施状況に関する報告書を手掛かりに」,『早稲田政治公法研究』55, 157-185

———(1998)「イギリスの行政改革の『脱行政化』的傾向に関する批判的考察—『市民憲章』(Citizen's charter) の『公的サーヴィスの質の向上』を巡る論議を手掛かりにして」,『早稲田政治公法研究』57, 157-177

やすおか・まさはる: 安岡正晴 (2016)「米国における投票権法をめぐる連邦-州関係の展開—『事前審査条項』をめぐる連邦司法省と州政府の関係を中心に」,『国際文化学研究』46, 57-89

———(2017)「トランプ政権と聖域都市—「不法移民」をめぐる連邦政府と州、地方政府の攻防」,『国際文化学研究』48, 221-245

やすだ・そうごう・けんきゅうしょ: 安田総合研究所 (1990)『製造物責任対策—製品安全のチェックポイント』有斐閣

やすだ・としあき: 安田敏朗 (2011)『「多言語社会」という幻想』三元社

———(2013)「『やさしい日本語』の批判的再検討」, いおり・いさお／イ・ヨンスク／もり・あつし: 庵功雄／イ・ヨンスク／森篤嗣編『「やさしい日本語」は何を目指すか—多文化共生社会を実現するために』ココ出版, 321-341

やまぎし・たかかず: 山岸敬和 (2014)『アメリカ医療制度の政治史—20世紀の経験とオバマケア』名古屋大学出版会

やまぐち・みちよ: 山口美知代 (2009)『英語の改良を夢みたイギリス人たち—綴り字改革運動史1838-1975』開拓社

やまぐち・やすひろ: 山口裕博 (1981)「消費者契約におけるリーガリーズ (legalese) の排除—1978年ニューヨーク州平易な英語 (Plain English) 法」,『英米法研究』22 (23), 23-28

やました・きよみ: 山下清海 (2017)「サンフランシスコにおけるチャイナタウンの形成と変容—ゴールドラッシュからニューチャイナタウンの形成まで」,『筑波大学人文地理学研究』37, 1-18

やまもと・かずはる: 山本一晴 (2011)「多文化共生施策における行政情報の多言語化—言語選択に係る議論を中心に」,『通訳翻訳研究』11, 95-112

やまもと・まさみち: 山本雅道 (2015)『アメリカ証券取引法入門—基礎から学べるアメリカのビジネス法』レクシスネクシス・ジャパン

ユー・エス・イングリッシュ: U.S. English, https://www.usenglish.org/

ユーデルマン・マラ: Youdelman, Mara (2002) "Providing Language Interpretation Services in Health Care Settings: Examples From the Field",(ウェブサイトより取得)

———(2008) "The Medical Tongue: U.S. Laws and Policies on Language Access", *Health Affairs*, 27 (2), 424-433

———(2010) "How Can States Get Federal Funds to Help Pay for Language Services for Medicaid and CHIP Enrollees?", (ウェブサイトより取得)

———(2011) "The ACA and Language Access", (ウェブサイトより取得)

———(2013) "The Development of Certification for Healthcare Interpreters in the United States", *Translation & Interpreting*, 5 (1), 114-126

———(2017) "Medicaid and CHIP Reimbursement Models for Language Services", (ウェブサイトより取得)

ユング・ディビッド／ガラード・ノエミ: Jung, David and Gallard, Noemi O. (2013) "Language Access Laws and Legal Issues: A Local Official's Guide", *Hastings Race and Poverty Law Journal*, 31, 31-68

よこさか・けんじ: 横坂健治 (1980)「アメリカ合衆国における選挙権の平等—政治的平等研究（2）」,『早稲田法学会誌』31, 347-380

よしかわ・としひろ: 吉川敏博 (2001)「カリフォルニア州における英語公用語運動」,『アメリカス研究』6, 127-144

よねやま・てつゆき: 米山徹幸 (2011)『21世紀の企業情報開示—欧米市場におけるIR活動の展開と課題』社会評論社

ライオン・キャッシー: Lion, Casey K. (2015) "Impact of Telephone versus Video Interpretation on Parent Comprehension, Communication and Utilization in the Emergency Department: A Randomized Trial", *JAMA Pediatr*, 169 (12), 1117-1125 = *HHS Public Access Author Manuscript*, 1-19

ライリー・シァウナ: Reilly, Shauna (2015) *Language Assistance under the Voting Rights Act: Are Voters Lost in Translation?*, Lexington Books

り・せつこ: 李節子編 (2015)『医療通訳と保健医療福祉—すべての人への安全と安心のために』杏林書院

———(2018)『在日外国人の健康支援と医療通訳—誰一人取り残さないために』杏林書院

リウ・マイケル／ジェロン・キム／ライ・トレーシー: Liu, Michael, Geron, Kim and Lai, Tracy (2008) *The Snake Dance of Asian American Activism: Community, Vision, and Power*, Lexington Books

リントン・エイプリル: Linton, April (2009) "Language Politics and Policy in the United States: Implications for the Immigration Debate", *International Journal of the Sociology of Language*, 199, 9-37

ルイス・ジョン／アイディン・アンドリュー: Lewis, John and Aydin, Andrew (2016) *March: Book Three*, Top Shelf Productions= おしの・もとこ: 押野素子訳 (2018)『MARCH 3: セルマ 勝利をわれらに』岩波書店

ルンバウト・ルーベン: Rumbaut, Rubén (2009) "A Language Graveyard?: The Evolution of Language Competencies, Preferences and Use among Young Adult Children of Immigrants", テレンス・ウィリー／リー・ジン・スク／ランバーガー・ラッセル: Terrence, Wiley, Lee, Jin Sook and Rumberger, Russell W. (ed.) *The Education of Language Minority Immigrants in the United States*, Multilingual Matters, 35–71

レイニー・ガリーヌ: Laney, Garrine P. (2008) *The Voting Rights Act of 1965, As Amended: Its History and Current Issues*, Nova Science Publishers

レチェ・ポール: Leche, Paul (2002) "Government regulations and the plain English movement", *Policy & Practices of Public Human Services*, 60 (4)

レディッシュ・ジャニス: Redish, Janice C. (1985) "The Plain English Movement", グリーンバウム・シドニー: Greenbaum, Sidney (ed.) *The English Language Today*, Pergamon Press, 125–138

れんぽう・とりひき・いいんかい: 連邦取引委員会= Federal Trade Commission (1983) "Writing Readable Warranties", (ウェブサイトより取得)

ロウ・ロドニー: Lowe, Rodney (2011) *The Official History of the British Civil Service: Reforming the Civil Service, vol.1:The Fulton Years, 1966–81*, Routledge

ロザレス・アルトゥーロ: Rosales, Arturo (1997) *CHICANO! : The History of the Mexican American Civil Rights Movement* (2nd ed.), Arte Público Press

ロック・ジョアン: Locke, Joanne (2004) "A History of Plain Language in the U.S. Government", (ウェブサイトより取得)

ワイヤー・トーマス: Weyr, Thomas (1988) *Hispanic U.S.A.: Breaking the Melting Pot*, Brandt & Brandt Literary Agents= あさの・とおる: 浅野徹訳 (1993)『米国社会を変えるヒスパニック―スペイン語を話すアメリカ人たち』日本経済新聞社

わたなべ・そうき: 渡辺惣樹 (2020)『アメリカ民主党の崩壊2001–2020』PHP研究所

わたなべ・やすし: 渡辺靖 (2020)『白人ナショナリズム―アメリカを揺るがす「文化的反動」』中公新書

ワン・テド: Wang, Ted (2009) *Eliminating Language Barriers for LEP Individuals: Promising Practices from the Public Sector*, (ウェブサイトより取得)

# 索　引（事項／人名）

## ア行

## カ行

## サ行



## タ行

## ナ行



## ハ行

## マ行



## ヤ行

## ラ行



## ワ行

音訳・点訳はご自由にどうぞ。お求めがあれば、本書のテキストデータをCDで提供します。いずれも個人使用目的以外の利用および営利目的の利用は認めません。住所を明記した返信用封筒および下のテキストデータ引換券（コピー不可）と200円切手を同封の上、下記の住所までお申し込みください。

〒101-0021
東京都千代田区外神田6-9-5　㈱明石書店内
『移民大国アメリカの言語サービス』テキストデータ係

テキストデータ
移民大国アメリカの言語サービス
引換券

**著者略歴**

**角　知行**（すみ・ともゆき）

天理大学名誉教授

東京大学大学院社会学研究科博士課程・単位取得退学

専攻：社会学（メディア論、言語政策）

著書：『識字神話をよみとく―「識字率99%」の国・日本というイデオロギー』（明石書店）

分担執筆書：『国際化時代の日本語を考える―二表記社会への展望』（くろしお出版）、『識字の社会言語学』（生活書院）、『現代の差別と偏見―ともに生きる社会をめざして』（明石書店）など

移民大国アメリカの言語サービス
――多言語と〈やさしい英語〉をめぐる運動と政策――

2020年9月25日　初版第1刷発行

著　者　　角　知行
発行者　　大江道雅
発行所　　株式会社 明石書店
〒101-0021 東京都千代田区外神田6-9-5
電　話　03（5818）1171
ＦＡＸ　03（5818）1174
振　替　00100-7-24505
http://www.akashi.co.jp

装丁　明石書店デザイン室
印刷　株式会社文化カラー印刷
製本　協栄製本株式会社

（定価はカバーに表示してあります）　ISBN978-4-7503-5083-7